ADJAOUD • BOUBAKRI • CHKIR • KOOLI

# Finance d'entreprise

## ÉVALUATION ET GESTION

Chenelière
Éducation

**Finance d'entreprise : évaluation et gestion**

Fodil Adjaoud, Narjess Boubakri, Imed Chkir
  et Maher Kooli

© 2008, Les Éditions de la Chenelière inc.
© 2005 gaëtan morin éditeur ltée

*Édition :* Mélanie Bergeron
*Coordination :* Frédérique Grambin, Sarah Lecours
*Révision linguistique :* Annick Loupias
*Correction d'épreuves :* Danielle Maire
*Conception graphique :* Nicole Fruhauf
*Infographie :* Alphatek
*Conception de la couverture :* Christian Campana
  et Josée Brunelle
*Impression :* Imprimeries Transcontinental

Dans cet ouvrage, le masculin est utilisé comme
représentant des deux sexes, sans discrimina-
tion à l'égard des hommes et des femmes, et
dans le seul but d'alléger le texte.

**Catalogage avant publication**
**de Bibliothèque et Archives nationales du Québec**
**et Bibliothèque et Archives Canada**

Vedette principale au titre :

  Finance d'entreprise : évaluation et gestion

  Comprend des réf. bibliogr. et un index.

  ISBN 978-2-7650-1841-4

  1. Entreprises – Finances.   2. Analyse financière.
  3. Entreprises – Finances – Prise de décision.   4. Entreprises –
  Finances – Planification.   ı. Adjaoud, Fodil, 1950-   .

  HG4026.F56 2008          658.15          C2008-940321-5

5800, rue Saint-Denis, bureau 900
Montréal (Québec) H2S 3L5 Canada
Téléphone : 514 273-1066
Télécopieur : 514 276-0324 ou 1 888 460-3834
info@cheneliere.ca

**ISBN 978-2-7650-1841-4**

Dépôt légal : 1er trimestre 2008
Bibliothèque et Archives nationales du Québec
Bibliothèque et Archives Canada

Imprimé au Canada

3   4   5   6   7   ITG   16   15   14   13   12

Nous reconnaissons l'aide financière du gouvernement du Canada par
l'entremise du Fonds du livre du Canada (FLC) pour nos activités d'édition.

Gouvernement du Québec – Programme de crédit d'impôt pour
l'édition de livres – Gestion SODEC.

# Avant-propos

*Finance d'entreprise : gestion et évaluation* est le fruit de notre vaste expérience, acquise au fil des années, en tant que professeurs de finance dans différentes universités et dans des programmes aussi variés que le baccalauréat en administration des affaires (BAA), la maîtrise en administration des affaires (MBA) ou la maîtrise en finance. Cet ouvrage expose les principes fondamentaux qui sous-tendent l'analyse de la situation financière des entreprises, décrit les outils mathématiques de prise de décisions et explique comment les utiliser pour évaluer les actifs des entreprises.

Lors de la rédaction, nous avons adopté une approche pratique, axée sur l'étude de cas réels d'entreprises, qui ont d'ailleurs servi à illustrer de nombreux concepts. Nous nous sommes toutefois efforcés de maintenir un certain équilibre entre les apports théoriques et pratiques.

Contrairement à d'autres auteurs, nous avons choisi d'étudier les cas de grandes entreprises canadiennes, le plus souvent des multinationales, dont les problématiques liées à la gestion financière, particulièrement riches et instructives, donnent l'occasion à l'étudiant de se familiariser avec le tissu sociétal québécois et canadien.

Cet ouvrage couvre les principales fonctions financières de l'entreprise : l'investissement, le financement et les politiques financières. Il comprend dix chapitres qui présentent, entre autres sujets, les outils de mathématiques financières, les politiques financières des entreprises en matière de structure de capital et de politique de dividendes, les modèles d'analyse financière, les modèles de planification financière, le coût du capital, et les fusions et les acquisitions. À la fin de chaque chapitre, le lecteur trouvera une liste de mots-clés à retenir, un sommaire des principales formules utilisées dans le chapitre, des questions de compréhension et des exercices.

Conçu selon une approche pédagogique simple, directe et respectant une logique chronologique dans la présentation des concepts, cet ouvrage s'adresse à un large public et, en favorisant l'autoapprentissage, il permettra à l'étudiant de trouver réponse à de nombreuses questions.


Bonne lecture à toutes et à tous


Les auteurs

# Table des matières

# Une introduction à la finance

# Mise en contexte

Ce chapitre a pour objectif de présenter les caractéristiques principales de la finance d'entreprise. Le lecteur apprendra à connaître les éléments fondamentaux qui font de la finance d'entreprise une discipline essentielle à toute prise de décision, notamment les relations d'agence entre les actionnaires, les dirigeants et les créanciers. Nous soulignerons l'importance d'un marché financier efficient pour l'allocation optimale des ressources. De plus, nous situerons la finance dans son environnement et discuterons de l'importance du système financier.

Nous exposerons également le cas d'une émission d'actions ordinaires de l'entreprise CAE[1], fondée en 1947 (New York Stock Exchange : CGT ; TSX : CAE). Cette société canadienne s'est hissée au rang de chef de file mondial dans le domaine des solutions intégrées de formation et des technologies d'avant-garde de simulation et de contrôle-commande destinées au marché aéronautique civil, au marché militaire et au marché naval. Enfin, nous conclurons ce chapitre en présentant un résumé et la liste des 10 principes qui constituent les fondements de la gestion financière.

## 1.1 La fonction de la finance

Trois catégories de décisions importantes caractérisent l'action du gestionnaire d'une société : la décision d'investir, la décision de financer les activités de l'entreprise et la décision de distribuer des dividendes aux actionnaires à partir des bénéfices réalisés. L'analyse de ces trois types de décisions permet de mieux comprendre la fonction de la **gestion financière.**

### 1.1.1 La décision d'investissement

La décision d'investissement revêt une importance considérable. En effet, elle consiste à allouer de façon efficace des ressources rares dans des investissements risqués en vue de maximiser la valeur de l'entreprise ou de son action sur le marché et, de façon ultime, à assurer l'enrichissement des actionnaires. Il faut noter que l'entreprise alloue ses fonds à des utilisations à court terme et à des investissements à long terme et qu'elle procède à des analyses de rentabilité. Dans les deux cas, elle prend des décisions en fonction du rendement que l'entreprise désire réaliser sur son investissement.

### 1.1.2 La décision de financement

La décision de financement consiste à procurer des fonds à l'entreprise au meilleur coût possible. Un coût de financement moins onéreux maximise la valeur de l'entreprise ou le prix de son action sur le marché.

### 1.1.3 La décision de distribution des dividendes

La décision de distribution des dividendes doit être prise en fonction de la décision de financement, car l'investisseur considère la valeur d'un dividende à la lumière du coût

---

1. Voir l'étude de cas pour un survol de la compagnie CAE.

d'option des bénéfices non distribués. En effet, les dividendes sont perçus comme des ressources abandonnées ou perdues en tant que moyen de financement de l'entreprise.

Ces trois types de décisions mettent en évidence la responsabilité du gestionnaire financier d'une entreprise sur plusieurs plans : les décisions que ce dernier doit prendre sur la planification et la prévision des états financiers ; l'analyse des états financiers, le suivi de l'évaluation des sources de financement et l'utilisation des fonds (équilibre entre l'actif à court terme et l'actif à long terme, et le maintien d'une capacité de production concurrentielle de l'entreprise) ; la gestion du fonds de roulement et l'analyse de la politique de distribution de dividendes à adopter.

## 1.2    L'objectif de l'entreprise et les relations d'agence

### 1.2.1    L'objectif de l'entreprise

Dans le domaine de la finance, l'objectif est d'utiliser les ressources d'un agent économique de la façon la plus efficace possible afin de maximiser sa richesse. Dans cet ouvrage, nous définissons l'objectif de l'entreprise comme la maximisation de l'avoir des actionnaires, c'est-à-dire la maximisation de la valeur marchande totale des actions ordinaires de l'entreprise. Cependant, le lecteur pourrait se demander pourquoi on ne considère pas comme objectif la maximisation des profits.

En fait, le principe de maximisation des profits a l'inconvénient majeur de ne pas tenir compte de l'évolution dans le temps de la position de risque de l'entreprise. Par exemple, pour tenter d'accroître ses profits, une entreprise peut être tentée d'orienter sa production vers des activités plus rémunératrices. Toutefois, lorsque l'on étudie les caractéristiques de rentabilité et de risque des différentes activités économiques, on constate une relation positive entre la rentabilité et le risque de ces activités économiques. Dès lors, une entreprise qui agirait de cette façon élargirait sans doute sa capacité de profit sur une longue période, mais ce serait aussi au détriment de sa position de risque. Or, dans le cadre du principe de maximisation des profits, on néglige de prendre en considération cette modification éventuelle des positions de risque.

Par ailleurs, on maximise l'avoir des actionnaires et non celui des créanciers ou des obligataires. En effet, ce sont les actionnaires qui possèdent la firme. Il faut cependant noter qu'en cas de faillite de l'entreprise, ce sont plutôt les obligataires qui seront les premiers à être remboursés.

### 1.2.2    Les relations d'agence

L'objectif de la maximisation de la richesse des actionnaires, propriétaires de l'entreprise, implique que les gestionnaires décident uniquement et toujours dans le meilleur intérêt des propriétaires. Toutefois, les gestionnaires peuvent agir pour d'autres motifs. En d'autres mots, les gestionnaires pourraient chercher à réaliser leurs propres objectifs au détriment de ceux des actionnaires. Considérons, par exemple, le fait de vouloir maximiser les ventes de l'entreprise. Une telle pratique ne conduit pas nécessairement à la maximisation de la richesse des actionnaires.

Les relations entre les actionnaires et la direction portent le nom de **relations d'agence.** Elles existent chaque fois qu'une personne, appelée mandataire ou agent, agit au nom d'une autre personne, appelée mandant ou principal. Ces relations sont présentes dans de nombreuses entreprises inscrites en Bourse aux États-Unis et au Canada. Étudions maintenant les différents types de conflits d'intérêts dans une entreprise.

## A ▪ Les conflits entre les actionnaires et les gestionnaires

Dans une relation d'agence, les actionnaires sont les mandants, et les gestionnaires, les mandataires, puisque les actionnaires engagent ces derniers pour gérer l'entreprise en leur nom. En principe, les gestionnaires ont la responsabilité d'agir dans le meilleur intérêt des actionnaires, mais ce n'est pas toujours le cas. L'article de Jensen et Meckling (1976)[2] décrit le conflit entre les actionnaires et les gestionnaires à l'aide de la situation suivante : un gestionnaire qui détient 100 % des actions vend une partie de ses actions. Ainsi, dès qu'il ne possède plus 100 % des actions, le dirigeant est incité à consommer davantage parce qu'une augmentation de sa consommation de 1 $ réduit la valeur de ses propres actions de moins que 1 $. Cela revient à dire qu'une partie de sa consommation est financée par les autres actionnaires. La théorie de la finance comprend généralement des mécanismes de contrôle externes à l'entreprise (la régulation par le marché de contrôle, c'est-à-dire des offres publiques d'achat, ou par le marché du travail pour les dirigeants), mais elle comporte aussi des solutions internes à ce type de conflit. Nous allons détailler deux solutions couramment avancées pour réduire ce problème d'agence : le système de compensation des gestionnaires et l'introduction de la dette dans la structure du capital de la firme.

**Le système de compensation des gestionnaires** Si la rémunération des gestionnaires est indexée à la valeur des actions, les intérêts des gestionnaires et des actionnaires convergent : le gestionnaire augmente sa propre richesse en augmentant la valeur des actions. La rémunération peut prendre la forme d'un salaire fixe, auquel s'ajoute une prime basée sur une mesure de performance, d'une rétribution partielle en actions sur la base de la performance, ou de la détention et de la rémunération en options. Cette dernière permet de réduire le conflit entre les gestionnaires et les actionnaires seulement si le prix d'exercice est plus élevé que le prix actuel des actions.

**La dette** La dette permet de résoudre au moins partiellement différents problèmes d'agence. Toutefois, il faut noter que, même si la dette présente des avantages dans la réduction des coûts d'agence, elle engendre également des coûts, tels que des coûts de faillite anticipés et des coûts d'agence : ceux qui sont liés aux conflits d'intérêts entre les créanciers et les actionnaires, sujet que nous abordons ci-après.

## B ▪ Les conflits entre les actionnaires et les créanciers

Il existe trois sources de conflits entre les actionnaires et les créanciers : les problèmes d'investissement dans des projets risqués, le sous-investissement et les dividendes.

**Les problèmes d'investissement dans des projets risqués** Il existe des conflits entre les actionnaires et les créanciers à cause des modes de rémunération très différents. Les actionnaires reçoivent des paiements résiduels, alors que les créanciers touchent des paiements fixes. Les actionnaires ont intérêt à laisser croître la probabilité de recevoir des paiements supérieurs en investissant dans des projets risqués, c'est-à-dire des projets qui peuvent engendrer des rendements très élevés, même si cette situation réduit la probabilité pour les créanciers de recevoir leurs paiements fixes. Les actionnaires préfèrent donc investir dans des projets risqués, alors que les créanciers préfèrent que l'entreprise opte pour des projets moins risqués.

---

2. Jensen, M. C., et W. H. Meckling (1976), «Theory of the Firm : Managerial Behavior, Agency Costs and Ownership Structure », *Journal of Financial Economics,* n° 3, p. 305-360.

**Le problème du sous-investissement** Ce deuxième problème survient quand la firme choisit le projet dont la rentabilité est la plus faible.

**Le problème des dividendes** On distingue deux types de problème. Le premier se présente lorsque la firme dispose de liquidités importantes sans avoir de projets rentables. Les actionnaires veulent bien sûr que ces réserves soient distribuées, faute d'investissements dans des projets rentables. Le deuxième problème se présente ainsi : l'entreprise émet des obligations à un prix qui suppose que les dividendes resteront constants ; ensuite, la firme augmente les dividendes et finance cette augmentation avec une réduction des investissements. Ainsi, la valeur des obligations diminue parce que les investissements dans des projets rentables sont réduits.

## 1.3 La finance et les divers agents économiques

Le système économique se compose de plusieurs agents économiques : les gouvernements, les ménages, les entreprises et les intermédiaires financiers, y compris les marchés financiers (*voir la figure 1.1 à la page 6*).

### 1.3.1 Les gouvernements

Les deux ordres de gouvernements (fédéral et provinciaux) et les municipalités perçoivent des impôts et des taxes auprès des ménages et des entreprises. Ensuite, ils redistribuent les sommes perçues dans des programmes économiques et sociaux (assurance-emploi, pensions de vieillesse, indemnités, programmes de soutien à la famille, construction d'autoroutes, d'écoles, etc.), des salaires à leurs fonctionnaires et des subventions aux entreprises.

Il va de soi que, si les rentrées de fonds ne couvrent pas l'ensemble des dépenses, les gouvernements peuvent alors faire appel aux marchés financiers pour emprunter. Dans le cas contraire, les surplus peuvent tout aussi bien faire l'objet de placements qui rapporteront des intérêts.

### 1.3.2 Les ménages

Les ménages reçoivent des salaires, des revenus de placements (revenus locatifs, intérêts, dividendes et gains en capital) et des prestations provenant de programmes sociaux publics ou privés. Ils achètent également des biens et des services, et ils paient les taxes et les impôts imposés par les différents ordres de gouvernements.

Pour subvenir à leurs besoins, les ménages, tout comme les gouvernements, empruntent ou font des placements en faisant appel aux différents intervenants des marchés financiers.

### 1.3.3 Les entreprises

Les entreprises produisent et consomment des biens et des services. Comme les ménages, elles doivent faire l'acquisition d'actifs et recourir aux marchés financiers pour les financer. Les véhicules financiers auxquels elles ont accès se composent d'actions, d'obligations, de crédit commercial, etc. Enfin, dans les meilleures années, les entreprises versent des dividendes à leurs actionnaires. Ces entreprises achètent également des titres auprès des marchés financiers pour spéculer, couvrir leurs actions et aussi éviter que des surplus demeurent improductifs.

### 1.3.4 Le système financier

Certains agents économiques investissent plus qu'ils n'épargnent ; ils ont donc besoin de recourir à un financement externe. Par ailleurs, d'autres agents économiques épargnent plus qu'ils n'investissent et disposent ainsi d'une capacité de financement. Par conséquent, il est nécessaire que s'organisent des transferts des uns vers les autres. Ces transferts s'opèrent par l'intermédiaire du système financier en général qui englobe à la fois les intermédiaires financiers et les marchés financiers. Étant donné l'importance de ces deux composantes, nous leur consacrons la section suivante.

**Figure 1.1** Les domaines de la finance

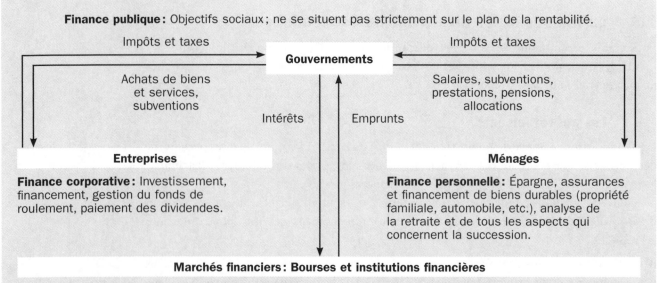

## 1.4 Les marchés financiers et le rôle de l'intermédiation financière

Un marché est un mécanisme facilitant la distribution des biens et des services. La fixation d'un prix est la trace concrète de l'existence d'un marché.

### 1.4.1 Le marché financier

Un marché financier est un marché sur lequel se négocient les titres financiers. Il s'agit d'une notion quelque peu abstraite qui désigne une organisation facilitant le commerce des valeurs mobilières. Cette organisation n'a pas forcément d'existence juridique. En effet, un marché existe si des acheteurs et des vendeurs sont en interrelation grâce à un réseau de communications. Un marché peut cependant disposer de statuts, de personnel, de règlements, de membres et de lieux de rencontre officiels. Par ailleurs, un marché financier assure la fonction économique essentielle de la canalisation des fonds des agents qui ont épargné un surplus aux agents qui ont un besoin de fonds. La Bourse est le plus connu des marchés financiers.

Selon le Grand Dictionnaire terminologique de la langue française[3], une « Bourse des valeurs mobilières est un marché public organisé où se négocient au comptant ou à terme des valeurs mobilières ». De plus en plus, ces marchés publics sont dématérialisés : les transactions s'effectuent par voie électronique et il n'existe plus de lieu de rencontre physique entre les agents. Toutefois, les principes de base demeurent. Ainsi, le bon fonctionnement du **marché boursier** nécessite toujours une liquidité élevée. Réunir ces conditions implique cependant la définition et l'application d'une réglementation propre à la Bourse, ainsi que des normes de divulgation de renseignements par les sociétés sur leurs opérations boursières et leurs activités d'exploitation.

### 1.4.2 Le titre financier

Un titre financier est une promesse d'honorer des engagements financiers. Ce titre est porté au passif du bilan de l'émetteur (qui doit honorer des engagements financiers, etc.) et à l'actif du bilan du détenteur. Un titre ou un actif financier est composé de fonds promis (engagement), alors qu'un actif réel correspond à des biens matériels. Voici quelques exemples de titres financiers : les bons du Trésor, les obligations, les hypothèques, les actions privilégiées, les actions ordinaires, les options, les contrats à terme, les papiers commerciaux et les reconnaissances de dette.

### 1.4.3 Les intermédiaires financiers

De façon générale, on peut définir un intermédiaire financier comme une entité qui emprunte en émettant ses propres titres et prête de nouveau les fonds levés. On tend maintenant à englober dans la définition d'intermédiaire financier l'ensemble des institutions, des organismes ou des individus qui établissent un pont entre, d'une part, des apporteurs de capitaux et, d'autre part, des demandeurs de fonds. Ainsi, parmi les intermédiaires financiers, on trouve les banques, les sociétés de fiducie, les compagnies d'assurance vie ou d'assurance générale, les courtiers en valeurs mobilières, les négociants en valeurs mobilières, les sociétés financières, les sociétés de prêts hypothécaires, les sociétés de financement des entreprises, les fonds mutuels[4] et les régimes de retraite[5].

C'est à l'intermédiaire financier que reviendra la tâche délicate d'accomplir des actes selon les principes et les convictions de son client. Or, toute pratique d'intermédiation est porteuse de marges de liberté où peuvent apparaître des conflits d'intérêts entre l'intermédiaire et le client. Il en va notamment ainsi des décisions en matière de méthodes de gestion, de recommandations d'investissement, etc. Dans ce contexte, il revient au client, avant d'accorder sa confiance à un intermédiaire, de s'assurer que la manière dont celui-ci exerce son activité est en harmonie avec ses valeurs et ses convictions éthiques. Ces questions d'ordre éthique sont d'une grande importance pour le bon fonctionnement des activités. Toutefois, il faut noter que, même si les règles d'éthique ne sont pas clairement définies, il est important de les connaître et de les respecter.

---

3. Site Web : www.granddictionnaire.com.

4. Les fonds mutuels peuvent également être considérés comme des intermédiaires entre des investisseurs individuels qui apportent des fonds et des entreprises qui utilisent ces fonds sous forme de titres du marché monétaire, d'actions ou d'obligations suivant la nature du fonds mutuel.

5. Les régimes de retraite, encore peu courants dans le monde francophone, représentent des montants énormes de capitaux en Amérique du Nord. Ils constituent bien un intermédiaire financier ; les apporteurs de capitaux sont les participants au régime et les utilisateurs de capitaux sont des gouvernements nationaux ou locaux, dans le cas des obligations, et des entreprises, dans le cas des actions.

### 1.4.4 Le rôle d'un marché organisé

Le rôle d'un marché financier organisé est de permettre d'allouer les ressources en capital aux entités qui ont besoin de ces fonds, c'est-à dire de fournir les mécanismes de canalisation de l'épargne vers les entités qui cherchent à investir dans les biens de production. On distingue les différents marchés suivants (*voir la figure 1.2*) : le marché monétaire, le marché des options et des contrats à terme, le marché primaire et le marché secondaire.

**Figure 1.2** Les marchés financiers

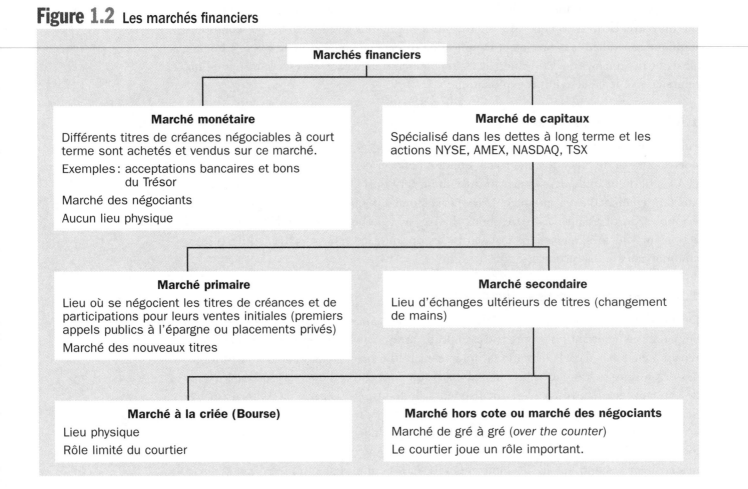

#### A ▪ Le marché monétaire

Sur le marché monétaire, on n'échange que des titres à revenu fixe qui sont très liquides (considérés comme des équivalents de la monnaie). Ces titres sont en général peu risqués, et leur échéance est courte (inférieure à une année). Il peut s'agir de bons du Trésor, de prêts au jour, de papiers commerciaux et d'acceptations bancaires. Au Canada, les intervenants sur le marché monétaire comprennent le gouvernement fédéral, la Banque du Canada, les gouvernements provinciaux, les sociétés financières et les entreprises commerciales.

#### B ▪ Le marché des capitaux

On attribue au marché des capitaux les transactions qui ne sont pas effectuées sur le marché monétaire, en particulier l'achat et la vente d'actions. Ces titres sont plus risqués, avec des échéances à moyen ou à long terme. Ce sont les obligations gouvernementales de longue échéance, les obligations corporatives, les actions privilégiées et les actions ordinaires. Les marchés de capitaux existent sous la forme de marché primaire et de marché secondaire.

**Le marché primaire** Le marché primaire est le marché où sont émis les nouveaux titres financiers. Le produit de la vente des titres est remis à l'entreprise émettrice qui a besoin de ce financement. Il s'agit du marché de la première émission. Lorsqu'une entreprise émet de nouveaux titres boursiers, elle réalise une opération sur le marché primaire. Une fois les titres émis, les investisseurs voudront peut-être en acheter davantage ou les vendre. Ces transactions ont lieu sur le marché secondaire.

**Le marché secondaire** La principale fonction du marché secondaire est de coordonner les activités des acheteurs et des vendeurs afin de leur permettre d'effectuer des transactions sur les titres en circulation. Il s'agit du marché de la revente et des achats ultérieurs. Ce marché permet d'assurer la liquidité des titres émis initialement par les entreprises sur le marché primaire. Il représente l'ensemble des transactions par lesquelles se fait l'échange de titres déjà émis.

Le marché monétaire est essentiellement un marché primaire (il existe des transactions secondaires, mais très peu). Sur le marché des capitaux, par contre, les deux types de marchés (primaire et secondaire) sont actifs et peuvent encore être subdivisés.

Ainsi, le marché primaire comprend un compartiment pour la vente au public qui nécessite, en règle générale, le recours à des courtiers. Il est constitué de particuliers et d'établissements financiers qui se partagent le montant global de l'émission. Ce marché comprend également un compartiment pour les ventes privées, où l'émission est vendue à un établissement ou à un groupe d'établissements financiers.

Le marché secondaire comprend un marché au comptoir composé du réseau de communications des courtiers et des agents de change. La plupart des sociétés concernées par ce marché sont de petite taille ou sont des entreprises qui veulent conserver un caractère privé à leurs opérations. Ce marché comprend également la Bourse. En effet, lorsque les entreprises ont besoin d'ouvrir leur capital de façon importante pour soutenir leur croissance, elles peuvent lever des fonds sur ce marché.

## C ■ Le marché des options et des contrats à terme

Le marché des options et des contrats à terme est un marché d'échange de risques. Les options sont des titres boursiers qui donnent la possibilité d'acheter ou de vendre une certaine quantité d'actions à un prix fixé d'avance et pour une période de temps déterminée. Les options d'achat (*call*) et les options de vente (*put*) sont des outils très efficaces pour spéculer sur la hausse ou la baisse du prix d'un titre ou encore pour protéger l'investisseur contre les fluctuations de la valeur de ses titres.

Les contrats à terme sont des contrats pour lesquels l'acheteur d'un contrat s'engage à prendre livraison d'une quantité prédéfinie à une date et à un prix prédéterminés. De la même façon, le vendeur d'un contrat s'engage à livrer une quantité fixée à une date et à un prix prévus dès l'origine. Les contrats à terme peuvent porter sur des produits tels que l'or, le pétrole, le café, les pommes de terre ou des produits financiers comme des obligations ou des devises. Ici encore, les contrats à terme peuvent être utilisés par des spéculateurs qui misent sur les fluctuations du prix de ces divers produits. Les contrats à terme sont aussi utilisés par les producteurs et les utilisateurs voulant se protéger des fluctuations de prix (des aléas liés aux conditions climatiques, par exemple, pour un producteur de blé).

### 1.4.5 Les Bourses des valeurs mobilières au Canada

Les Bourses des valeurs mobilières sont des lieux d'échange de titres qui peuvent prendre plusieurs formes. Le Toronto Stock Exchange (TSX) est un marché dit d'enchères où les prix sont fixés par l'offre et la demande. « Entièrement automatisée, la Bourse de Toronto se classe constamment parmi les principales Bourses du monde et constitue le principal marché canadien pour les titres de grande capitalisation, qui comptent pour environ 95 % des opérations sur actions effectuées au pays. En avril 2000, la TSX s'est démutualisée pour devenir une société à but lucratif dénommée La Bourse de Toronto Inc.[6] »

Auparavant, la Bourse regroupait des membres (et non des actionnaires) et elle était dirigée par un Conseil des gouverneurs composé de membres et de non-membres. Les membres et leurs employés inscrits ayant le droit de négocier sur le parquet, les sièges avaient donc une valeur importante. Les négociations effectuées à la TSX sont maintenant entièrement électroniques et ne dépendent plus des courtiers du parquet.

Les Bourses canadiennes ont subi une importante restructuration au cours des dernières années. Depuis, les transactions sur les titres de grandes sociétés sont centralisées à la Bourse de Toronto, qui traite plus de 90 % des opérations sur actions au Canada. La Bourse de Toronto compte plus de 1 300 sociétés inscrites à sa cote et elle est le plus important marché de valeurs mobilières au Canada. Les inscriptions de grandes sociétés à la Bourse de Montréal sont transférées à la Bourse de Toronto, et les titres bénéficiant d'une inscription double à la Bourse de Montréal et à la Bourse de Toronto n'appartiennent plus qu'à la cote de la Bourse de Toronto. La Bourse de Montréal, la plus ancienne Bourse de valeurs du Canada, devient le marché d'échange exclusif des produits dérivés au Canada.

Dans l'Ouest canadien, la fusion de la Bourse de l'Alberta et de la Bourse de Vancouver s'est traduite par un marché unique de titres de petites sociétés, avec quelque 3 000 inscriptions. Le nouveau marché, appelé Bourse de croissance TSX, se spécialise dans le marché des sociétés en émergence en leur permettant d'accéder à du capital et en offrant aux investisseurs un marché bien réglementé pour ce type d'investissement. Les sociétés inscrites à la Bourse de croissance TSX évoluent notamment dans les secteurs miniers, du pétrole et du gaz, de la fabrication, de la technologie et des services financiers.

Le marché de la Bourse de Toronto pour les titres de petites sociétés, le Canadian Dealing Network, devient une constituante du nouveau marché, comme c'est le cas pour les titres des petites sociétés inscrites auparavant à la Bourse de Montréal. En outre, la Bourse de Winnipeg, la plus petite Bourse de valeurs du Canada, a également adhéré au nouveau marché des titres de petites sociétés.

Selon le rapport annuel 2006 du groupe TSX, la « capitalisation boursière totale des 3842 émetteurs inscrits à la Bourse de Toronto et à la Bourse de croissance TSX atteignait, au 31 décembre 2006, plus de 2,1 milliards de dollars, ce qui place ces deux bourses combinées au troisième rang en Amérique du Nord et au huitième rang à l'échelle mondiale. Le volume des titres négociés à ces deux bourses en 2006 a totalisé 119,7 milliards de dollars ».

### 1.4.6 Les caractéristiques importantes d'un marché boursier

Les caractéristiques importantes d'un marché boursier sont la liquidité, la profondeur, le dynamisme et l'efficience. Nous discutons maintenant de ces différentes caractéristiques.

---

6. Site Web de la Bourse de Toronto ou la Bourse de croissance TSX : www.tsx.com.

## A ■ La liquidité

La liquidité est la caractéristique d'un marché où il est possible d'acheter et de vendre des titres rapidement et à faible coût. Cette caractéristique est présente lorsque de nombreuses opérations sont effectuées, que les cours acheteurs et vendeurs sont peu éloignés ou que les opérations font faiblement fluctuer les cours.

## B ■ La profondeur

Un marché est profond lorsqu'il est possible d'y effectuer des transactions importantes sur un grand nombre de titres. C'est une caractéristique très importante pour les investisseurs institutionnels. C'est le cas lorsqu'il existe un nombre relativement grand d'entreprises inscrites et qui négocient régulièrement sur ce marché. Ces entreprises sont fortement capitalisées (Capitalisation = nombre de titres émis × valeur marchande de ces titres). Il faut également que le nombre d'actions effectivement négociées (*float*) soit important.

## C ■ Le dynamisme

Le dynamisme traduit la capacité du marché à augmenter année après année le nombre d'entreprises inscrites et la capitalisation de celles qui le sont déjà. Cette croissance s'opère de quatre façons : a) par les émissions initiales (**premiers appels publics à l'épargne** ou IPO, acronyme d'*initial public offering*), qui traduisent l'arrivée de nouvelles entreprises sur le marché ; b) par l'augmentation de capital des sociétés déjà inscrites ; c) par l'augmentation de valeur des titres déjà émis ; d) par les privatisations. En effet, dans la plupart des marchés émergents, les privatisations ont été considérées comme un moyen de dynamiser le marché boursier et, dans de nombreux pays, l'essentiel du marché est constitué des actions provenant de ces privatisations.

## D ■ L'efficience

Un marché non efficient ne fonctionnera pas de façon durable, n'attirera ni les investisseurs étrangers ni les petits investisseurs, et il représentera un obstacle au financement public. Le concept de l'**efficience** est tellement important et controversé qu'il fait l'objet de la dernière section du chapitre.

## 1.5 Les étapes d'entrée en Bourse

Lorsqu'une entreprise décide d'entrer en Bourse au moyen d'une émission initiale, elle doit suivre un processus régi par des lois et des règlements de compétence provinciale. Ce processus comporte habituellement cinq phases et dure plusieurs mois. Les cinq phases sont décrites ci-après et sont suivies d'un exemple.

### 1.5.1 La préparation du prospectus provisoire

Bien avant de déposer le prospectus définitif, l'entreprise émettrice doit préparer un prospectus provisoire (*red herring prospectus*) qui sera soumis à l'examen des organismes de réglementation. Ce document contient toute l'information exigée, sauf le prix définitif, la commission des placeurs, le nombre définitif d'actions à placer et le produit net. Au cours de cette étape, l'émetteur doit créer un groupe de travail composé d'au moins un de ses hauts dirigeants et de représentants des courtiers, de vérificateurs et de conseillers juridiques. Bien que la responsabilité de la rédaction d'un prospectus provisoire incombe à l'émetteur et à ses conseillers juridiques, les membres du groupe de travail se voient habituellement assigner la responsabilité de préparer la première version du prospectus provisoire. Cet exercice peut demander des semaines ou des mois selon la complexité des activités et des affaires de l'émetteur, le besoin de restructuration avant la transformation en société ouverte et l'application du groupe de travail.

### 1.5.2 Le processus de contrôle diligent

Dans une dernière étape, les placeurs et leurs avocats procèdent à un examen approfondi de tous les aspects de l'entreprise afin de s'assurer d'obtenir tous les renseignements importants pour le placement et de confirmer l'exactitude de cette information. Ainsi, cet examen garantit aux investisseurs que le document préparé constitue un exposé complet et véridique des faits. En général, la vérification diligente comprend des discussions approfondies avec les hauts dirigeants de l'émetteur au cours de la préparation du prospectus provisoire, l'inspection des principaux éléments d'actif de l'émetteur, l'examen de ses contrats importants (comme les contrats de financement), l'examen de ses états financiers et de son plan financier ainsi que des discussions avec les cadres supérieurs de l'émetteur, ses vérificateurs et des conseillers ou des experts avant le dépôt du prospectus provisoire et du prospectus définitif.

### 1.5.3 L'examen réglementaire et la tournée de promotion

Une fois le prospectus provisoire imprimé, il est déposé auprès des commissions des valeurs mobilières pertinentes. Ce n'est qu'après avoir reçu la première lettre d'observations des autorités en valeurs mobilières et avoir répondu à leurs questions que les dirigeants de l'entreprise émettrice peuvent partir en tournée de promotion pour présenter l'entreprise aux investisseurs institutionnels et aux courtiers en valeurs mobilières. Au cours de ces tournées de promotion (*road show*), seule l'information déjà rendue publique dans le prospectus provisoire et la circulaire d'information confidentielle[7] (*green sheet*) peut être utilisée ou faire l'objet de discussions.

### 1.5.4 La préparation du prospectus définitif

Tout au long de la durée du placement, les placeurs sondent le terrain pour ce qui est du prix et de l'acceptation par le marché. La conjoncture du marché, l'intérêt suscité par le prospectus provisoire et la tournée de promotion ont une incidence sur la détermination du prix et du nombre d'actions, et ils donnent une idée du moment propice au lancement de l'offre. Une fois que le nombre de titres a été établi et que le contrôle diligent et l'examen réglementaire sont terminés, l'entreprise émettrice est prête à réviser le prospectus définitif et à le déposer. La vente et la distribution des actions peuvent commencer dès que le prospectus définitif est déposé et visé par les commissions des valeurs mobilières.

### 1.5.5 La clôture

Après la signature de la convention de placement des titres se tient une réunion de clôture à laquelle participent tous les intervenants. Des documents juridiques sont signés et échangés (ce qui se fait normalement après la clôture des marchés, la veille du dépôt du prospectus définitif). De plus, l'émetteur reçoit le produit net du placement en échange des titres remis aux placeurs. Cette réunion de clôture officialise donc le début de la vie de l'entreprise à titre de société ouverte. Cette étape est exécutée sur le marché primaire ou le marché des nouvelles émissions. Par la suite, chaque courtier vend ses titres à ses clients à un prix plus élevé qu'il ne les a payés. Le prix payé par les clients est nommé prix d'émission.

---

7. Cette circulaire résume les principales informations financières tirées du prospectus. On y présente souvent des données comparatives sur des titres d'entreprises similaires.

De l'étape de préparation du prospectus provisoire à la clôture de l'opération, l'émetteur devra engager des frais juridiques, des frais de comptabilité, de vérification, d'inscription à la Bourse et d'impression du prospectus. Tous ces frais sont liés à la nécessité de se conformer aux exigences des organismes de réglementation et d'une Bourse de valeurs mobilières.

### 1.5.6 CAE et l'émission d'actions ordinaires

Pour mieux comprendre les détails d'une émission initiale d'actions, considérons l'exemple de la société CAE[8].

Le 30 septembre 2003, CAE a annoncé qu'elle avait réalisé l'émission de 26,6 millions de ses actions ordinaires au prix unitaire de 6,58 $. Le jour où l'entente de prise ferme a été annoncée, soit le 11 septembre 2003, l'action de CAE était à 6,72 $, mais, depuis, de mauvaises nouvelles ont fait chuter le titre du fabricant de simulateurs de vol et de pilotage de navires.

Le mardi 30 septembre 2003, le titre de CAE a commencé la séance à 5,20 $, soit 0,07 $ de moins qu'à la fermeture le lundi 29 septembre 2003. Pour les preneurs fermes et leurs clients institutionnels qui avaient prépayé 175 millions de dollars pour les 26,6 millions d'actions émises, la perte s'élevait à 36,7 millions de dollars.

Le titre de CAE, qui est descendu jusqu'à 5,02 $ en cours de séance du mardi (30 septembre 2003), a clôturé à 5,07 $, en baisse de 0,20 $. Son plus bas niveau des 52 dernières semaines était de 2,76 $ et son plus haut niveau, de 6,79 $.

Scotia Capitaux, RBC Dominion valeurs mobilières, Marchés mondiaux CIBC, Dundee Securities, Valeurs mobilières TD et Griffiths McBurney font partie du syndicat de prise ferme. Dans son prospectus définitif[9], CAE indique qu'elle utilisera les produits nets de l'émission, soit 167,5 millions de dollars « pour réduire sa dette bancaire et pour servir ses besoins généraux ».

## 1.6 L'efficience des marchés – définition et évidences

### 1.6.1 L'efficience des marchés – définition

Fama (1970)[10] précise qu'« un marché est efficient si les prix reflètent pleinement et de façon instantanée toute l'information disponible » (traduction libre).

Jensen (1978)[11] note que « le marché est efficient par rapport à un ensemble d'informations donné si on ne peut obtenir des profits économiques en transigeant sur la base de cette information. On entend par profit économique le rendement ajusté pour le risque net de tous les coûts » (traduction libre).

Un marché est efficient lorsque le cours du marché reflète exactement les informations disponibles. Voilà pourquoi, dans un marché de valeurs mobilières efficient, il n'y a aucune raison de croire que le cours est trop bas ou trop élevé.

L'efficience des marchés est un concept à dimensions multiples. Lorsque les actifs sont négociés au moindre coût, on parle d'efficience opérationnelle. L'efficience information-nelle, pour sa part, fait référence à la capacité des marchés à produire et à transmettre de

---

8. Site Web : www.cae.com.

9. Le prospectus définitif de CAE peut être consulté en ligne sur le site Web du Système électronique de données, d'analyse et de recherche (SEDAR) : www.sedar.com.

10. Fama, E. F. (1970), « Efficient Capital Markets : A Review of Theory and Empirical Work », *Journal of Finance*, n° 25, p. 383-417.

11. Jensen, M. C. (1978), « Some Anomalous Evidence Regarding Market Efficiency », *Journal of Financial Economics*, n° 6, p. 95-101.

l'information au moyen des prix. De plus, on parle d'efficience allocationnelle lorsque le marché fait une bonne allocation des ressources. La recherche de l'efficience allocationnelle basée sur la valeur de l'information se divise en trois niveaux graduels[12] d'efficience : les formes faible, semi-forte et forte.

- La forme faible suppose que les cours passés ne peuvent être utilisés pour prévoir l'évolution des prix futurs, car les variations successives de cours sont purement aléatoires. Les tests visent à vérifier l'hypothèse d'indépendance des cours successifs (l'analyse technique n'est donc pas pertinente).

- La forme semi-forte est la plus controversée. Elle est présente lorsque toute l'information publique disponible (rapports annuels, journaux financiers, rubans d'information financière, etc.) est immédiatement intégrée dans les cours. Ici, on cherche à évaluer le degré de rapidité avec lequel l'arrivée sur le marché d'une information est répercutée dans les cours.

- La forme forte est observée quand toute l'information, y compris l'information privilégiée[13] dont bénéficient par exemple les initiés, est reflétée dans les cours. Les tests étudient dans quelle mesure certains investisseurs seraient capables ou non de tirer de façon permanente un rendement supérieur à celui du marché.

### 1.6.2 CAE et l'efficience du marché

Pour illustrer le comportement des prix dans un marché efficient, prenons de nouveau le cas de l'entreprise CAE. Société canadienne fondée en 1947, CAE (NYSE : CGT ; TSX : CAE) réalise un chiffre d'affaires dépassant le milliard de dollars canadiens en exportant 90 % de sa production partout dans le monde. CAE emploie plus de 5 000 personnes à son usine de fabrication et dans ses centres de formation répartis dans 19 pays, sur 4 continents.

Entré chez CAE en 1999 comme président et chef de la direction, Derek H. Burney a centré les activités de la société, alors diversifiées, sur la fourniture de produits et de services reposant sur ses technologies maîtresses en simulation et contrôle-commande.

Opérant une véritable transformation, CAE est passée de constructeur de matériel de haute technologie à fournisseur de solutions intégrées de formation. Pour y arriver, elle s'est appuyée sur sa technologie d'avant-garde et le capital d'expérience, de savoir-faire et de relations commerciales qu'elle s'est acquis en un demi-siècle d'existence. CAE s'est aussi engagée dans la voie du partenariat avec des compagnies aériennes et des constructeurs aéronautiques (OEM) dans le but d'offrir à ses clients des produits et des services encore meilleurs. Cette stratégie a aussi permis d'accélérer sa percée sur le marché des services de formation. En outre, la coopération CAE-Airbus, née en 2002, fait de CAE le fournisseur privilégié en formation d'Airbus dans un partenariat créé à l'échelon du réseau mondial des centres de formation de CAE.

Du côté des compagnies aériennes, CAE a fondé avec Emirates, compagnie aérienne du Moyen-Orient, Emirates-CAE Flight Training, qui offre des services de formation d'un niveau inégalé aux clients de cette région.

CAE et China Southern Airlines ont constitué pour leur part une coentreprise en Asie, continent où le marché aéronautique connaît, sans contredit, la croissance la plus forte au monde.

En Europe, CAE et Alitalia ont forgé une alliance à long terme pour fournir des services de formation à la compagnie aérienne nationale italienne et à d'autres transporteurs.

---

12. D'après la classification de Fama (1970).
13. Voir l'annexe 1A : Délits d'initiés : la chasse va s'intensifier.

Du côté militaire, CAE s'est associée avec Agusta pour former le consortium Rotorsim, qui fournit la formation à la clientèle actuelle et future des hélicoptères de la marque Agusta, et à la clientèle des marques partenaires, Westland et EHI Industries.

CAE USA, pour sa part, détient un accord de partenariat à long terme avec Lockheed Martin Aeronautics Company, accord qui en fait le fournisseur privilégié de services de formation pour le nouvel avion C-130J Hercules.

### 1.6.3  La controverse autour de l'efficience

Comme il arrive souvent dans le cas de notions importantes, le concept d'efficience des marchés a fait l'objet de plusieurs critiques. Jensen (1978) écrit : « Je crois qu'il n'y a pas une autre proposition en économie qui ait de plus solides validations empiriques que l'hypothèse d'efficience des marchés » (traduction libre), alors que Schleifer et Summers (1990)[14] précisent que « l'hypothèse d'efficience des marchés, au moins dans sa formulation traditionnelle, s'est effondrée avec le reste du marché le 19 octobre 1987 » (traduction libre).

## EXEMPLE 1.1

Supposons que CAE a réussi à mettre au point un simulateur de vol doté d'une technologie extraordinaire, qui s'adapte aux contextes de vol les plus difficiles. D'après l'analyse interne de CAE, ce simulateur devrait être un produit très rentable. On présume également qu'à ce stade, aucune information n'a été divulguée à l'extérieur de l'entreprise et que, par conséquent, personne ne connaît l'existence de ce nouveau simulateur de vol.

Supposons aussi que les actions de CAE se vendaient 10 $ l'unité avant l'annonce. Voyons maintenant le comportement d'une action de CAE (*voir la figure 1.3 à la page 16*). Dans un marché efficient, son prix doit refléter l'information disponible sur la situation actuelle de la société, mise à part l'existence de ce nouveau simulateur de vol. Si le marché accepte l'analyse de CAE sur la rentabilité du nouveau simulateur de vol, le prix des actions de CAE montera au moment de l'annonce publique du lancement de ce produit. On imagine que, le lundi matin, le président et chef de la direction, Derek H. Burney, donne une conférence de presse durant laquelle il explique les points forts de ce nouveau simulateur de vol. Sur un marché efficient, le prix des actions de CAE s'ajustera rapidement à cette nouvelle information. En d'autres mots, dès le lundi après-midi, le prix des actions de CAE devrait refléter l'information révélée durant la conférence de presse. Au jour de l'annonce, le prix de l'action de CAE a atteint un niveau de 12 $. Dans ce cas, un investisseur ne pourra réaliser un profit en achetant les actions le lundi après-midi et les vendre le mardi matin. Cependant, si le marché n'est pas efficient, soit il mettra beaucoup de temps à assimiler entièrement l'information divulguée pendant la conférence de presse (réaction différée), soit il réagira de manière excessive avec un retour au prix correct par la suite (réaction excessive). La figure 1.3 illustre les trois types d'ajustements possibles du prix des actions de CAE. Le jour 0 correspond au jour de l'annonce de la bonne nouvelle par le président de CAE. La ligne foncée de la figure représente le comportement du prix d'une action dans un marché efficient. On constate aussi que le prix s'ajuste rapidement à la nouvelle et ne subit aucune autre variation par la suite. La ligne claire montre la réaction différée qui a duré 10 jours pour que l'information soit entièrement assimilée par le marché. Enfin, la ligne en pointillé représente une réaction excessive où le prix a atteint un niveau de 16 $ pour revenir par la suite au prix correct (12 $).

---

14. Shleifer, A., et L. H. Summers (1990), « The Noise Trader Approach to Finance », *Journal of Economic Perspectives*, nº 4, p. 19-33.

**Figure 1.3** La réaction du prix du titre de CAE face à une nouvelle information

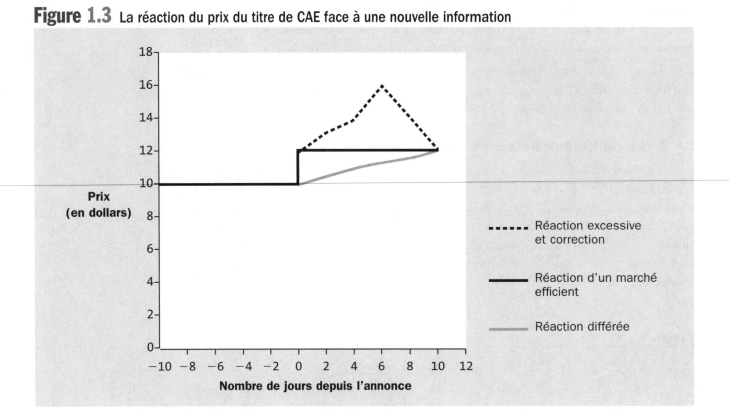

En effet, le krach boursier du 19 octobre 1987 a soulevé de sérieuses questions après une chute dramatique de la plupart des indices boursiers dans le monde. Par exemple, aux États-Unis, le NYSE a perdu plus de 20 % ; au Canada, le TSX a perdu plus de 11 %. Une telle baisse sans explication est contraire à l'hypothèse des marchés financiers. Les anomalies sont également nombreuses, et plusieurs recherches ont démontré que les marchés financiers ne sont pas efficients, au moins sous la forme semi-forte. On peut citer, par exemple, la sous-évaluation initiale des nouvelles émissions d'actions et le rendement élevé des entreprises de petite taille par rapport aux entreprises de grande taille.

Cependant, on constate que l'hypothèse de l'efficience des marchés est souvent mal interprétée. Un marché efficient ne veut pas dire que l'on peut arriver à des prévisions exactes ou que la manière d'investir importe peu. En effet, le concept d'efficience indique seulement que les cours reflètent en moyenne toute l'information accessible et que, par conséquent, elle nous protège contre les erreurs de façon systématique. D'un autre côté, le comportement aléatoire du cours des actions ne reflète pas l'irrationalité des marchés, mais il signifie plutôt que les variations du cours des actions évoluent de façon aléatoire parce que les investisseurs sont rationnels et concurrentiels. D'ailleurs, un corollaire qui en découlerait, si le prix de tout actif risqué ne variait pas de façon aléatoire (indépendamment de toute influence indue de la part d'un groupe d'investisseurs), est celui-ci : le prix de l'actif ne peut représenter une valeur marchande concurrentielle. Ce prix pourrait être une aubaine, ce qui dénoterait une mauvaise relation entre le prix et le risque. Cette inefficience temporaire pourrait exister sur le marché, mais elle ne pourrait se prolonger grâce aux spéculateurs.

# CHAPITRE 01 Conclusion

Le domaine de la gestion financière requiert la prise de décision en ce qui concerne l'investissement, le financement et la distribution des dividendes. En d'autres mots, le gestionnaire financier doit être capable de décider combien il investira, dans quels actifs réels, comment il se procurera les fonds nécessaires et quelle part des bénéfices il pourra distribuer aux actionnaires. La gestion financière est donc intéressante et remplie de défis.

L'objectif de la maximisation de la richesse des actionnaires, propriétaires de l'entreprise, implique que les gestionnaires décident uniquement et toujours dans le meilleur intérêt des propriétaires. Toutefois, les gestionnaires peuvent être guidés par d'autres motifs. Les relations entre les actionnaires et la direction portent le nom de relations d'agence. Elles se concrétisent chaque fois qu'une personne appelée mandataire ou agent agit au nom d'une autre personne appelée mandant ou principal. Ces relations sont présentes dans de nombreuses entreprises inscrites en Bourse aux États-Unis et au Canada.

Dans la mesure où certains agents économiques investissent plus qu'ils n'épargnent – et qu'ils ont donc besoin de recourir à un financement externe –, alors que d'autres épargnent plus qu'ils n'investissent – et qu'ils ont donc une capacité de financement à mettre à la disposition de ceux qui en ont besoin –, il est nécessaire que des transferts s'organisent des uns vers les autres. Ces transferts s'opèrent par l'intermédiaire du système financier en général qui englobe à la fois les intermédiaires financiers et les marchés financiers.

Le rôle d'un marché financier organisé est de permettre d'allouer les ressources en capital à ceux qui ont besoin de ces fonds, c'est-à-dire de fournir les mécanismes de canalisation de l'épargne vers les investissements en biens de production.

Les caractéristiques importantes d'un marché boursier sont la liquidité, la profondeur, le dynamisme et l'efficience. Un marché est liquide lorsqu'il est possible d'acheter et de vendre des titres rapidement et à faible coût. Un marché est profond lorsqu'il est possible d'y effectuer des transactions importantes sur un grand nombre de titres. Le dynamisme se traduit par la capacité du marché à augmenter année après année le nombre d'entreprises inscrites et la capitalisation de celles qui le sont déjà. Enfin, un marché est efficient lorsque le cours du marché reflète exactement l'information disponible.

Toutes les décisions de l'entreprise, dont les effets s'échelonnent dans le temps, nécessitent de tenir compte de la valeur temporelle de l'argent. Ainsi, nous consacrons le prochain chapitre au concept de la valeur temporelle de l'argent et au rôle du taux d'intérêt dans la prise de décision financière. Nous présenterons également les différentes formules de mathématiques financières. Ces dernières nous permettront ensuite d'évaluer les titres financiers tels que les obligations, les hypothèques, les actions privilégiées et les actions ordinaires.

# À retenir

Les 10 principes constituant les fondements de la gestion financière

1. La valeur temporelle de l'argent: un dollar en main aujourd'hui vaut plus qu'un dollar à encaisser dans l'avenir.

2. La relation risque-rendement: l'investisseur n'acceptera pas de risque supplémentaire à moins de pouvoir escompter un rendement supérieur.

3. Il existe deux catégories de risques: le risque que l'on peut diversifier et celui que l'on ne peut diversifier ou éliminer. Les individus se préoccupent essentiellement de ce dernier risque, c'est-à-dire le risque systématique.

4. La dominance des flux monétaires: dans le calcul de valeurs, on utilisera l'argent liquide plutôt que les bénéfices comptables, car ce sont uniquement les flux monétaires que l'entreprise encaisse et peut réinvestir.

5. Les flux monétaires différentiels et l'approche marginale: seules les variations comptent. Dans la prise de décision, les gestionnaires se préoccupent uniquement des conséquences.

6. La maximisation de la richesse des actionnaires constitue l'objectif principal de la gestion financière. Il faut noter que les actionnaires sont les propriétaires de l'entreprise, et non les divers créanciers, dont les obligataires.

7. L'efficience des marchés des capitaux: les prix des titres reflètent toute l'information disponible. Autrement dit, les marchés réagissent rapidement à toute information, et les prix sont justes.

8. Le problème d'agence découle de la divergence des intérêts personnels des gestionnaires (ou décideurs) et des propriétaires de l'entreprise. Ainsi, les gestionnaires risquent de prendre des décisions qui ne sont pas conformes à l'objectif de maximisation de l'avoir des actionnaires. D'ailleurs, plusieurs recherches ont révélé des conflits d'intérêts possibles et ont permis de déterminer différentes façons de les contourner. Ces sujets constituent la toile de fond de la théorie de l'agence.

9. La fiscalité influe sur les décisions de gestion.

10. Le comportement éthique est important en finance. L'éthique professionnelle est l'art d'agir correctement, et il est fréquent de faire face à des choix éthiques dans le domaine de la finance. Malheureusement, il est parfois difficile de distinguer ce qui relève ou non du comportement éthique.

## Mots-clés

## ▶ 1A – DÉLITS D'INITIÉS : LA CHASSE VA S'INTENSIFIER[15]

Les délits d'initiés en Bourse, c'est-à-dire les transactions effectuées grâce à des informations obtenues avant leur diffusion publique, s'aggraveront au Canada à moins que les régulateurs renforcent rapidement les moyens de les traquer et de les sanctionner, selon un rapport d'un comité spécial divulgué hier.

Et pour devenir plus efficace, mais aussi dissuasive à l'endroit de tous les intervenants boursiers, cette chasse accrue aux délits d'initiés devrait avoir accès à des moyens semblables à ceux utilisés contre les fraudes d'ordre criminel.

Entre autres, des équipes spéciales d'enquête devraient être constituées dans les principales villes d'activités boursières, dont Toronto et Montréal, qui seraient dirigées par la Gendarmerie royale du Canada (GRC), en collaboration étroite avec les enquêteurs des commissions de valeurs mobilières (CVM).

Aussi, selon le comité spécial constitué par les principaux régulateurs boursiers (CVM, Bourses de Toronto et de Montréal, Associations des courtiers, etc.), les investisseurs devraient être informés immédiatement des transactions par les initiés des entreprises, au lieu du délai actuel de 10 jours après leur déclaration aux CVM.

Par ailleurs, le renforcement des normes de transactions d'initiés, habituellement les dirigeants et les administrateurs d'entreprises, devrait s'étendre à leurs principaux conseillers professionnels, à commencer par leurs avocats et leurs comptables.

« C'est rendu trop fréquent de constater des hausses de valeur et de volume de transactions en Bourse au Canada sur des titres d'entreprises, avant des annonces importantes. Ça suggère qu'en plus des dirigeants de ces entreprises, il y aurait des failles de confidentialité dans leur réseau de professionnels », a commenté le président de la Commission des valeurs mobilières de l'Ontario (CVMO), David Brown, au cours d'une conférence de cette organisation, hier à Toronto.

Aussi présent, le président de la Commission des valeurs mobilières du Québec (CVMQ), Pierre Godin, a dit accueillir avec intérêt les recommandations du comité spécial.

« Il y a un gros travail à faire en Bourse au Canada pour améliorer la perception d'une surveillance inadéquate des délits d'initiés, a dit M. Godin. Il faut envoyer un signal clair au marché que les délits d'initiés sont des crimes dont les victimes sont les investisseurs qui se font flouer parce que des individus se servent d'informations privilégiées pour faire de l'argent sur leur dos. »

On a souligné hier au cours de la conférence de la CVMO qu'un projet de loi fédéral, la loi C-46, proposait que les délits d'initiés soient inscrits au *Code criminel*.

---

15. Martin Vallières, *La Presse,* 13 novembre 2003.

Une telle disposition ouvrirait alors la voie à une collaboration plus étroite entre les enquêteurs des CVM et ceux des escouades de crimes économiques des principaux corps policiers, comme la GRC, la Sûreté du Québec et la police provinciale de l'Ontario.

Selon le rapport du comité spécial sur les délits d'initiés, l'effort collectif des régulateurs boursiers au Canada pour contrer ces infractions totalise environ 8,1 millions de dollars par année. Mais le renforcement des mesures de traque et de sanctions serait peu coûteux, selon le comité.

«Nous avons besoin de dispositions précises dans le *Code criminel* pour déployer nos moyens d'enquête contre les délits d'initiés et parvenir à des mises en accusation», a dit Craig Hannaford, enquêteur en crimes économiques à la GRC au bureau de Toronto.

M. Hannaford dirige d'ailleurs la mise sur pied dans la capitale financière du Canada de la première «équipe intégrée de police des marchés», en collaboration avec la CVMO. Cette initiative fait suite à un mandat et à un budget spécial qui ont été confiés en début d'année à la GRC par le gouvernement fédéral afin de renforcer les moyens d'enquête sur les fraudes financières. La deuxième équipe sera constituée à Vancouver d'ici peu.

Celles de Montréal et de Calgary devraient être constituées au début de la prochaine année financière du fédéral, en avril 2004. Le président de la CVMQ, Pierre Godin, a dit toutefois espérer que cette intervention accrue du fédéral contre les fraudes boursières et, éventuellement, les délits d'initiés, ne mène pas à une autre dispute de juridiction avec les provinces.

«Il faudra éviter de doubler les structures existantes de supervision et d'enquête sur des marchés financiers, qui sont de la juridiction des provinces», a dit M. Godin. Car encore hier, une partie des discussions à la conférence de la CVMO a porté sur la pertinence pour le Canada de se doter d'une agence nationale de réglementation, qui remplacerait le réseau actuel de commissions provinciales.

Le président de la CVMO, David Brown, a d'ailleurs laissé entendre qu'une recommandation en ce sens pourrait faire partie du rapport attendu d'ici quelques semaines du «Comité spécial de personnes avisées» qui a été constitué par le ministère fédéral des Finances, l'an dernier, afin d'examiner la structure réglementaire des marchés financiers.

## LA SOCIÉTÉ CAE : UN SURVOL

Société canadienne fondée en 1947, CAE (NYSE : CGT ; TSX : CAE) s'est hissée au rang de chef de file mondial dans le domaine des solutions intégrées de formation et des technologies d'avant-garde de simulation et de contrôle-commande destinées au marché aéronautique civil, au marché militaire et au marché naval.

## Figure 1.4

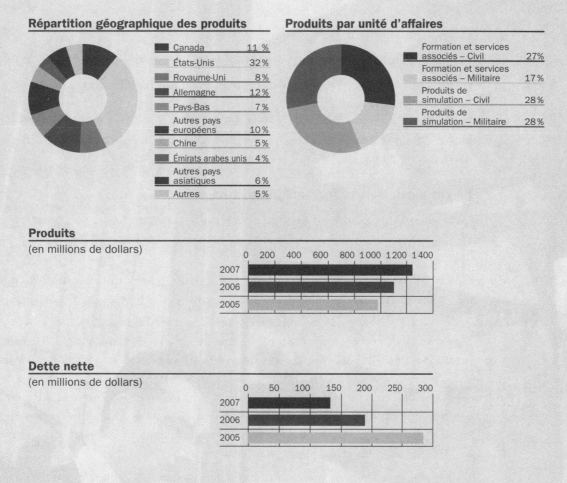

**Répartition géographique des produits**

| | |
|---|---|
| Canada | 11 % |
| États-Unis | 32 % |
| Royaume-Uni | 8 % |
| Allemagne | 12 % |
| Pays-Bas | 7 % |
| Autres pays européens | 10 % |
| Chine | 5 % |
| Émirats arabes unis | 4 % |
| Autres pays asiatiques | 6 % |
| Autres | 5 % |

**Produits par unité d'affaires**

| | |
|---|---|
| Formation et services associés – Civil | 27 % |
| Formation et services associés – Militaire | 17 % |
| Produits de simulation – Civil | 28 % |
| Produits de simulation – Militaire | 28 % |

**Produits**
(en millions de dollars)

**Dette nette**
(en millions de dollars)

**Liquidités nettes liées aux activités d'exploitation poursuivies**
(en millions de dollars)

**Fonds de roulement hors caisse**
(en millions de dollars)

## La simulation et la formation aéronautiques civiles

CAE a reproduit en simulation pratiquement tous les avions de transport civil modernes des lignes internationales et des lignes régionales, ainsi qu'une bonne partie des avions à réaction d'affaires actuels. Elle a vendu plus de 400 simulateurs aux compagnies aériennes, aux avionneurs et aux centres de formation. De plus, elle a réalisé, avant tout le monde, le premier simulateur de niveau D, summum en matière de simulation de vol.

CAE possède aussi une très riche expérience en réalisation de prototypes. Ainsi, elle a obtenu des contrats concernant la réalisation des simulateurs pour le nouvel avion géant Airbus A380 et pour l'avion de transport régional à réaction Embraer 190. Au nombre des autres simulateurs que CAE a réalisés au stade de prototype figurent :

- Boeing : B777, B737NG, B767-400, B717, MD-11, MD-10 ;
- Embraer : EMB135/145, EMB170 ;
- Bombardier : CRJ200/700/900 et Global Express.

CAE est aujourd'hui le numéro deux mondial des fournisseurs indépendants de services de formation aéronautique, position qui a été acquise par trois voies : les acquisitions, les coentreprises et la création de nouveaux centres. Elle dispose à ce jour d'un parc de plus de 90 simulateurs de vol dans le réseau mondial de ses centres de formation qui sont implantés en 19 points, et ce, sur 4 des 5 continents.

## La simulation et la formation militaires

Cette division a vendu des systèmes et des services de formation aux forces armées de plus de 30 nations, faisant ainsi de CAE la plus importante entreprise canadienne qui assure des contrats pour la défense.

CAE a réalisé des moyens de simulation et de formation pour toutes sortes d'aéronefs militaires, aussi bien pour les hélicoptères que pour les avions de transport et les chasseurs.

En mars 2003, durant l'opération Iraqi Freedom, les pilotes d'hélicoptères Apache de l'armée américaine ont été confrontés à une panne de courant localisée (*brownout*), cette privation de visibilité et de repères d'orientation que provoque le tourbillon de sable soulevé par le rotor de leur appareil. L'US Army ayant immédiatement jugé indispensable de former les pilotes aux conditions de panne localisée, CAE et Northrop Grumman Mission Systems ont rapidement répondu à l'appel et, dès le 1er avril, avaient doté de cette très importante capacité de formation le simulateur de missions de combat Apache dont l'US Army dispose sur sa base Fleigerhorst, à Hanau, en Allemagne.

Désormais agréée comme maître d'œuvre aux États-Unis, pays dont le marché de la défense représente 50 % des dépenses mondiales dans ce domaine, CAE y a décroché dernièrement plusieurs contrats. L'un de ceux-ci provenait des forces spéciales de l'Armée de terre américaine, connues sous le nom des Night Stalkers pour la fourniture du premier simulateur de l'hélicoptère Little Bird. CAE est en bonne position pour répondre aux besoins croissants des États-Unis en matière de défense et de sécurité.

D'autres contrats ont été remportés : la réalisation de simulateurs de missions de l'hélicoptère Super Lynx 300 pour l'Armée de l'air royale du sultanat d'Oman, la construction d'un simulateur du poste de pilotage du CP-140 pour les Forces canadiennes et la fourniture de dispositifs d'entraînement et de services de soutien supplémentaires pour la formation des équipages de C-130J de l'US Air Force, dans le contexte d'un accord à long terme passé avec Lockheed Martin.

Au Royaume-Uni, sur la base de la Royal Air Force de Benson, CAE a créé et exploite le Centre de formation des équipages des hélicoptères de soutien moyens (MSHATF), véritable vitrine de sa compétence en la matière. Ce centre réunit, dans un ensemble totalement intégré, les moyens de formation et d'entraînement qui permettent aux équipages d'hélicoptères Puma, Chinook et Merlin de la Royal Air Force et d'autres armées de se préparer adéquatement à l'exécution de leurs missions.

## Les systèmes de contrôle navals et la formation

La division Contrôles navals de CAE fournit des systèmes d'automatisation et de navigation à la marine militaire et à la marine civile. À bord des navires, ses systèmes d'automatisation assurent la commande et la surveillance des machines et des systèmes de propulsion et de direction électrique, des installations auxiliaires et de servitude ainsi que des installations de limitation des avaries. Ses systèmes de navigation permettent à l'équipage de tracer et de suivre en toute quiétude les meilleures routes grâce au couplage des cartes nautiques électroniques avec les moyens de détection embarqués.

Plus de 18 marines militaires utilisent la technologie d'automatisation d'avant-garde de CAE sur 130 de leurs navires. Récemment, CAE a remporté des contrats de la Marine américaine (fourniture de son système intégré de gestion de plate-forme pour le programme DD[X]), de la Marine royale malaisienne (fourniture de systèmes de commande pour quatre patrouilleurs MEKO 100 supplémentaires), de la Marine de la République coréenne (fourniture d'un système de commande pour un quatrième destroyer de la classe KDX-II) et de la Marine allemande (fourniture de systèmes intégrés de contrôle-commande pour ses nouvelles corvettes K130). Les Contrôles navals ont fait aussi une percée importante dans le domaine de la formation en mariant les hautes connaissances de CAE en matière de contrôle-commande et de simulation en temps réel, pour assurer la formation d'équipages de sous-marins britanniques et canadiens, dans le cadre de contrats à long terme. Axée sur le marché naval civil et implantée en Norvège, la société CAE Valmarine a fourni des systèmes d'automatisation à plus de 450 navires de commerce et a été retenue pour équiper d'un tel système le plus grand paquebot de croisière du monde, le Queen Mary 2.

CAE Contrôles navals possède aussi une trentaine d'années d'expérience en conception et en réalisation de simulateurs de centrales électriques, activité qui a représenté 10 % du chiffre d'affaires de la division à l'exercice 2003. En juin de cette même année, un contrat du Omaha Public Power District pour la modernisation du simulateur de sa centrale de Fort Calhoun a fait de CAE le premier fournisseur de technologie de simulation pour centrales électriques aux États-Unis. D'autres contrats concernant des travaux sur des simulateurs de centrales ont été remportés récemment, dont un pour le simulateur de la centrale Fermi 2 de la Detroit Edison et un autre pour le simulateur de la centrale suédoise Oskarshamn 2.

## La recherche et le développement

CAE investit environ 10 % de son chiffre d'affaires en recherche et développement, ce qui lui permet de sans cesse mettre au point des produits de formation innovants qui répondent aux besoins essentiels de ses clients. CAE se classe ainsi régulièrement parmi les 20 entreprises canadiennes qui investissent le plus en recherche et développement.

| Les points saillants financiers | | | |
|---|---|---|---|
| | 2007 | 2006 | 2005 |
| **Résultats d'exploitation (en millions de dollars)** | | | |
| Opérations poursuivies | | | |
| Produits | 1 250,7 | 1 107,2 | 986,2 |
| (Perte) bénéfice | 129,1 | 69,9 | (304,7) |
| (Perte) bénéfice net(te) | 127,4 | 63,9 | (199,6) |
| **Situation financière (en millions de dollars)** | | | |
| Total de l'actif | 1 956,2 | 1 716,1 | 1 699,7 |
| Dette totale à long terme, déduction faite de l'encaisse | 133,0 | 190,2 | 285,8 |
| **Par action (en dollars)** | | | |
| (Perte) bénéfice tiré des activités poursuivies | 0,51 | 0,28 | (1,23) |
| (Perte) bénéfice net(te) | 0,51 | 0,25 | (0,81) |
| Dividendes | 0,04 | 0,04 | 0,10 |
| Capitaux propres | 3,30 | 2,69 | 2,63 |

# Questions

1. Quel est l'objectif de la gestion financière ?
2. Les coûts d'agence peuvent-ils être une limite à l'atteinte de l'objectif de l'entreprise ?
3. Quelles sont les principales caractéristiques d'un marché primaire, d'un marché secondaire et d'un marché monétaire ?
4. Répondez par vrai ou faux.
   a) L'hypothèse de la forme semi-forte des marchés efficients stipule que les cours reflètent toute l'information publiée.
   b) Dans un marché efficient, on ne peut espérer réaliser des rendements anormaux.
   c) L'efficience des marchés implique que l'on peut prédire l'avenir avec exactitude.
   d) La maximisation des profits d'une entreprise entraîne nécessairement la maximisation de la richesse des actionnaires.
   e) Selon la forme d'efficience faible, aucun profit n'est possible si l'on observe les prix passés des actifs financiers.
5. Est-il possible de battre le marché ?
6. Commentez les affirmations suivantes :
   a) Le krach boursier de 1987 n'est pas une preuve d'efficience des marchés boursiers.
   b) De nos jours, l'hypothèse d'efficience des marchés a fait son chemin non seulement dans la plupart des écoles de gestion et d'administration, mais également dans la pratique du placement et les politiques du gouvernement à l'égard des marchés des valeurs mobilières.
   c) Certaines personnes prétendent que le marché ne peut être efficient parce que le prix des actions change d'un jour à l'autre.
   d) Les entreprises qui créent le plus de valeur peuvent offrir les meilleurs rendements aux investisseurs, attirer plus de capitaux et acquérir plus de ressources.

**CHAPITRE**
**02**

# La valeur actuelle et la valeur future

La valeur temporelle de l'argent est une notion fondamentale en finance. En effet, comparer deux montants d'argent exige que ces montants soient évalués à une même date. En d'autres termes, 1 $ payé ou reçu en 2008 n'a pas la même valeur que 1 $ payé ou reçu en 2015. Cette différence s'explique par le fait que les individus préfèrent recevoir 1 $ aujourd'hui plutôt que de le recevoir demain, et ce, pour des raisons de pure préférence, d'inflation ou d'aversion pour le risque. Dans ce chapitre, nous apprendrons à tenir compte de la valeur temporelle de l'argent, puis à transposer des montants futurs dans le présent et des montants actuels dans le futur. Les techniques et modèles étudiés seront d'une importance capitale pour la suite de l'ouvrage, car ils serviront de base à d'autres modèles comme ceux de la rentabilité des projets d'investissement (chapitre 3) ou de l'évaluation des actifs financiers (chapitre 4).

## EXEMPLE 2.1

Supposons que l'on vous propose d'acheter une maison de 200 000 $. Vous disposez de l'argent nécessaire, et vous estimez pouvoir obtenir les revenus suivants de cette maison :

- la location pendant 10 années à raison de 1 000 $ par mois ;
- la vente de la maison, au bout de la dixième année, au montant de 300 000 $.

À première vue, le projet peut vous sembler intéressant si vous faites le calcul naïf suivant :

- le coût du projet : 200 000 $ ;
- les revenus : (10 000 $ × 120 mois) + 300 000 $ = 420 000 $ ;
- le profit net : 220 000 $.

Cependant, le coût de 200 000 $ doit être déboursé immédiatement, alors que les revenus seront reçus dans le futur. De ce fait, ces deux types de flux monétaires ne sont pas directement comparables puisqu'ils n'ont pas la même valeur. De plus, le montant de 200 000 $ est une dépense certaine, car il représente le prix de la maison à débourser aujourd'hui, alors que les revenus futurs ne sont que des prévisions ; ils sont donc risqués (incertains).

Il faut donc connaître les outils et les techniques qui permettront de décider si ce projet est intéressant ou non. Ces techniques, qui relèvent des mathématiques financières, s'appellent les techniques d'**actualisation** et de **capitalisation,** et feront l'objet de ce chapitre.

Ces techniques étant d'une grande utilité, nous les utiliserons tout au long de ce livre. En effet, leur maîtrise est primordiale aussi bien dans les prises de décisions financières dans l'entreprise, telles que les décisions d'investir ou de financer un projet, que dans les décisions financières personnelles, telles que les évaluations d'emprunts ou de placements. Nous verrons d'ailleurs, dans le chapitre 4, des applications de ces techniques à l'évaluation des actifs des entreprises.

## 2.1 Le cas d'une seule période

Nous commençons par étudier le cas simple d'un seul montant d'argent fixe à recevoir ou à payer dans une période. Celle-ci peut être de 1 année, de 1 mois ou autre. On se pose la question suivante : quel est l'équivalent, en dollars d'aujourd'hui, d'une certaine somme d'argent à payer ou à recevoir dans une période ? Sous un angle opposé, cette question pourrait être la suivante : quel sera, dans une période, l'équivalent d'une certaine somme d'argent à payer ou à recevoir aujourd'hui ? Pour répondre à la première question, il faut calculer la **valeur actuelle** (valeur actualisée ou valeur présente) du montant à payer ou à recevoir dans une période. Répondre à la deuxième question revient à calculer la **valeur future** (valeur capitalisée ou valeur définitive) du montant à payer ou à recevoir aujourd'hui.

### 2.1.1 La valeur future et la valeur actuelle

#### EXEMPLE 2.2

Vos parents envisagent de déménager et ont décidé de mettre leur maison actuelle en vente. Ils ont reçu deux offres sérieuses et vous demandent votre avis quant à la meilleure des deux.

La première offre est inconditionnelle et d'un montant de 300 000 $ payable immédiatement.

La deuxième rapporte un montant de 320 000 $ payable dans exactement 1 année. À ce stade, on sait que ces deux montants d'argent (300 000 $ et 320 000 $) ne sont pas directement comparables, puisqu'ils ne seront pas à recevoir à la même date (on peut considérer qu'ils ne sont pas exprimés dans la même unité).

Pour choisir entre les deux offres, il faut calculer la valeur actuelle du montant de 320 000 $ de la deuxième offre à recevoir dans 1 année et comparer cette valeur avec le montant de 300 000 $ de la première offre ; on peut aussi calculer la valeur future du montant de 300 000 $ à recevoir aujourd'hui et comparer cette valeur avec le montant de 320 000 $. Pour faire ces calculs, il est nécessaire d'avoir plus d'information.

Supposons qu'il est possible pour vos parents de déposer leur argent dans un compte bancaire bloqué qui leur offre un taux d'intérêt annuel de 10 %. Ainsi, s'ils acceptent la première offre et qu'ils déposent le montant de 300 000 $ reçus dans ce compte, le solde de ce compte sera, au bout de 1 année, de :

$$300\,000 + (0,10 \times 300\,000) = 300\,000 \times (1 + 0,10) = 330\,000\,\$$$

Ce montant de 330 000 $ s'appelle la valeur future (VF) de 300 000 $ dans 1 année à un taux de 10 %. C'est ce montant qu'il faut comparer avec celui de la deuxième offre. Comme 330 000 $ > 320 000 $, il faut donc accepter la première offre.

En faisant le calcul inverse, on peut trouver la valeur actuelle (VA) de la deuxième offre de 320 000 $ à recevoir dans 1 année :

$$VA = 320\,000 / (1 + 0,10) = 290\,909,09\,\$$$

Ce montant est inférieur à celui de la première offre (300 000 $), ce qui confirme notre décision d'accepter la première offre.

### A ▪ Cas général

$$VF_{t+1} = FM_t \times (1 + r) \tag{2.1}$$

$$VA_t = \frac{FM_{t+1}}{(1 + r)} \tag{2.2}$$

où

FM$_t$ est le flux monétaire au temps $t$ ;

FM$_{t+1}$ est le flux monétaire au temps $t + 1$ ;

$r$ est le taux d'intérêt (d'actualisation ou de capitalisation).

### B ▪ Les règles d'or

* Tracer l'axe des temps.

* Y placer le flux monétaire.

* Pour capitaliser, multiplier par 1 plus le taux d'intérêt ; pour actualiser, diviser par 1 plus le taux d'intérêt.

### 2.1.2 La valeur actuelle nette

**EXEMPLE 2.3**

Supposons maintenant que vous êtes en train d'évaluer la possibilité d'acheter un terrain qui coûte 100 000 $. Vous estimez que vous pourrez revendre ce terrain 108 000 $ l'année prochaine. Seriez-vous prêt à vous engager dans cet investissement, sachant que le taux d'intérêt à la banque est de 10 % ?

À ce stade, on ne doit plus commettre l'erreur d'avancer que le projet est rentable parce que celui-ci assure un gain de 8 000 $ (108 000 $ − 100 000 $). On doit plutôt calculer la VF de 100 000 $ ou la VA de 108 000 $ à un taux de 10 %.

D'après l'équation (2.2) :

$$VA_t = \frac{FM_{t+1}}{(1 + r)} = \frac{108\,000}{1,10} = 98\,181,82\,\$$$

Cette valeur étant inférieure à 100 000 $, il faut donc rejeter le projet puisqu'il occasionne, en réalité, une perte de 100 000 $ − 98 181,82 $ = 1 818,18 $.

On aurait pu trouver directement la perte ou le gain lié à cet investissement en calculant la valeur actuelle nette (VAN) du projet de la façon suivante :

$$VAN = -100\,000 + \frac{108\,000}{1,10} = -1\,818,18\,\$$$

La VAN étant négative, il faut rejeter le projet.

## A ■ Cas général

$$\text{VAN} = -I_0 + \frac{\text{FM}_1}{(1 + r)} \tag{2.3}$$

où

FM$_1$ est le flux monétaire au temps $t = 1$ ;

$I_0$ est l'investissement initial ;

$r$ est le taux d'intérêt.

## B ■ La règle de décision

On accepte tous les projets dont la VAN est positive, et on rejette ceux qui ont une VAN négative. Le concept de la VAN représente un des critères les plus utilisés dans l'évaluation des projets d'investissement. Il sera étudié beaucoup plus en détail dans le chapitre 3.

### 2.1.3 La provenance du taux d'intérêt *r*

Dans les exemples précédents, on a utilisé un taux d'intérêt bancaire de 10 % pour effectuer les calculs d'actualisation et de capitalisation. Or, il existe une multitude de taux d'intérêt sur le marché financier (taux de rendement des actions, des obligations, des bons du Trésor, etc.). Même les taux bancaires peuvent être différents d'une banque à une autre et au sein même d'une seule banque (taux d'emprunt, taux de prêt, taux hypothécaire, taux d'escompte, etc.). Il est alors légitime de se demander quel taux d'intérêt choisir pour actualiser des flux monétaires futurs.

Pour répondre à cette question, il faut savoir de quoi dépendent les taux d'intérêt et comment ils sont établis. Pour l'instant, retenons tout simplement que les taux d'intérêt dépendent du niveau de **risque** du projet que l'on cherche à évaluer. Puisque nous admettons que les personnes rationnelles ont horreur du risque, plus le projet est risqué, plus ces personnes exigeront un taux de rendement élevé pour y adhérer. Nous verrons dans le chapitre 5 comment ce risque est mesuré et nous caractériserons la relation existant entre ce risque et le taux de rendement.

Ainsi, dans l'exemple 2.3, en utilisant un taux bancaire de 10 % pour calculer la VAN, on a implicitement supposé que le projet consistant à acheter un terrain pour le revendre 1 année plus tard offre le même niveau de risque que celui consistant à bloquer son argent à la banque durant 1 année. Par conséquent, on a exigé que le premier projet rapporte au moins comme le deuxième, soit 10 %.

Dans ce genre d'exemple, le choix du taux d'actualisation est primordial. En effet, si vous pensez que l'achat du terrain en vue de la revente constitue une activité moins risquée que de placer votre argent à la banque, vous pourriez exiger un rendement minimal plus faible que 10 %. Prenons le cas de 5 %. La VAN devient alors :

$$\text{VAN} = -100\,000 + \frac{108\,000}{1,05} = 2\,857,14\,\$$$

Cette VAN étant positive, le même projet devient rentable et est, par conséquent, accepté.

Dans le cas contraire, si vous estimez que le projet est encore plus risqué que le placement à la banque, vous allez exiger un rendement plus élevé que 10 %, par exemple de 15 %. La VAN devient alors :

$$\text{VAN} = -100\,000 + \frac{108\,000}{1,15} = -6\,086,96\,\$$$

Le projet occasionnant une perte encore plus élevée, il est donc rejeté.

## 2.2 Le cas de plusieurs périodes

Dans la section précédente, nous avons vu le cas simple d'un seul flux monétaire à actualiser ou à capitaliser sur une seule période. Nous analysons maintenant le cas plus général d'un ou de plusieurs flux monétaires étalés sur plusieurs périodes.

### 2.2.1 Un seul flux monétaire étalé sur plusieurs périodes : cas général

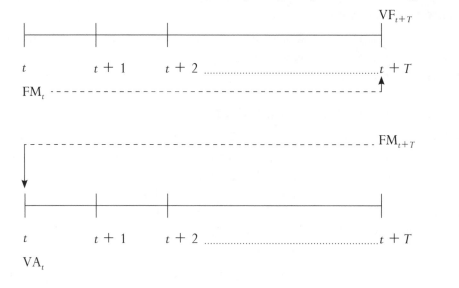

$$\text{VF}_{t+T} = \text{FM}_t \times (1 + r)^T \qquad (2.4)$$

$$\text{VA}_t = \frac{\text{FM}_{t+T}}{(1 + r)^T} \qquad (2.5)$$

où

FM$_t$ est le flux monétaire au temps $t$ ;

$T$ est l'échéance ;

$r$ est le taux d'intérêt (d'actualisation ou de capitalisation).

Vous pourrez consulter l'annexe 2A pour voir la démonstration de l'équation (2.4).

### 2.2.2 Un seul flux monétaire étalé sur plusieurs périodes : cas particulier

**A ▪ Le calcul de la valeur future**

#### EXEMPLE 2.4

Dans 2 années, combien vaudra un montant de 1 000 $ investi aujourd'hui à un taux de 5 % par année ?

Si l'on suppose que la journée d'aujourd'hui correspond au temps $t = 0$, l'équation (2.4) donne, dans 2 années (soit au temps $t = 2$) :

$$VF_2 = FM_0 \times (1 + r)^2 = 1\ 000 \times (1 + 0,05)^2 = 1\ 102,50\ \$$$

Ainsi, si vous placez un montant de 1 000 $ à la banque pour une période de 2 années à un taux d'intérêt de 5 % par année, vous vous retrouverez, au terme de votre investissement, avec un montant total de 1 102,50 $. Si l'on analyse en détail la provenance de ce montant, on remarque qu'il contient quatre composantes :

- Le montant d'argent initialement placé à la banque (que l'on appelle souvent le capital), soit 1 000 $.
- Des intérêts de 5 % sur votre capital, que vous obtiendrez au bout de la première année de votre investissement : $1\ 000 \times 0,05 = 50\ \$$.
- Des intérêts de 5 % sur votre capital, que vous obtiendrez au bout de la deuxième année de votre investissement : $1\ 000 \times 0,05 = 50\ \$$.
- Comme vous n'aurez pas retiré votre argent de la banque à la fin de la première année, vous aurez aussi mérité, à la fin de la deuxième année, des intérêts de 5 % sur les intérêts de 50 $ que vous aurez gagnés et gardés à la banque à la fin de la première année. Ce montant équivaut donc à $50 \times 0,05 = 2,50\ \$$. Il s'agit là d'intérêts composés qui peuvent atteindre des niveaux très élevés lorsque le montant investi est plus élevé et que l'échéance est longue.

La somme de ces quatre composantes est égale au montant total de 1 102,50 $ récupéré à la fin de votre investissement. Ce résultat peut être obtenu à l'aide d'une calculatrice financière. Le tableau ci-dessous présente les étapes à suivre avec une calculatrice SHARP EL-733A.

| Étape | Action | Affichage |
|---|---|---|
| 1. Effacer la mémoire | 2nd F puis CA | 0. |
| 2. Sélectionner la fonction Finance | 2nd F puis MODE | FIN<br>0. |
| 3. Indiquer le flux monétaire de l'année 0 | 1 000 puis +/− puis PV | FIN<br>− 1'000. |
| 4. Inscrire le taux d'intérêt | 5 puis i | FIN<br>5. |
| 5. Préciser l'échéance | 2 puis n | FIN<br>2. |
| 6. Calculer la valeur future | COMP puis FV | FIN<br>1'102.5 |

Remarquez qu'on peut exécuter les étapes 3 à 5 dans n'importe quel ordre.

### B ▪ Le calcul de la valeur actuelle

## EXEMPLE 2.5

À la fin de vos études universitaires, soit dans 3 années, vous prévoyez vous offrir un voyage bien mérité. Vous aimeriez disposer d'un montant de 5 000 $, le moment venu, pour partir en voyage. Combien devriez-vous placer aujourd'hui pour réaliser votre rêve si la banque vous offre un taux d'intérêt de 6 % ?

Supposons que la journée d'aujourd'hui correspond au temps $t = 0$. D'après l'équation (2.5), on a :

$$VA_0 = \frac{FM_3}{(1 + r)^3} = \frac{5\ 000}{(1 + 0,06)^3} = 4\ 198,10\ \$$$

Pour obtenir ce résultat à l'aide d'une calculatrice financière, suivez les étapes indiquées ci-dessous.

| Étape | Action | Affichage |
|---|---|---|
| 1. Effacer la mémoire | 2nd F puis CA | 0. |
| 2. Sélectionner la fonction Finance | 2nd F puis MODE | FIN<br>0. |
| 3. Indiquer le flux monétaire de l'année 3 | 5 000 puis +/− puis FV | FIN<br>− 5'000. |
| 4. Inscrire le taux d'intérêt | 6 puis i | FIN<br>6. |
| 5. Préciser l'échéance | 3 puis n | FIN<br>3. |
| 6. Calculer la valeur actuelle | COMP puis PV | FIN<br>4'198.0964 |

Remarquez qu'on peut exécuter les étapes 3 à 5 dans n'importe quel ordre.

### C ▪ Le calcul de l'échéance

## EXEMPLE 2.6

Revenons à l'exemple précédent en supposant que vous ne pouvez placer actuellement que 3 000 $ à la banque. Combien de temps devriez-vous attendre afin de pouvoir entreprendre votre voyage ?

Pour déterminer l'échéance, on résout l'équation (2.4) ou l'équation (2.5) pour la variable $T$. On suppose que la journée d'aujourd'hui correspond au temps $t = 0$. D'après l'équation (2.4) :

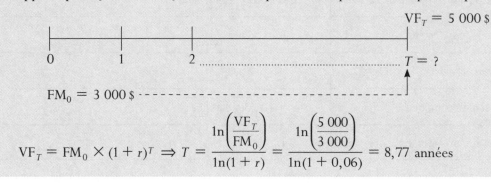

$$VF_T = FM_0 \times (1 + r)^T \Rightarrow T = \frac{\ln\left(\dfrac{VF_T}{FM_0}\right)}{\ln(1 + r)} = \frac{\ln\left(\dfrac{5\ 000}{3\ 000}\right)}{\ln(1 + 0,06)} = 8,77\ \text{années}$$

Ainsi, en raison d'un plus faible capital investi aujourd'hui, vous serez obligé d'attendre 8 années et 9 mois avant de pouvoir amasser le montant de 5 000 $. Pour obtenir ce résultat à l'aide d'une calculatrice financière, suivez les étapes décrites ci-dessous.

| Étape | Action | Affichage |
|---|---|---|
| 1. Effacer la mémoire | 2nd F puis CA | 0. |
| 2. Sélectionner la fonction Finance | 2nd F puis MODE | FIN 0. |
| 3. Indiquer le flux monétaire de l'année 0 | 3 000 puis +/− puis PV | FIN − 3'000. |
| 4. Inscrire le taux d'intérêt | 6 puis i | FIN 6. |
| 5. Préciser le flux monétaire à l'échéance | 5 000 puis VF | FIN 5 000. |
| 6. Calculer l'échéance | COMP puis n | FIN 8.7666 |

Remarquez qu'on peut exécuter les étapes 3 à 5 dans n'importe quel ordre.

## D ■ Le calcul du taux d'intérêt

## EXEMPLE 2.7

En gardant toujours le même exemple, supposons que vous ne disposez toujours que de 3 000 $ et que vous voulez effectuer votre voyage dans 3 années. À quel taux d'intérêt devriez-vous placer votre argent aujourd'hui pour obtenir le montant de 5 000 $ nécessaire dans 3 années et réaliser ainsi votre rêve ?

Pour déterminer le taux d'intérêt, on résout l'équation (2.4) ou (2.5) pour $r$. On suppose que la journée d'aujourd'hui correspond au temps $t = 0$. D'après l'équation (2.4) :

$$\text{VF}_3 = \text{FM}_0 \times (1 + r)^3 \Rightarrow r = \left(\frac{\text{VF}_3}{\text{FM}_0}\right)^{\frac{1}{3}} - 1 = \left(\frac{5\,000}{3\,000}\right)^{\frac{1}{3}} - 1$$
$$= 0{,}1856$$
$$= 18{,}56\,\% \text{ par année}$$

Pour obtenir ce résultat à l'aide d'une calculatrice financière, suivez les étapes décrites ci-dessous.

| Étape | Action | Affichage |
|---|---|---|
| 1. Effacer la mémoire | 2nd F puis CA | 0. |
| 2. Sélectionner la fonction Finance | 2nd F puis MODE | FIN 0. |
| 3. Indiquer le flux monétaire de l'année 0 | 3 000 puis +/− puis PV | FIN − 3'000. |
| 4. Inscrire l'échéance | 3 puis n | FIN 3. |
| 5. Préciser le flux monétaire à l'échéance | 5 000 puis VF | FIN 5 000. |
| 6. Calculer le taux d'intérêt | COMP puis i | FIN 18.5631 |

Remarquez qu'on peut exécuter les étapes 3 à 5 dans n'importe quel ordre.

### 2.2.3 Plusieurs flux monétaires étalés sur plusieurs périodes : cas général

Maintenant, on actualise ou on capitalise non pas un seul, mais plusieurs flux monétaires étalés sur plusieurs périodes. On peut considérer ce cas comme un simple agrégat de flux monétaires. En effet, il suffit de traiter chaque flux monétaire séparément des autres en l'actualisant (le capitalisant) au temps 0 (temps $T$), puis d'additionner les valeurs actuelles (futures) obtenues.

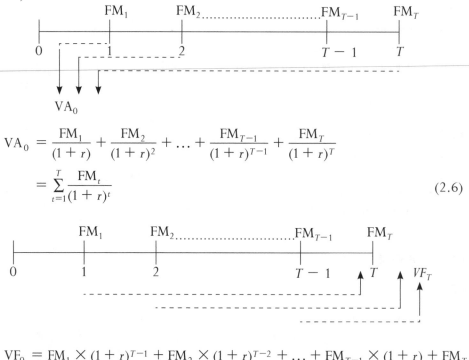

$$VA_0 = \frac{FM_1}{(1+r)} + \frac{FM_2}{(1+r)^2} + \ldots + \frac{FM_{T-1}}{(1+r)^{T-1}} + \frac{FM_T}{(1+r)^T}$$

$$= \sum_{t=1}^{T} \frac{FM_t}{(1+r)^t} \tag{2.6}$$

$$VF_0 = FM_1 \times (1+r)^{T-1} + FM_2 \times (1+r)^{T-2} + \ldots + FM_{T-1} \times (1+r) + FM_T$$

$$= \sum_{t=1}^{T} FM_t \times (1+r)^{t-1} \tag{2.7}$$

où

$FM_t$ est le flux monétaire au temps $t$ ;

$r$ est le taux d'intérêt.

Une des plus grandes applications réelles de cette formule générale est l'évaluation des actifs financiers de l'entreprise. Nous verrons ces applications dans le chapitre 4.

## 2.3 Les différents types de taux d'intérêt

Les taux d'intérêt affichés par les banques ou sur les pages financières sont le plus souvent des taux d'intérêt nominaux. Ils peuvent différer des taux que vous allez effectivement payer ou recevoir pour votre emprunt ou placement. Cette différence dépend du nombre de fois que les intérêts sont calculés au cours d'une seule période ; c'est ce qu'on appelle le **nombre de capitalisations.** Jusqu'à maintenant, on a supposé que la capitalisation se faisait une fois par période. Par exemple, si les intérêts sont payés après 1 année, il n'y a pas de différence entre le **taux d'intérêt nominal** et le **taux d'intérêt effectif** annuel. Dans le cas contraire, il ne suffit pas d'observer la valeur du taux d'intérêt pour évaluer ou comparer différents investissements et emprunts. En effet, il est primordial de connaître le nombre de capitalisations relativement à chaque taux. Par exemple, les intérêts peuvent être capitalisés 3 fois par année. Par ailleurs, tous les calculs d'actualisation et de capitalisation déjà vus exigent l'utilisation d'un taux effectif. En présence d'un taux nominal, on doit être capable de transformer ce taux en taux d'intérêt effectif afin d'effectuer ces calculs.

### 2.3.1 Le passage d'un taux nominal à un taux effectif

#### EXEMPLE 2.8

Supposons que vous placez aujourd'hui un montant de 10 000 $ dans un compte d'épargne. La banque vous offre un taux d'intérêt annuel de 6 %. Quel sera le solde de votre compte dans 2 années ?

Pour répondre à cette question, il est nécessaire de savoir :
- si le taux offert de 6 % est nominal ou effectif ;
- si le taux est nominal, le nombre de fois où il est capitalisé par année.

En effet, le solde de votre compte au bout de 2 années, qui comportera votre capital et les intérêts versés, en dépendra de manière significative. Analysons différents cas possibles de capitalisation du taux annuel de 6 %.

#### A ■ Le taux d'intérêt annuel à capitalisation annuelle

Lorsque le taux d'intérêt annuel est capitalisé annuellement, tel qu'on l'a mentionné plus haut, il n'y a pas de différence entre le taux nominal et le taux effectif. Les intérêts étant calculés chaque année, un taux annuel de 6 % peut être considéré comme un taux effectif, et il peut être utilisé directement dans le calcul de la valeur future.

D'après l'équation (2.4), on a :

$$VF_2 = 10\,000 \times (1 + 0{,}06)^2 = 11\,236\ \$$$

#### B ■ Le taux d'intérêt annuel à capitalisation semestrielle

Lorsque le taux d'intérêt est capitalisé semestriellement, les intérêts sont calculés 2 fois par année à raison de 3 % par semestre (6 % / 2). Le taux annuel de 6 % n'est donc plus effectif puisqu'il est capitalisé plus d'une fois par période correspondante (qui est l'année). On ne peut donc pas l'utiliser directement pour calculer la valeur future. Par contre, le taux semestriel de 3 % est effectif du moment où il est capitalisé une seule fois par période correspondante (qui est le semestre).

Pour calculer la valeur future, on a donc le choix entre utiliser le taux effectif semestriel de 3 % et travailler avec des périodes semestrielles, ou travailler avec des périodes annuelles, mais en prenant soin d'abord de calculer le taux annuel effectif. Dans tous les cas, il faut utiliser un taux effectif.

**Première possibilité** L'utilisation du taux semestriel

Lorsque le taux est semestriel, une période est égale à 1 semestre. Le terme de l'investissement (2 années) porte alors sur 4 périodes, et l'axe du temps se présente ainsi :

D'après l'équation (2.4), on a :

$$VF_4 = 10\,000 \times (1 + 0{,}03)^4 = 11\,255{,}09\ \$$$

**Deuxième possibilité** L'utilisation du taux annuel

Lorsque l'échéance est exprimée en nombre d'années, on doit calculer le taux annuel effectif. Le taux de 6 % est annuel et nominal, et il est capitalisé 2 fois par année. En d'autres termes, les intérêts seront calculés tous les 6 mois, ce qui permet de profiter encore plus des intérêts composés. Plus le nombre de capitalisations par année du taux nominal de 6 % est élevé, plus le montant des intérêts effectivement reçus sera élevé (la situation est moins intéressante dans le cas d'un emprunt).

Le taux annuel effectif est donc légèrement supérieur au taux annuel nominal de 6 %, puisqu'il comportera les intérêts composés. Dans le cas actuel, ce taux est égal à $(1 + 6\%/2)^2 - 1 = 6,09\%$.

### 2.3.2 Le passage d'un taux nominal à un taux effectif : cas général

Dans le cas général, on peut passer d'un taux nominal à un taux effectif et inversement en utilisant la formule suivante :

$$R = \left(1 + \frac{r}{m}\right)^m - 1 \qquad (2.8)$$

où

$R$ est le taux d'intérêt périodique (annuel) effectif ;

$r$ est le taux d'intérêt périodique (annuel) nominal ;

$m$ est le nombre de capitalisations par période (année) du taux nominal.

Dans cet exemple, on peut donc travailler avec des périodes annuelles tout en utilisant le taux annuel effectif de 6,09 %. On obtiendra alors la valeur future du compte d'épargne :

D'après l'équation (2.4), on a :

$$VF_2 = 10\ 000 \times (1 + 0,0609)^2 = 11\ 255,09\ \$$$

### 2.3.3 Le taux d'intérêt annuel capitalisé de façon continue

Le taux d'intérêt annuel est capitalisé de façon continue lorsque les intérêts sont calculés chaque jour, chaque minute ou même plus fréquemment. Pour trouver le taux annuel effectif correspondant, il suffit d'utiliser l'équation (2.8) et de trouver la limite de cette équation quand $m$ tend vers l'infini. En utilisant le calcul intégral, on peut montrer que :

$$\lim_{m \to \infty} \left[\left(1 + \frac{r}{m}\right)^m - 1\right] = e^{r-1} \qquad (2.9)$$

Avec un taux d'intérêt annuel de 6 %, le taux annuel effectif est donc égal à $(e^{0,06} - 1)$. On obtient alors la valeur future du compte d'épargne :

D'après l'équation (2.4), on a :

$$VF_2 = 10\ 000 \times [1 + (e^{0,06} - 1)]^2 = 10\ 000 \times e^{0,06 \times 2} = 11\ 274,97\ \$$$

## 2.4 Les annuités fixes, les annuités croissantes, les perpétuités et les perpétuités croissantes

En général, lorsque plusieurs flux monétaires sont étalés sur plusieurs périodes, le calcul nécessaire pour actualiser ou capitaliser ces flux peut s'avérer fastidieux. En effet, il y a autant de termes dans les équations (2.6) et (2.7) qu'il y a de flux monétaires. Imaginez, par exemple, le cas d'un emprunt hypothécaire sur 25 années avec des paiements mensuels et dont on veut calculer la valeur actuelle. L'utilisation de l'équation (2.6) nécessite alors l'actualisation de 300 flux monétaires (25 fois 12 mois).

Heureusement, plusieurs situations réelles d'emprunt ou de placement présentent des caractéristiques particulières qui permettent de réduire et, par là même, de simplifier significativement le calcul nécessaire. C'est le cas des **annuités** fixes, des annuités croissantes à taux fixe, des **perpétuités** et des perpétuités croissantes à taux fixe. Ces caractéristiques permettent l'utilisation de certaines manipulations algébriques qui aboutissent à des formules plus faciles à traiter que les équations (2.6) et (2.7). Dans ces manipulations, on recourt au principe de la progression géométrique. Une progression géométrique est une série finie ou infinie de chiffres, chacun d'eux étant obtenu en multipliant le précédent par une même valeur appelée raison. Ainsi, pour qu'une progression géométrique soit bien définie, il suffit de connaître son premier terme, sa raison ainsi que le nombre de termes qu'elle contient.

Soit la progression géométrique suivante :

$$X, Xq, Xq^2, Xq^3, \ldots, Xq^{n-1}$$

Il s'agit là d'une progression géométrique de raison $q$, avec $n$ termes dont le premier est $X$. Ainsi, on peut montrer que la somme S de cette progression géométrique est égale à :

$$S = X + Xq + Xq^2 + Xq^3 + \ldots + Xq^{n-1}$$
$$= X \times \left( \frac{1 - q^n}{1 - q} \right) \tag{2.10}$$

Vous pouvez consulter l'annexe 2B pour voir la démonstration de l'équation (2.10).

Nous allons maintenant utiliser cette caractéristique pour calculer la valeur actuelle ou future de certains flux monétaires particuliers.

### 2.4.1 Les annuités fixes

Une annuité fixe est une série de flux monétaires constants sur un ensemble fini de périodes, que ces flux soient annuels, semestriels, mensuels ou de toute autre fréquence (par exemple, les pensions de retraite, les remboursements de prêts hypothécaires, les loyers, etc.).

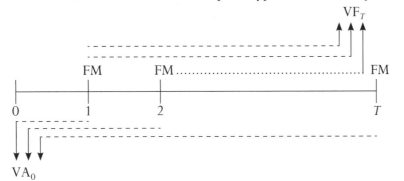

Selon l'équation (2.6), la valeur actuelle de ces flux monétaires est égale à :

$$VA_0 = \frac{FM}{(1 + r)} + \frac{FM}{(1 + r)^2} + \frac{FM}{(1 + r)^3} + \ldots + \frac{FM}{(1 + r)^T} = FM \sum_{t=1}^{T} \frac{1}{(1 + r)^t}$$

On remarque que le terme $\sum_{t=1}^{T} \dfrac{1}{(1 + r)^t}$ représente la somme d'une progression géométrique de raison $\dfrac{1}{(1 + r)}$ ayant $T$ termes dont le premier est $\dfrac{1}{(1 + r)}$. En utilisant la propriété de la somme d'une progression géométrique [voir l'équation (2.10)], on obtient :

$$VA_0 = \frac{FM}{r}\left(1 - \frac{1}{(1 + r)^T}\right) = FM\left(\frac{1 - (1 + r)^{-T}}{r}\right) \qquad (2.11)$$

Le terme $\left(\dfrac{1 - (1 + r)^{-T}}{r}\right)$ s'appelle le facteur d'actualisation d'une annuité de 1 \$ sur $T$ périodes à un taux $r$, noté $A_r^T$. On peut le trouver dans les tables financières. De la même façon, on obtient la valeur future d'une annuité fixe. En effet, selon l'équation (2.7) :

$$VF_T = FM + FM \times (1 + r) + FM \times (1 + r)^2 + \ldots + FM \times (1 + r)^{T-1}$$

$$= FM \sum_{t=1}^{T} (1 + r)^{t-1}$$

On remarque que le terme $\sum_{t=1}^{T} (1 + r)^{t-1}$ représente la somme d'une progression géométrique de raison $(1 + r)$ ayant $T$ termes dont le premier est $(1 + r)$. En utilisant la propriété de la somme d'une progression géométrique [voir l'équation (2.10)], on obtient :

$$VF_T = FM\left(\frac{(1 + r)^T - 1}{r}\right) \qquad (2.12)$$

Le terme $\left(\dfrac{(1 + r)^T - 1}{r}\right)$ s'appelle le facteur de capitalisation d'une annuité de 1 \$ sur $T$ périodes à un taux $r$, noté $S_r^T$. On peut le trouver dans les tables financières.

## EXEMPLE 2.9

Quelle est la valeur actuelle et la valeur future d'une annuité fixe de 1 000 \$ par année sur 4 années à un taux effectif de 8 % ?

Réponse : VA = 3 312,13 \$ et VF = 4 506,11 \$.

### 2.4.2 Les annuités croissantes à un taux constant

Il s'agit, comme dans le cas précédent, d'une série de flux monétaires sur un ensemble fini de périodes, que ces flux soient annuels, semestriels, mensuels ou de toute autre fréquence. Cependant, contrairement à la situation précédente, ces flux ne sont pas constants, mais ils augmentent à un taux de croissance constant (noté $g$).

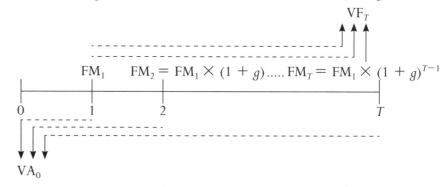

Selon l'équation (2.6), la valeur actuelle de ces flux monétaires est égale à :

$$VA_0 = \frac{FM_1}{(1+r)} + \frac{FM_1 \times (1+g)}{(1+r)^2} + \frac{FM_1 \times (1+g)^2}{(1+r)^3} + ... + \frac{FM_1 \times (1+g)^{T-1}}{(1+r)^T}$$

$$= FM_1 \sum_{t=1}^{T} \frac{(1+g)^{T-1}}{(1+r)^t}$$

On remarque que le terme $\sum_{t=1}^{T} \frac{(1+g)^{t-1}}{(1+r)^t}$ représente la somme d'une progression géométrique de raison $\frac{(1+g)}{(1+r)}$ ayant $T$ termes dont le premier est $\frac{1}{(1+r)}$. En utilisant la propriété de la somme d'une progression géométrique [voir l'équation (2.10)], on obtient :

$$VA_0 = \frac{FM_1}{r-g} + \left[1 - \left(\frac{1+g}{1+r}\right)^T\right] \tag{2.13}$$

On obtient la valeur future de la même façon. En effet, selon l'équation (2.7) :

$$VF = FM_1 \times (1+g)^{T-1} + FM_1 \times (1+r) \times (1+g)^{T-2} + ... + FM_1 \times (1+r)^{T-1}$$

$$= FM_1 \times \sum_{t=1}^{T} (1+g)^{T-t} \times (1+r)^{t-1}$$

En utilisant la propriété de la somme d'une progression géométrique [voir l'équation (2.10)], on obtient :

$$VF_T = \frac{FM_1(1+g)^T}{r-g} \left[\left(\frac{1+r}{1+g}\right)^T - 1\right] \tag{2.14}$$

## EXEMPLE 2.10

Quelle est la valeur actuelle et la valeur future d'une annuité de 1 000 $ qui augmente à un taux de croissance de 2 % par année pendant 4 années, si le taux d'intérêt effectif est de 8 % ?

Réponse : VA = 3 406,33 $ et VF = 4 634,28 $.

### 2.4.3 Les perpétuités

Une perpétuité est une série de flux monétaires constants sur un ensemble infini de périodes, que ces flux soient annuels, semestriels, mensuels ou de toute autre fréquence. En d'autres termes, les perpétuités sont des paiements (ou des revenus) périodiques constants et illimités dans le temps (par exemple, la loterie « Gagnant à vie » de Loto-Québec).

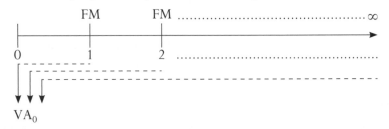

Selon l'équation (2.6), la valeur actuelle de ces flux monétaires est égale à :

$$VA = \frac{FM}{(1+r)} + \frac{FM}{(1+r)^2} + \frac{FM}{(1+r)^3} + ... = FM \sum_{t=1}^{\infty} \frac{1}{(1+r)^t}$$

On remarque que le terme $\sum\limits_{t=1}^{\infty}\dfrac{1}{(1+r)^t}$ représente la somme d'une progression géomé-trique de raison $\dfrac{1}{(1+r)}$ ayant une infinité de termes, dont le premier est $\dfrac{1}{(1+r)}$. En utili-sant le résultat obtenu dans l'équation (2.11) et en faisant tendre $T$ vers l'infini, on obtient :

$$VA = \lim_{T\to\infty}\left[FM\left(\frac{1-(1+r)^{-T}}{r}\right)\right] = \frac{FM}{r} \qquad (2.15)$$

Il faut noter que la valeur future d'une perpétuité tend vers l'infini.

EXEMPLE 2.11

Quelle est la valeur actuelle d'une perpétuité de 1 000 $ si le taux d'intérêt effectif est de 8 % ?

Réponse : VA = 12 500 $.

### 2.4.4  Les perpétuités croissantes à un taux constant

Comme dans le cas précédent, il s'agit d'une série de flux monétaires sur un ensemble infini de périodes, que ces flux soient annuels, semestriels, mensuels ou de toute autre fréquence. Cependant, contrairement à la situation précédente, ces flux ne sont pas constants, mais ils augmentent à un taux de croissance constant (noté $g$).

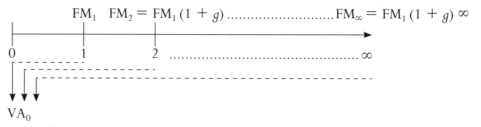

Selon l'équation (2.6), la valeur actuelle de ces flux monétaires est égale à :

$$VA = \frac{FM_1}{(1+r)} + \frac{FM_1(1+g)}{(1+r)^2} + \frac{FM_1(1+g)^2}{(1+r)^3} + \dots = FM_1\sum_{t=1}^{\infty}\frac{(1+g)^{t-1}}{(1+r)^t}$$

On remarque que le terme $\sum\limits_{t=1}^{\infty}\dfrac{(1+g)^{t-1}}{(1+r)^t}$ représente la somme d'une progression géo-métrique de raison $\dfrac{(1+g)}{(1+r)}$ ayant une infinité de termes, dont le premier est $\dfrac{1}{(1+r)}$.

En utilisant le résultat obtenu à l'équation (2.13) et en faisant tendre $T$ vers l'infini, on obtient :

$$VA_0 = \lim_{T\to\infty}\frac{FM_1}{r-g}\left[1 - \left(\frac{1+g}{1+r}\right)^{T}\right] = \frac{FM_1}{r-g} \qquad (2.16)$$

Remarque : Le taux de croissance $g$ doit être inférieur au taux d'intérêt $r$, sans quoi la somme des flux monétaires tend rapidement vers l'infini.

EXEMPLE 2.12

Quelle est la valeur actuelle d'une perpétuité de 1 000 $ qui augmente à un taux de 2 % si le taux d'intérêt effectif est de 10 % ?

Réponse : VA = 12 500 $.

## 2.5 Les cas particuliers

Les équations étudiées dans ce chapitre sont les formules de base de tout calcul d'actualisation ou de capitalisation. Ces formules représentent les cas généraux de flux monétaires les plus fréquemment rencontrés dans le domaine de la finance. Nous verrons d'ailleurs, dans le chapitre 4, des applications de ces formules aux problèmes d'évaluation des actifs financiers des entreprises.

Cependant, dans la réalité, certains flux monétaires peuvent présenter des caractéristiques particulières faisant que l'on ne peut appliquer directement aucune des formules décrites précédemment. Il serait fastidieux de développer et encore plus d'apprendre une formule pour chacun de ces cas. Néanmoins, nous avons maintenant tous les outils nécessaires pour résoudre n'importe quel cas particulier. Il suffit de bien maîtriser ces outils, de connaître les différentes options qu'ils offrent afin de pouvoir les adapter à des problèmes précis. Ainsi, si on a bien compris la logique intrinsèque à toutes ces formules, on doit pouvoir les adapter pour résoudre les problèmes suivants :

- la combinaison de l'annuité, de l'annuité croissante et de la perpétuité ;
- le taux d'intérêt qui varie durant les périodes ;
- les flux monétaires décalés dans le temps ;
- les flux monétaires qui commencent au temps $t = 0$ (toutes les formules supposent que la série de flux monétaires commence au temps $t = 1$).

Des exercices d'application de ces cas particuliers sont proposés à la fin de ce chapitre. Plusieurs exemples réels seront présentés dans le chapitre 4.

## 2.6 Application : les prêts hypothécaires

Les prêts hypothécaires représentent un type d'emprunt particulier, de longue durée, en général supérieure à 10 ans, et dont le remboursement se fait par des paiements constants jusqu'à l'échéance. Ces paiements sont le plus souvent mensuels ou bimensuels. Bien qu'ils soient fixes, leur composition en intérêts et en capital varie d'une période à l'autre. Les premiers paiements sont composés en grande partie d'intérêts. Au fur et à mesure qu'on avance vers l'échéance, la part des intérêts diminue au profit du remboursement du capital, et ce, toujours pour un même montant total remboursé jusqu'à l'amortissement total de l'emprunt. Illustrons cela par un exemple.

---

**EXEMPLE 2.13**

Vous venez de signer un emprunt hypothécaire d'un montant de 250 000 $ remboursable mensuellement sur 25 ans, pour l'achat d'une maison à Ottawa. La banque vous a offert un taux de 6,08 % à capitalisation mensuelle.

Le taux semestriel effectif est, dans ce cas, de 6,08/2 = 3,04 %.

Le taux mensuel est donc de $(1 + 0{,}0304)^{\frac{1}{6}} - 1 = 0{,}5\,\%$.

Le montant du remboursement mensuel est égal à $X$ tel que :

$$x\left(\frac{1 - (1 + 0{,}005)^{-300}}{0{,}005}\right) = 250\,000 \Rightarrow x = 1\,610{,}75\,\$$$

---

La première mensualité de 1 610,75 $ sera ainsi composée :
- des intérêts : 250 000 $ × 0,5 % = 1 250 $
- du capital : 1 610,75 − 1 250 = 360,75 $

À la fin du premier mois, le capital non encore remboursé sera donc de :

250 000 $ − 360,75 $ = 249 639,25 $

Par conséquent, la deuxième mensualité de 1 610,75 $ sera composée :
- des intérêts : 249 639,25 × 0,5 % = 1 248,19 $
- du capital : 1 610,75 − 1 248,19 = 362,56 $

**CHAPITRE 02**

# Conclusion

La valeur temporelle de l'argent est une notion fondamentale en finance. En effet, deux montants d'argent payés ou reçus à deux dates différentes ne peuvent être comparés directement. Dans ce chapitre, nous avons décrit les techniques qui permettent d'effectuer ce genre de comparaison. En particulier, nous avons vu comment trouver la valeur actuelle et la valeur future d'un montant fixe d'argent, d'une annuité et d'une perpétuité. Ces formules étant très utiles en finance, nous verrons, dans le chapitre suivant, l'une de leurs premières applications : le choix des projets d'investissement.

# À retenir

1. L'argent n'a pas la même valeur dans le temps.
2. Les techniques d'actualisation et de capitalisation permettent de comparer des sommes d'argent payées ou reçues à des dates différentes.
3. Les taux d'intérêt nominaux sont différents des taux d'intérêt effectifs.
4. On ne peut comparer que des taux d'intérêt effectifs.
5. Pour transformer un taux d'intérêt nominal en un taux d'intérêt effectif, il faut connaître le nombre de capitalisations du premier.
6. Une annuité fixe est une série de flux monétaires constants sur un ensemble fini de périodes, que ces flux soient annuels, semestriels, mensuels ou de toute autre fréquence.
7. Une perpétuité est une série de flux monétaires constants sur un ensemble infini de périodes, que ces flux soient annuels, semestriels, mensuels ou de toute autre fréquence.

## Sommaire des formules

### Un montant fixe sur une seule période

Valeur future :

$$\text{VF}_{t+1} = \text{FM}_t \times (1 + r) \tag{2.1}$$

Valeur actuelle :

$$\text{VA}_t = \frac{\text{FM}_{t+1}}{(1 + r)} \tag{2.2}$$

Valeur actuelle nette :

$$\text{VAN} = -I_0 + \frac{\text{FM}_1}{(1 + r)} \tag{2.3}$$

### Un montant fixe sur plusieurs périodes

Valeur future :

$$\text{VF}_{t+T} = \text{FM}_t \times (1 + r)^T \tag{2.4}$$

Valeur actuelle :

$$\text{VA}_t = \frac{\text{FM}_{t+T}}{(1 + r)^T} \tag{2.5}$$

### Les flux monétaires variables sur plusieurs périodes

Valeur actuelle :

$$\text{VA}_0 = \sum_{t=1}^{T} \frac{\text{FM}_t}{(1 + r)^t} \tag{2.6}$$

Valeur future :

$$\text{VF}_T = \sum_{t=1}^{T} \text{FM}_t \times (1 + r)^{t-1} \tag{2.7}$$

**Le passage d'un taux nominal à un taux effectif**

$$R = \left(1 + \frac{r}{m}\right)^m - 1 \tag{2.8}$$

**Les annuités et les perpétuités**

Le taux d'intérêt annuel capitalisé de façon continue :

$$\lim_{m \to \infty}\left[\left(1 + \frac{r}{m}\right)^m - 1\right] = e^{r-1} \tag{2.9}$$

La progression géométrique :

$$S = X \times \left(\frac{1 - q^n}{1 - q}\right) \tag{2.10}$$

**Les annuités fixes**

Valeur actuelle :

$$VA_0 = \frac{FM}{r}\left(1 - \frac{1}{(1+r)^T}\right) = FM\left(\frac{1 - (1+r)^{-T}}{r}\right) \tag{2.11}$$

Valeur future :

$$VF_T = FM\left(\frac{(1+r)^T - 1}{r}\right) \tag{2.12}$$

**Les annuités croissantes à taux fixe**

Valeur actuelle :

$$VA_0 = \frac{FM_1}{r - g} + \left[1 - \left(\frac{1 + g}{1 + r}\right)^T\right] \tag{2.13}$$

Valeur future :

$$VF_T = \frac{FM_1(1 + g)^T}{r - g}\left[\left(\frac{1 + r}{1 + g}\right)^T - 1\right] \tag{2.14}$$

**Les perpétuités**

Valeur actuelle :

$$VA = \lim_{T \to \infty}\left[FM\left(\frac{1 - (1+r)^{-T}}{r}\right)\right] = \frac{FM}{r} \tag{2.15}$$

**Les perpétuités croissantes à taux fixe**

Valeur actuelle :

$$VA_0 = \lim_{T \to \infty} \frac{FM_1}{r - g}\left[1 - \left(\frac{1 + g}{1 + r}\right)^T\right] = \frac{FM_1}{r - g} \tag{2.16}$$

▶ **2A – DÉMONSTRATION DE L'ÉQUATION (2.4) :
LA VALEUR FUTURE D'UN SEUL FLUX MONÉTAIRE
ÉTALÉ SUR PLUSIEURS PÉRIODES**

D'après l'équation (2.1), on a :
$$VF_{t+1} = FM_t \times (1 + r)$$

où
$$VF_{t+2} = FM_{t+1} \times (1 + r) = FM_t \times (1 + r) \times (1 + r) = FM_t \times (1 + r)^2$$

De même :
$$VF_{t+3} = FM_{t+2} \times (1 + r) = FM_t \times (1 + r) \times (1 + r) \times (1 + r) = FM_t \times (1 + r)^3$$

Par récurrence, on obtient ainsi :
$$VF_{t+T} = FM_t \times (1 + r) \times (1 + r) \times (1 + r) \times \ldots \times (1 + r) = FM_t \times (1 + r)^T$$

De la même façon, il est facile de démontrer l'équation (2.5).

▶ **2B – DÉMONSTRATION DE L'ÉQUATION (2.10) :
LA SOMME D'UNE PROGRESSION GÉOMÉTRIQUE**

Soit la progression géométrique suivante :
$$X, Xq, Xq^2, Xq^3, \ldots, Xq^{n-1}$$

Il s'agit là d'une progression géométrique de raison $q$ ayant $n$ termes dont le premier est $X$.

Soit S la somme de cette progression géométrique :
$$S = X + Xq + Xq^2 + Xq^3 + \ldots + Xq^{n-1}$$

On peut alors écrire :
$$Sq = Xq + Xq^2 + Xq^3 + Xq^4 + \ldots + Xq^n$$

Par conséquent :
$$S - Sq = X + Xq + Xq^2 + Xq^3 + \ldots + Xq^{n-1} - (Xq + Xq^2 + Xq^3 + Xq^4 + \ldots + Xq^n)$$

En simplifiant, on obtient :
$$S - Sq = X - Xq^n \Rightarrow S(1 - q) = X(1 - q^n)$$

où
$$S = X \times \left( \frac{1 - q^n}{1 - q} \right)$$

L'entreprise Bombardier envisage d'investir dans une nouvelle unité de production d'équipements lourds en Europe ou au Mexique. Dans les deux cas, cet investissement s'élèverait à 10 millions de dollars et serait financé en partie par un emprunt bancaire.

Si l'investissement est fait en Europe, Bombardier prévoit qu'il rapportera un flux monétaire annuel net de 1 million de dollars par année les 5 premières années, puis ce flux augmentera de 2 % par année pendant 20 années.

Si l'investissement est fait au Mexique, Bombardier prévoit qu'il rapportera un flux monétaire annuel net de 700 000 $ par année les 10 premières années, puis ce flux augmentera de 4 % par année pendant 20 années.

a) Où la société Bombardier devrait-elle investir ?

b) Au bout de 5 années, si Bombardier décide de se départir de cette unité de production, pourriez-vous donner une estimation du prix qu'elle pourrait demander pour la vente de cette unité ?

Par ailleurs, Bombardier prévoit emprunter un montant de 4 millions de dollars afin de financer en partie son investissement. Une banque européenne a accepté de lui accorder le prêt sur 25 années. Selon les conditions de ce prêt, Bombardier devra rembourser un montant de 77 482,28 $ chaque trimestre.

Une banque canadienne lui offre le même prêt sur 25 années. Les paiements seraient, dans ce cas, semestriels et s'élèveraient à 170 534,84 $.

À quelle banque Bombardier devrait-elle emprunter les 4 millions de dollars nécessaires ?

# Questions

1. Expliquez brièvement à quoi servent les techniques d'actualisation et de capitalisation.

2. Énumérez les raisons faisant que l'on préfère recevoir 1 $ aujourd'hui plutôt que dans une année.

3. Expliquez la différence entre un taux d'intérêt nominal et un taux d'intérêt effectif.

4. Définissez brièvement les notions d'annuité et de perpétuité.

5. Donnez des exemples pratiques de cas d'annuités et de perpétuités fixes et croissantes à taux constant.

6. Dans le cas d'une perpétuité croissante à taux constant, le taux de croissance g doit être inférieur au taux d'intérêt r. Expliquez pourquoi il en est ainsi.

7. Dérivez la formule de la valeur actuelle d'une annuité fixe dont les flux monétaires commencent au temps $t = 0$.

8. Dérivez la formule de la valeur future d'une annuité fixe dont les flux monétaires commencent au temps $t = 0$.

9. Pour un taux d'intérêt nominal donné, quel est l'effet de l'augmentation du nombre de capitalisations sur le taux effectif ?

10. Pour une série de flux monétaires donnée, analysez l'effet de la diminution du taux d'intérêt sur la valeur actuelle et la valeur future de ces flux.

1. Calculez la valeur actuelle d'une annuité de 100 $ pendant 5 années, dont le versement commence dans 2 ans à partir d'aujourd'hui. Utilisez un taux d'actualisation annuel effectif de 5 %.

2. Reprenez l'exercice précédent en supposant que le versement de l'annuité de 5 années commence aujourd'hui.

3. Calculez la valeur actuelle d'une annuité de 100 $ pendant 7 années, dont le versement commence dans 3 ans à partir d'aujourd'hui. Utilisez un taux d'actualisation annuel effectif de 6 %.

4. Reprenez l'exercice précédent en calculant la valeur future en supposant que le versement de l'annuité commence aujourd'hui.

5. Vous venez de gagner un billet de loterie qui vous permet de recevoir 1 000 $ par année à vie. Contre quel montant seriez-vous prêt à échanger ce billet, si le taux d'intérêt de ce montant était de 10 % ?

6. Calculez la valeur actuelle d'une perpétuité constante de 200 $ qui commence dans 3 ans à partir d'aujourd'hui. Utilisez un taux d'actualisation annuel effectif de 4 %.

7. Reprenez l'exercice précédent en supposant que la perpétuité commence aujourd'hui.

8. Calculez la valeur future d'une perpétuité constante de 50 $ qui commence dans 2 années à partir d'aujourd'hui. Utilisez un taux d'actualisation annuel effectif de 4 %.

9. Reprenez l'exercice précédent en supposant que la perpétuité commence aujourd'hui.

10. Calculez la valeur actuelle d'une annuité constante de 100 $ pendant les 5 prochaines années, qui augmente à un taux constant de 2 % à partir de l'année 6 jusqu'à l'année 10. Utilisez un taux d'actualisation annuel effectif de 5 %.

## Problèmes

1. Vous voulez emprunter un montant de 5 000 $ pour 1 année. Trois banques vous font les offres suivantes :

   • un taux d'intérêt annuel effectif de 5 % ;

   • un taux d'intérêt annuel de 4,8 % à capitalisation trimestrielle ;

   • un taux d'intérêt annuel de 4,75 % à capitalisation mensuelle.

   Quel taux choisirez-vous ?

2. Un joueur de football vous demande de le conseiller au sujet de deux propositions de contrat qui lui sont offertes. L'équipe A lui offre un contrat de 5 années rapportant 500 000 $ par année. L'équipe B lui offre un contrat de 5 années rapportant 400 000 $ la première année. Ce salaire sera, par la suite, indexé chaque année au taux d'inflation prévu de 2 %. Pour quelle équipe le joueur devrait-il signer si le taux d'intérêt annuel effectif est de 6 % ?

3. À la fin de vos études, vous prévoyez commencer à contribuer à un régime d'épargne logement rapportant un taux de rendement effectif de 7 % par année, afin de financer en partie l'achat de votre maison prévu 5 années plus tard.

   a) Quelle devrait être votre contribution mensuelle à ce régime si vous désirez disposer d'un montant de 50 000 $ au moment de l'achat ?

   b) Supposez que vous désirez disposer d'un montant de 70 000 $ au moment de l'achat. Sans changer la mensualité trouvée précédemment, combien de temps devrez-vous cotiser pour amasser la somme désirée ?

4. Vous placez dans un compte bancaire bloqué un montant de 10 000 $ pour une période de 5 années. Ce compte vous rapporte un taux d'intérêt annuel effectif de 8 %. Ces intérêts vous sont versés à la fin de chaque année, et vous les réinvestissez immédiatement à un taux annuel effectif de 6 %. De combien d'argent disposerez-vous au bout de la cinquième année ?

5. Vous venez d'avoir 30 ans. Vous décidez de commencer à participer à un régime d'épargne retraite en contribuant annuellement jusqu'à votre retraite. Ce plan rapporte un taux d'intérêt annuel de 10 %. Vous envisagez partir à la retraite à 60 ans et effectuer des retraits de 2 000 $ à la fin de chaque mois. Si vous vivez jusqu'à 85 ans, quelle devra être votre contribution annuelle à ce plan ?

# Le choix des projets d'investissement

# Mise en contexte

Le 21 novembre 2003, Shell Canada[1] a annoncé un plan de dépenses en immobilisations et en frais d'exploration totalisant 1,1 milliard de dollars pour 2004. Selon Linda Cook, présidente et chef de la direction de Shell Canada : « Notre plan d'investissement pour 2004 reflète la force et la diversité de nos projets de croissance. Le plan appuie nos objectifs de leadership en matière de rentabilité et de croissance rentable dans le cadre global de notre engagement à l'égard du développement durable. »

Le programme des ressources pour 2004 comprend 170 millions de dollars pour l'exploration et environ 395 millions de dollars pour des projets de mise en valeur. Près de la moitié des dépenses d'exploration et de mise en valeur prévues seront effectuées dans le piémont de l'Ouest canadien. Le reste du programme d'exploration de 2004 est surtout axé sur les perspectives de croissance dans les zones nouvelles. Environ 40 % du programme de mise en valeur pour 2004 est destiné à la poursuite de la phase 2 de mise en valeur des champs et aux installations de compression du projet d'exploitation des ressources énergétiques au large de l'île de Sable. Le programme de 2004 comprend aussi des dépenses permettant de poursuivre les travaux de définition et les demandes auprès des organismes de réglementation pour la réalisation du projet de pipeline de la vallée du Mackenzie et la mise en valeur connexe du champ Niglintgak de Shell.

Le programme des sables bitumineux pour 2004 s'élève à quelque 155 millions de dollars et comprend le financement d'éventuelles initiatives de déblocage de la production dans le projet d'exploitation des sables bitumineux de l'Athabasca et d'études de préfaisabilité liées à l'expansion ultérieure du projet. Le programme des sables bitumineux comprend aussi de l'investissement de maintien et des fonds pour diverses initiatives de rentabilité. Au sujet de la mine Jackpine, d'ici à son approbation par les organismes de réglementation, on mettra l'accent en 2004 sur l'évaluation des options de marketing et de valorisation et d'autres aspects de ce projet de croissance.

Le programme des produits pétroliers pour 2004 comprend 100 millions de dollars pour le marketing et 280 millions de dollars pour des projets de fabrication et de distribution. Environ les deux tiers des mises de fonds en fabrication et en distribution prévues pour 2004 sont destinés aux projets d'hydrotraiteurs de distillats à Montréal et à Scotford pour répondre aux normes sur le carburant diesel à très faible teneur en soufre.

Shell Canada ltée est l'une des grandes sociétés pétrolières intégrées au Canada. Elle est l'un des principaux producteurs de gaz naturel, de liquides extraits du gaz naturel et de bitume, ainsi que le plus gros producteur de soufre au pays. Elle est également un important fabricant et distributeur de produits pétroliers raffinés. La société évalue actuellement les possibilités d'investissement dans l'énergie éolienne au Canada.

---

1. Voir l'étude de cas – La société Shell Canada Limitée : un survol.

L'exemple de Shell Canada montre qu'une décision d'investissement détermine la nature des activités pour les années à venir. Cette décision n'est toutefois pas facile à prendre[2], car l'entreprise se trouve souvent devant un éventail de choix d'investissements. D'où le rôle important du gestionnaire financier, car celui-ci doit distinguer les projets bénéfiques des projets qui le sont moins. La décision d'investissement est donc cruciale. Elle ne se limite pas à une simple décision d'acheter ou non un actif immobilisé. Elle incarne tout un ensemble de décisions préalables concernant les décisions stratégiques d'orientation et de positionnement sur le marché, la planification budgétaire, l'évaluation de degré de flexibilité de production future et la structure financière. Ces décisions requièrent donc la participation de l'ensemble des services de l'entreprise et non simplement des financiers. Les services de production, de commercialisation, de la comptabilité et la haute direction sont à l'origine de données nécessaires au choix de l'investissement. Il s'agit alors pour le gestionnaire de synthétiser toute l'information qui lui est transmise, de la traduire en critères d'évaluation et de se prononcer sur la pertinence des projets qui se font jour.

Le présent chapitre est structuré en trois sections. Tout d'abord, nous aborderons les différentes catégories de projets selon le type de décisions à prendre et selon leurs caractéristiques respectives. Ensuite, nous présenterons les critères de sélection des projets d'investissement disponibles, puis nous illustrerons leur application à l'aide d'exemples. Finalement, nous présenterons les éléments qu'il convient de considérer ou non quand il s'agit d'établir les mesures de rentabilité d'un projet. Nous accorderons une importance particulière aux effets de l'imposition et de l'amortissement.

L'objectif de ce chapitre est de permettre à l'évaluateur d'établir un diagnostic sur la pertinence d'un projet d'investissement dans l'entreprise à partir de critères financiers, et ce, sans négliger les impacts fiscaux sur les flux du projet.

Certains préalables sont essentiels pour aborder ce chapitre. Le lecteur doit essentiellement maîtriser les méthodes de calcul qui tiennent compte du facteur temps et du rôle attribué aux divers taux concernés.

## 3.1 Le choix des investissements

### 3.1.1 Le processus de choix des investissements

Le processus de choix des investissements comporte plusieurs étapes. Nous présentons ici les plus importantes. La première consiste à détecter et à caractériser les projets. Pour ce faire, il faut d'abord répondre aux questions suivantes : s'agit-il d'un agrandissement, d'un renouvellement, de nouveaux produits, etc. ? La deuxième étape consiste à évaluer les projets. Elle requiert différentes évaluations financières : les flux monétaires, l'application des méthodes d'évaluation et l'analyse des divers effets des impôts, de l'amortissement fiscal et de l'inflation. La troisième étape consiste à réaliser le projet sans omettre une possibilité d'abandon, de revente ou d'investissement supplémentaire. Rappelez-vous qu'un projet rentable peut devenir non rentable à cause de changements économiques défavorables.

---

2. Voir l'étude de cas – CDP Capital Entertainment ou la petite histoire d'un investissement désastreux.

### 3.1.2 Les projets et les types de décisions

Les projets d'investissement peuvent être répartis en différentes catégories selon le type de décision à prendre.

#### A ■ Les projets indépendants

Deux (ou plusieurs) projets sont indépendants si la réalisation de l'un d'eux n'influe en rien sur la réalisation de l'autre. Par exemple, il pourrait s'agir de l'achat d'une nouvelle machine d'emballage ou de la construction d'un restaurant pour les employés de l'entreprise.

#### B ■ Les projets mutuellement exclusifs

Deux projets sont mutuellement exclusifs si et seulement si la réalisation de l'un implique le rejet de l'autre. Par exemple, une entreprise n'a besoin que d'un seul camion pour effectuer les livraisons, et elle doit choisir entre l'achat d'un camion compartimenté ou l'achat d'un camion non compartimenté.

#### C ■ Les projets contingents

Deux projets sont contingents si la réalisation de l'un ne peut se faire sans la réalisation de l'autre. Par exemple, une entreprise doit choisir entre le lancement d'un produit à l'étranger ou la coparticipation avec un producteur local dans ce pays étranger.

En plus des éléments précédents, qui conditionnent le type de décision à prendre, les projets ont des caractéristiques particulières que nous exposons ci-dessous.

### 3.1.3 Les caractéristiques des projets

#### A ■ L'horizon

L'horizon définit la durée de vie économique du projet. La vie économique est importante pour déterminer l'horizon des besoins de financement de l'entreprise. Le long terme offre plus de difficultés en ce qui concerne les prévisions macroéconomiques et microéconomiques.

#### B ■ La taille du projet

La taille du projet peut se mesurer par le volume d'investissement initial requis. Cette notion dépend évidemment de la taille de l'entreprise elle-même. En général, la taille du projet sera prise en considération lors du choix entre des projets mutuellement exclusifs.

#### C ■ La nature stratégique du projet

Un projet d'investissement doit faire partie intégrante de la stratégie de développement de l'entreprise afin de contribuer le mieux possible à la création de valeur. L'analyse des projets en lice n'est pas non plus une opération sans coût; c'est pourquoi l'importance stratégique du projet tout comme sa taille détermineront l'effort qui sera consacré à son évaluation. En général, on distingue six catégories de projets.

**Les projets de remplacement d'actifs en place pour poursuivre l'activité** Les projets de remplacement d'actifs en place sont nécessaires dans le cas où l'entreprise souhaite poursuivre la même activité et qu'elle possède des actifs désuets.

**Les projets de remplacement d'actifs en place pour réduire les coûts de production** Dans le cas des projets de remplacement d'actifs en place pour réduire les coûts de production, il n'est plus question d'actifs désuets, mais d'actifs dépassés qui ne répondent plus aux critères de coûts de production. En général, le choix d'investissement est capital pour atteindre la cible stratégique de faible prix de vente des produits. Par conséquent, l'évaluation des projets est détaillée.

**Les projets d'expansion de la capacité productive ou des marchés de produits existants** Les projets d'expansion de la capacité productive ou des marchés de produits existants impliquent des dépenses visant à étendre les capacités de production ou encore les marchés sur lesquels l'entreprise est présente. Ils requièrent des analyses complexes qui reposent sur des prévisions de croissance et de développement des marchés.

**Les projets d'expansion sur la base de nouveaux produits** Les projets d'expansion sur la base de nouveaux produits impliquent des décisions stratégiques majeures, car celles-ci sont susceptibles de changer entièrement la nature de la firme. Les projets nécessitent de longues analyses, une évaluation détaillée et donc des coûts importants pour l'entreprise. La décision finale est prise, en général, au plus haut niveau hiérarchique de l'entreprise.

**Les projets relatifs à la sécurité ou à la protection de l'environnement** De plus en plus, les entreprises s'engagent dans des activités de préservation de l'environnement. Notamment, elles investissent afin de mieux adapter leur équipement et de respecter les nouvelles législations environnementales. Ces investissements sont incontournables; ils ne génèrent pas directement de revenus et sont traités rapidement.

**Les autres projets** Cette dernière catégorie regroupe tous les projets qui n'entrent pas dans les catégories citées précédemment, par exemple la construction d'un local pour les employés ou encore l'agrandissement du stationnement. Le coût de revient sera en général un élément de décision majeur.

### D ▪ Les flux monétaires liés au projet

Retenons ici qu'il est capital de bien déterminer les flux monétaires du projet. C'est incontestablement la tâche la plus ardue du processus de décision d'investissement. Retenons aussi qu'il est important de recenser tous les flux qui peuvent constituer des dépenses et des versements du point de vue des investisseurs. Nous examinerons plus en détail les éléments à considérer ou à ignorer dans nos calculs des flux monétaires dans la section 3.3 de ce chapitre.

## 3.2 Les critères de prise de décision d'investissement

L'objectif de cette section est d'étudier les principaux critères de prise de décision d'investissement. Nous montrons comment évaluer, à l'aide de calculs, chacun des critères et comment interpréter les résultats obtenus. Nous verrons aussi les avantages et les inconvénients liés à ces critères.

### 3.2.1 Le délai de récupération et le délai de récupération actualisé

Le **délai de récupération** (ou *payback period*) d'un projet correspond au laps de temps ou au nombre d'années nécessaires pour récupérer l'investissement initial. En d'autres mots, c'est la durée nécessaire pour que les flux monétaires cumulatifs prévus équivalent aux fonds investis dans le projet.

Supposons que Shell Canada a le choix entre deux projets mutuellement exclusifs A et B, nécessitant chacun 4 millions de dollars d'investissement et dont les flux monétaires sont les suivants :

| Année | Flux monétaires (en milliers de dollars) | | Flux monétaires cumulatifs (en milliers de dollars) | |
|---|---|---|---|---|
| | Projet A | Projet B | Projet A | Projet B |
| 1 | 4 000 | 2 000 | 4 000 | 2 000 |
| 2 | 1 000 | 2 000 | 5 000 | 4 000 |
| 3 | 0 | 2 000 | 5 000 | 6 000 |

Dans le cas du projet A, il faut 1 année pour récupérer les 4 millions de dollars, alors que, dans le cas du projet B, il faut 2 années. En se basant sur le délai de récupération comme critère de décision, un gestionnaire financier acceptera le projet A plutôt que le projet B.

La règle de décision :

a)  Pour les projets indépendants, on choisit les projets ayant un délai de récupération inférieur à une date limite fixée au préalable par le gestionnaire en fonction de ses contraintes, notamment en ce qui concerne le financement.

b)  Pour les projets mutuellement exclusifs, on choisit le projet ayant le délai de récupération le plus petit.

Le délai de récupération est souvent utilisé par les dirigeants des petites et moyennes entreprises (PME), car il est facile à comprendre et à appliquer. Il est adapté au contexte de rationnement du capital parce qu'il permet de distinguer les projets qui génèrent rapidement des rentrées de fonds. De plus, il représente une manière simple d'évaluer le risque d'un projet. Ainsi, selon le critère du délai de récupération, plus un projet est liquide, moins il est risqué.

Toutefois, le délai de récupération ne tient pas compte de la chronologie des flux de trésorerie ni de leur répartition dans le temps. Cette lacune peut être néanmoins comblée si le gestionnaire actualise les flux monétaires pour calculer un délai de récupération actualisé. Le gestionnaire considère donc le fait qu'un dollar aujourd'hui vaut plus qu'un dollar à la fin de la période de récupération.

Dans l'exemple 3.1, en supposant un taux d'actualisation approprié de 10 %, on obtiendrait les résultats suivants :

| Année | Flux monétaires actualisés (en milliers de dollars) | | Flux monétaires cumulatifs (en milliers de dollars) | |
|---|---|---|---|---|
| | Projet A | Projet B | Projet A | Projet B |
| 1 | 3 636,36 | 1 818,18 | 3 636,36 | 1 818,18 |
| 2 | 826,44 | 1 652,89 | 4 462,80 | 3 471,07 |
| 3 | 0 | 1 502,62 | 4 462,80 | 4 973,80 |

Le **délai de récupération actualisé** de A est d'un peu plus de 1 année $\{1 + [(4\,000 - 3\,636,36) / 826,44] = 1,44\}$, alors que celui de B est d'un peu plus de 2 années $\{2 + [(4\,000 - 1\,818,18 - 1\,652,89) / 1\,502,62] = 2,35\}$. Cette différence ne modifie donc pas nos conclusions quant à la sélection des projets.

Le délai de récupération actualisé ne représente qu'une légère modification au délai de récupération non actualisé, puisqu'il ne tient pas compte non plus des flux monétaires, une fois que la mise de fonds a été récupérée. Le choix de la période limite à respecter pour les projets indépendants reste également arbitraire. Il est difficile dans ce cas de déterminer ce qu'est un bon délai de récupération.

### 3.2.2 Le taux de rendement comptable

Nous abandonnons ici momentanément les flux monétaires pour revenir aux mesures comptables, en particulier au bénéfice net, qui est à la base du calcul permettant d'évaluer ce critère.

$$\text{Taux de rendement comptable (TRC)} = \frac{\text{bénéfice net moyen}}{\text{valeur comptable nette moyenne}} \times 100$$

### EXEMPLE 3.2

Considérons un projet d'investissement d'une durée de vie de 3 années qui requiert un montant de 180 $ à $t = 0$. Supposons que Shell Canada adopte la méthode d'amortissement linéaire. Cette décision implique que la valeur comptable du projet passera de 180 $ à 0 $ à l'année 3. Le tableau suivant illustre la situation.

| (en milliers de dollars) | Année 0 | Année 1 | Année 2 | Année 3 |
|---|---|---|---|---|
| Valeur comptable brute | 180 | 180 | 180 | 180 |
| Amortissement accumulé | 0 | 60 | 120 | 180 |
| Valeur comptable nette | 180 | 120 | 60 | 0 |

Valeur comptable nette moyenne = (180 + 120 + 60 + 0) / 4 = 90 $

Le tableau ci-dessous montre les états prévisionnels du projet au cours de sa durée de vie.

| (en milliers de dollars) | Année 1 | Année 2 | Année 3 |
|---|---|---|---|
| Ventes | 200 | 150 | 140 |
| Dépenses | 100 | 75 | 70 |
| Flux monétaires | 100 | 75 | 70 |
| Amortissements | 60 | 60 | 60 |
| BAII | 40 | 15 | 10 |
| Impôts (25 %) | 10 | 3,75 | 2,5 |
| Bénéfice net | 30 | 11,25 | 7,5 |

Bénéfice net moyen = (30 + 11,25 + 7,5) / 3 = 16,25 $

**Rendement comptable moyen** (RCM) = 16,25 / 90 = 18,05 %

Si le taux de rendement actuel de l'entreprise est de 16 %, alors, en se basant sur le critère du taux de rendement comptable, le gestionnaire financier de Shell Canada devra accepter le projet.

La règle de décision :

a) Pour les projets indépendants, on choisit les projets ayant un taux de rendement comptable supérieur à un seuil prédéterminé par le gestionnaire financier.

b) Pour les projets mutuellement exclusifs, on choisit le projet ayant le taux de rendement comptable le plus élevé.

Le taux de rendement comptable est facile à comprendre et à appliquer puisqu'il se base sur les données comptables, qui sont souvent les plus faciles à obtenir. Toutefois, il comporte certaines lacunes. Il ne tient pas compte de la valeur de l'argent dans le temps. Il est également arbitraire quant au choix du seuil critique à utiliser pour la prise de décision d'investir et se base sur les bénéfices comptables et non sur les flux monétaires.

### 3.2.3  La valeur actuelle nette : un critère dominant

On appelle **valeur actuelle** (VA) d'un projet d'investissement la valeur résultant de l'actualisation des différents flux monétaires qu'il génère.

Soit :

$$VA = \sum_{t=1}^{n} \frac{FM_t}{(1 + r)^t} \tag{3.1}$$

où

$FM_t$ sont les flux monétaires générés par l'investissement ;

$r$ est le taux d'actualisation requis (représentant le coût des fonds) ;

$t$ est la durée de vie du projet (en nombre de périodes).

En outre, n'importe quel projet d'investissement nécessite d'être financé au tout début de son existence : c'est l'investissement de départ ou, autrement dit, le montant des liquidités nécessaires pour que le projet devienne réalité.

On appelle **valeur actuelle nette** (VAN) d'un projet d'investissement la différence entre la valeur actuelle des flux qu'il génère et l'investissement de départ ($I_0$).

Soit :

$$VAN = \sum_{t=1}^{n} \frac{FM_t}{(1 + r)^t} - I_0 \tag{3.2}$$

Si la valeur actuelle nette d'un projet d'investissement est positive, les flux de ce projet en valeur d'aujourd'hui sont supérieurs à l'investissement liquide qu'il nécessite : il mérite donc, d'un point de vue financier, d'être entrepris. La valeur actuelle nette est alors considérée comme la valeur créée par un investissement. Elle représente l'augmentation immédiate de valeur qui revient à l'investisseur. En effet, si l'investissement coûte 100 $ à réaliser et que la valeur actuelle de ses flux futurs est de 110 $, l'investisseur qui le réalise s'enrichit de 10 $.

La VAN permet de mesurer le changement qui survient dans la valeur intrinsèque de la firme et dans la richesse de ses actionnaires à la suite de l'acceptation du projet. Une VAN positive implique que les flux de trésorerie générés par le projet sont suffisants pour couvrir l'investissement initial ainsi que le coût de financement. Un projet à VAN positive suppose donc une création de richesse pour l'entreprise, alors qu'un projet à VAN négative doit être abandonné sous peine de détruire la valeur de l'entreprise.

La règle de décision :

a)  Pour les projets indépendants, on accepte les projets ayant une VAN positive, ce qui indique que le rendement est supérieur au coût du capital.

b)  Pour les projets mutuellement exclusifs, on choisit le projet ayant la VAN positive la plus grande.

## EXEMPLE 3.3

L'entreprise Shell Canada peut entreprendre deux projet différents : le projet A et le projet B. Les projets génèrent les flux monétaires suivants :

| Année | Flux monétaires (en milliers de dollars) | |
| --- | --- | --- |
| | Projet A | Projet B |
| 0 | −8 000 | −8 000 |
| 1 | 4 000 | 1 000 |
| 2 | 3 000 | 3 000 |
| 3 | 4 000 | 4 000 |
| 4 | 2 000 | 5 000 |

Calculez la VAN de chaque projet si le taux de rendement requis est de 12 %.

$$\text{VAN(A)} = -8\,000\,000 + 4\,000\,000(1 + 12\,\%)^{-1} + 3\,000\,000(1 + 12\,\%)^{-2}$$
$$+ 4\,000\,000(1 + 12\,\%)^{-3} + 2\,000\,000(1 + 12\,\%)^{-4}$$
$$= 2\,081\,170\,\$$$

$$\text{VAN(B)} = -8\,000\,000 + 1\,000\,000(1 + 12\,\%)^{-1} + 3\,000\,000(1 + 12\,\%)^{-2}$$
$$+ 4\,000\,000(1 + 12\,\%)^{-3} + 5\,000\,000(1 + 12\,\%)^{-4}$$
$$= 1\,309\,150\,\$$$

Les deux projets sont donc intéressants pour l'entreprise, car leurs VAN respectives sont positives, ce qui indique qu'ils génèrent des flux monétaires supérieurs à leurs coûts de financement. Néanmoins, le projet A serait retenu parce qu'il engendre un accroissement de richesse plus important pour l'entreprise.

Avant de passer au quatrième critère, il est important de souligner les principales caractéristiques de la VAN. La VAN est basée sur le principe qu'un dollar aujourd'hui vaut plus qu'un dollar demain. Autrement dit, la VAN tient compte de la valeur temporelle de l'argent. Aussi, la VAN ne tient compte que des flux monétaires, qui sont généralement calculés indépendamment des préférences des gestionnaires, des normes comptables et de la rentabilité des opérations actuelles. Les VAN s'expriment en dollars et peuvent être additionnées. En d'autres termes, si l'on suppose deux projets X et Y, la VAN(X + Y) = VAN(X) + VAN(Y). Nous examinons maintenant le taux de rendement interne.

### 3.2.4 Le taux de rendement interne

Le **taux de rendement interne** (TRI) correspond au taux d'actualisation pour lequel la VAN du projet considéré sera nulle. Ce taux rend ainsi la valeur actuelle des rentrées de fonds égale à la valeur actuelle des sorties de fonds. Le TRI peut aussi s'interpréter comme le coût maximal des fonds supportable par l'entreprise pour ne pas détruire de la richesse.

La règle de décision :

a) Pour des projets indépendants, on retiendra les projets ayant un TRI supérieur au coût des fonds *r*.

b) Pour des projets mutuellement exclusifs, la règle de décision est plus délicate à appliquer. Retenons simplement pour l'instant qu'il serait erroné de choisir systématiquement le projet ayant le TRI le plus élevé.

Reprenons l'exemple 3.3 pour trouver le TRI des deux projets de Shell Canada. On doit procéder par interpolation linéaire.

TRI(A)

| Taux | Valeur actuelle (en milliers de dollars) |
|------|-------------------------------------------|
| 20 % | 695,99 |
| TRI | 0 |
| 25 % | −12,80 |

$$\frac{TRI - 20\%}{25\% - 20\%} = \frac{0 - 695,99}{-12,80 - 695,99}$$

Soit TRI(A) = 24,9 %, ce qui est bien supérieur au coût des fonds et confirme que le projet A est intéressant.

TRI(B)

| Taux | Valeur actuelle (en milliers de dollars) |
|------|-------------------------------------------|
| 15 % | 626,83 |
| TRI | 0 |
| 20 % | −357,25 |

$$\frac{TRI - 15\%}{20\% - 15\%} = \frac{0 - 626,83}{-357,25 - 626,83}$$

Soit TRI(B) = 18,18 %, ce qui fait du projet B un projet intéressant pour l'entreprise. Cependant le projet A, qui a le TRI le plus élevé, serait retenu.

Il y a lieu ici de se demander si l'on aboutit toujours à la même décision lorsqu'on utilise le TRI ou la VAN comme critère de choix d'investissement. La réponse à cette question devrait être oui, mais à la condition, d'une part, que l'investissement initial soit négatif et tous les flux monétaires consécutifs positifs et, d'autre part, que le projet soit indépendant. Si l'une de ces deux conditions n'est pas remplie, des cas litigieux risquent de surgir. Nous réservons la sous-section 3.2.6 pour aborder les problèmes inhérents au TRI.

### 3.2.5 L'indice de rentabilité

L'**indice de rentabilité** correspond au ratio de la valeur actualisée des flux monétaires divisé par le coût d'investissement. Il constitue une mesure relative au montant de l'investissement. Selon le critère de l'indice de rentabilité, on devrait entreprendre tous les projets dont l'indice est supérieur à 1.

La règle de décision :

a) Pour des projets indépendants, on retient les projets dont l'indice de rentabilité est supérieur à 1, car ce résultat indique que les flux positifs sont plus importants que les flux négatifs.

b) Pour des projets mutuellement exclusifs, on choisira le projet ayant l'indice de rentabilité le plus élevé, pour autant qu'il soit supérieur à 1.

Selon les données des deux projets A et B (*voir l'exemple 3.3 à la page 57*), on aura :

$$\text{l'indice de rentabilité}_A = \frac{10\,801,17}{8\,000} = 1,3501$$

$$\text{l'indice de rentabilité}_B = \frac{9\,309,15}{8\,000} = 1,1636$$

Les deux projets sont donc intéressants. Toutefois, si l'on suppose qu'il s'agit de projets mutuellement exclusifs, le gestionnaire financier de Shell Canada donnera la priorité au projet A, car son indice de rentabilité est plus élevé.

L'indice de rentabilité constitue une mesure relative de la rentabilité d'un projet et un élément utile notamment en situation de rationnement du capital. Les inconvénients du critère sont étroitement liés à ceux de la VAN. Toutefois, il faut noter qu'on ne peut additionner les indices de rentabilité de deux projets, comme c'est le cas pour la VAN.

### 3.2.6 VAN-TRI : une comparaison détaillée

#### EXEMPLE 3.4

Considérons les deux projets d'investissement Shell 1 et Shell 2 suivants. Le taux de rendement exigé est de 10 % pour ces deux projets.

| (en dollars) | Shell 1 | Shell 2 |
|---|---|---|
| Flux monétaires 0 | −100 000 | −100 000 |
| Flux monétaires 1 | 0 | 90 000 |
| Flux monétaires 2 | 1 000 | 50 000 |
| Flux monétaires 3 | 60 000 | 1 000 |
| Flux monétaires 4 | 120 000 | 0 |
| VAN | 27 866,95 | 23 891,81 |
| TRI (en pourcentage) | 17,71 | 29,27 |

Selon le critère de la VAN, le projet Shell 1 est plus intéressant que le projet Shell 2, alors que c'est l'inverse si l'on se base sur le TRI comme critère de choix d'investissement.

Dans ce qui suit, nous examinerons les raisons possibles de ces cas de divergence entre la VAN et le TRI.

### A ▪ Les projets mutuellement exclusifs ayant une séquence des flux monétaires différente

Deux raisons permettent d'expliquer pourquoi les évaluations des projets Shell 1 et Shell 2 sont divergentes selon la VAN et le TRI.

**La sensibilité de la valeur actuelle des flux monétaires** Les mécanismes d'actualisation font que plus les flux monétaires importants d'un projet sont rapprochés, moins ils seront sensibles à une variation du taux d'actualisation. Au contraire, si les flux importants sont éloignés dans le temps, une hausse du taux d'actualisation fera baisser fortement la VAN. Cette relation est illustrée à la figure 3.1 de la page suivante.

Jusqu'au point d'intersection des deux profils de VAN, soit 11,52 %, le projet Shell 1 domine le projet Shell 2. Après ce point, c'est le projet Shell 2 qui est supérieur au projet Shell 1. Autrement dit, pour un taux d'actualisation supérieur à 11,52 %, le diagnostic sur les projets s'inverse, et le projet Shell 2 domine le projet Shell 1 en raison de l'arrivée plus précoce de ses flux monétaires positifs. En revanche, dans le cas présent, où le coût des fonds liés au projet est estimé à 10 %, il est clair que le projet Shell 1 sera préféré au projet Shell 2.

La figure 3.1 illustre également la nécessité d'effectuer des analyses de sensibilité en faisant varier les taux d'actualisation.

**Figure 3.1** Exemple de projets mutuellement exclusifs ayant une séquence des flux monétaires différente

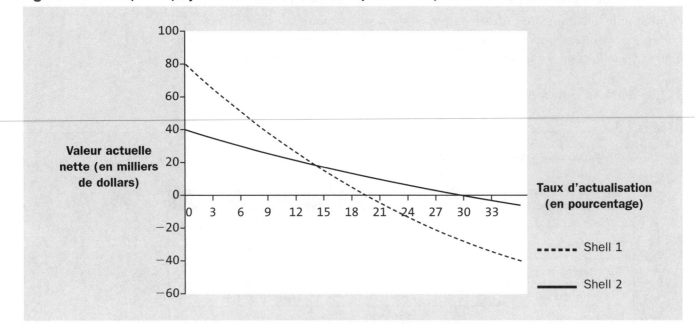

**Les hypothèses de réinvestissement des flux monétaires** Dans nos estimations de la VAN et du TRI, on pose l'hypothèse implicite que les flux monétaires générés par le projet peuvent être réinvestis à l'horizon du projet au taux d'actualisation utilisé. Ainsi, pour nos estimations de la VAN, on a supposé que les flux intermédiaires sont réinvestis au taux de 10 %, ce qui revient à dire que ces flux peuvent être réinvestis dans l'entreprise ou un projet de même nature. Si le projet est unique ou encore si le projet a des caractéristiques très différentes de l'entreprise, cette hypothèse peut ne pas être réaliste. Pour ce qui est du TRI, le problème se manifeste lorsque le projet est très intéressant et que le TRI estimé est très élevé. En effet, un TRI de 29,27 % implique que l'on peut réinvestir les flux intermédiaires à ce même taux. L'hypothèse devient dès lors très critiquable et les résultats des évaluations moins intéressants qu'il n'y paraît. Dans ce cas, comment peut-on résoudre ce problème ? Une solution existe, basée sur le taux de rendement interne intégré (TRII).

Un **taux de rendement interne intégré** est un TRI corrigé pour considérer un taux de réinvestissement des flux plus pertinents. Il s'applique uniquement à des projets mutuellement exclusifs.

La méthode d'estimation du TRII est la suivante :

a) On calcule la valeur future ou terminale (VF) des flux monétaires en utilisant le taux de rendement exigé (10 %).

b) On calcule le taux d'actualisation qui rendrait la valeur présente de la VF nulle ; ce taux est le TRII.

La règle de décision :

On retient le projet ayant le TRII le plus élevé.

Pour les projets Shell 1 et Shell 2, on a :

$$VF(Shell\ 1) = 0(1 + 10\%)^3 + 1\ 000(1 + 10\%)^2 + 60\ 000(1 + 10\%)^1$$
$$+ 120\ 000(1 + 10\%)^0$$
$$= 187\ 210\ \$$$

Donc, on estime le TRII(Shell 1) ainsi :

$$-100\,000 + 187\,210(1 + \text{TRII(Shell 1)})^{-4}$$
$$= 0$$

TRII(Shell 1) = 16,97 %, alors que le TRI du projet Shell 1 était de 17,71 %.

$$\text{VF(Shell 2)} = 90\,000(1 + 10\,\%)^3 + 50\,000(1 + 0\,\%)^2 + 1\,000(1 + 10\,\%)^1$$
$$+ 0(1 + 10\,\%)^0$$
$$= 181\,390\,\$$$

De même, on estime le TRII(Shell 2) ainsi :

$$-100\,000\,\$ + 181\,390(1 + \text{TRII(Shell 2)})^{-4}$$
$$= 0$$

On obtient : TRII(Shell 2) = 16,52 % au lieu de 29,27 %.

La révision du critère fait converger les décisions d'investissement vers le projet Shell 1.

## B ▪ Les projets mutuellement exclusifs de tailles différentes

La taille du projet fait référence au montant de l'investissement initial. Si ce dernier est très différent entre deux projets à évaluer, les conclusions apportées par le TRI peuvent être erronées.

### EXEMPLE 3.5

Soit les deux projets A et B :

| (rentabilité minimale exigible de 10 %) | Projet A | Projet B |
|---|---|---|
| Investissement initial (en dollars) | −3 000 | −10 000 |
| Flux monétaires annuels (en dollars) | 6 000 | 14 000 |
| Durée de vie (en années) | 1 | 1 |
| TRI (en pourcentage) | 100 | 40 |
| VAN (en dollars) | 2 454,54 | 2 727,27 |

En utilisant le critère de la VAN, le projet B est plus intéressant que le projet A, alors qu'en utilisant le TRI, le projet A devient plus intéressant que le projet B. Dans le cas de projets mutuellement exclusifs, on fait souvent face à des situations de désaccord par suite de l'évaluation de la VAN et du TRI, et il est important, dans ces cas, de choisir correctement entre les projets.

On schématise le désaccord entre la VAN et le TRI dans la figure 3.2 à la page 62.

Dans cette figure, les deux profils de la VAN se coupent à 14,29 %. Ce taux correspond au taux d'actualisation qui rend les VAN des deux projets égales. Il est souvent appelé le taux pivot. Ainsi, pour un taux d'actualisation inférieur à 14,29 %, c'est le projet B qui doit être retenu alors que, pour un taux d'actualisation supérieur à 14,29 %, c'est le projet A qui doit l'être. Dans ce cas, quel projet faut-il choisir ?

Pour répondre à cette question, on peut calculer la rentabilité marginale d'un projet par rapport à l'autre. Le projet B exige un investissement initial de 10 000 $, soit 7 000 $ de plus que le projet A, mais il rapporte 8 000 $ de plus par année. Est-ce que cet investissement supplémentaire de 7 000 $ est rentable ? En faisant le calcul de la VAN du projet (B − A), soit 2 727,27 − 2 454,54 = 272,72 $, on peut dire qu'en acceptant le projet B, les actionnaires seront plus riches de 272,72 $. On peut facilement remarquer que le montant de 7 000 $ investi dans le projet B est acceptable selon la VAN (= 272,72 $) et le TRI (= 14,29 %). La firme devrait donc choisir le projet B.

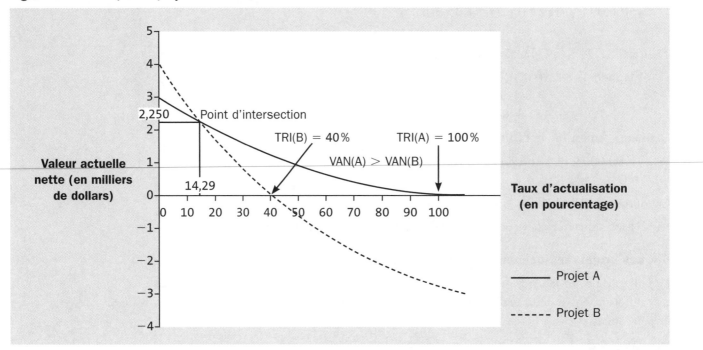

### C ▪ Les TRI multiples

Ici nous abordons un problème qui touche aussi bien les projets indépendants que les projets mutuellement exclusifs. Si les projets considérés génèrent des flux de trésorerie positifs et négatifs, il devient difficile d'en trouver le TRI.

Considérons, par exemple, le projet de lancement d'un nouveau produit. Les gestionnaires de l'entreprise anticipent que les ventes de ce nouveau produit sur le marché seront bonnes dès la première année, mais qu'un investissement supplémentaire sera nécessaire la deuxième année pour assurer le maintien de l'avance sur les concurrents qui ne manqueront pas d'entrer sur le marché. Les flux monétaires anticipés sont les suivants :

| Investissement initial (en dollars) | Flux monétaires 1 (en dollars) | Flux monétaires 2 (en dollars) | VAN à 10 % (en dollars) | TRI (en pourcentage) |
|---|---|---|---|---|
| −12 000 | 50 000 | −50 000 | −7 867,76 | 66,67 et 150 |

La VAN du projet est de −7 867,76 $. Toutefois, on observe deux TRI, l'un de 66,67 % et l'autre de 150 % :

$$\text{VAN} = -12\,000 + 50\,000(1 + 66,67\%)^{-1} - 50\,000(1 + 66,67\%)^{-2} = 0$$
$$\text{VAN} = -12\,000 + 50\,000(1 + 150\%)^{-1} - 50\,000(1 + 150\%)^{-2} = 0$$

La figure 3.3 illustre bien cette situation.

On constate d'abord une augmentation de la VAN en fonction du TRI, puis la VAN diminue. Cette situation est fréquente lors des changements de signe des flux monétaires. En ne considérant que le premier TRI, on aurait pu conclure à tort que le projet était intéressant (car 66,67 % > 10 %). Or, pour un taux d'actualisation inférieur à 66,67 %, la VAN est négative parce qu'on observe un montant de 50 000 $ la première année, alors qu'on note un montant de −50 000 $ la deuxième année.

Dans des cas de changements de signe, le critère de la VAN doit être considéré en priorité.

**Figure 3.3** Exemple d'un projet ayant des TRI multiples

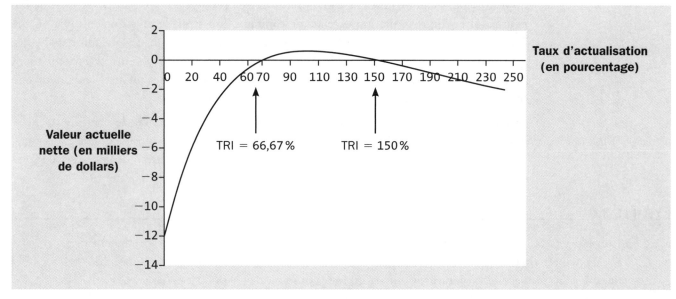

### 3.2.7 Les problèmes liés à l'utilisation de la VAN

Le critère de la valeur actuelle nette fournit en général de bonnes estimations. Toutefois, dans certains cas précis, il peut se révéler inefficace. Nous présentons maintenant ces situations.

#### A ▪ Les projets ayant des durées de vie différentes

Comment comparer deux projets qui n'ont pas le même horizon ? Une VAN de 10 000 $ sur 4 années est-elle préférable à une VAN de 12 000 $ sur 7 années ?

Plusieurs solutions sont envisageables pour résoudre ce problème, mais la plus courante consiste à rendre les durées de vie identiques. Pour ce faire, on suppose que les projets peuvent être répétés afin d'obtenir des horizons identiques. Par exemple, si l'on considère un projet sur 4 années et un projet sur 7 années, on effectuera les calculs de la VAN sur 7 répétitions du premier projet et 4 répétitions du second projet. Ainsi, les estimations se baseront sur une durée de 28 ans dans les deux cas.

Cette solution est simple et intéressante, surtout lorsque le plus petit commun multiple des durées de vie des deux projets est petit. En revanche, elle demeure peu réaliste d'un point de vue économique.

Une autre solution serait de supposer que les projets seront répétés à l'infini. Cette solution est surtout pertinente lorsque les projets à comparer sont de longue durée. Bien qu'il soit difficile de soutenir que les estimations faites pour chaque projet seront encore valables dans 10 ou 15 ans, ce problème est amoindri par le fait que l'erreur est commise de manière similaire pour les deux projets.

#### B ▪ Les projets en cas de rationnement du capital

Il nous reste maintenant à voir comment sélectionner un projet lorsque les fonds disponibles sont limités. Comment peut-on intégrer cet élément à la prise de décision ? Le critère de la VAN en lui-même ne le permet pas. La stratégie de l'entreprise limitée dans ses possibilités de financement sera de n'entreprendre qu'une partie des projets jugés acceptables avec les méthodes citées précédemment. Par exemple, une entreprise dont le coût du capital est de 10 %, mais qui ne peut financer des projets qu'à hauteur d'un montant précis, différera les projets dont la rentabilité est la plus basse.

Le rationnement du capital se produit lorsque l'entreprise dispose de moins de fonds qu'il ne faudrait pour financer l'intégralité de ses projets rentables. Une telle situation peut résulter d'une limitation externe de capitaux. Toutefois, le plus souvent, elle émane d'une volonté de l'entreprise de ne pas s'endetter au-delà d'un certain montant, voire d'une volonté de privilégier son développement par l'autofinancement. Le rationnement de capital peut également provenir d'une décision stratégique d'allouer seulement une fraction précise des ressources disponibles à chacun des projets.

Quelle qu'en soit la raison, en situation de rationnement du capital, le chef d'entreprise devra faire face à une insuffisance relative des fonds disponibles qui le conduira à rechercher la meilleure façon d'utiliser ces capitaux disponibles. Un moyen de gérer cette rareté relative consiste à exiger de chaque dollar investi la meilleure rentabilité.

## EXEMPLE 3.6

Considérons plus en détail deux projets ayant des durées de vie différentes : le premier projet, Shell Québec, requiert un investissement de 100 000 $ et génère des flux de trésorerie de 30 000 $ durant 5 ans ; le second projet, Shell Ontario, génère des flux de 20 000 $ pendant 9 ans pour un investissement identique. On suppose pour les 2 projets un taux de rendement exigé de 10 %.

$$\text{VAN(Shell Québec)} = -100\,000 + 30\,000\left(\frac{1-(1+10\%)^{-5}}{10\%}\right) = 13\,723,60\,\$$$

$$\text{VAN(Shell Ontario)} = -100\,000 + 20\,000\left(\frac{1-(1+10\%)^{-9}}{10\%}\right) = 15\,180,47\,\$$$

Ainsi, selon le critère simple de la VAN, le projet Shell Québec serait retenu. Toutefois, pour rendre les horizons des 2 projets identiques, on doit répéter le projet Shell Québec 9 fois et le projet Shell Ontario 5 fois, car l'horizon commun le plus petit est de 45 ans.

Si on compare les deux projets, on obtient ce qui suit :

$$\text{VAN(Shell Québec)} = 13\,723,60 + 13\,723,60(1+10\%)^{-5} +$$
$$13\,723,60(1+10\%)^{-10} + \ldots + 13\,723,60(1+10\%)^{-45}$$
$$= 13\,723,60\left(\frac{1-(1+10\%)^{-45}}{1-(1+10\%)^{-5}}\right) = 35\,705,84\,\$$$

$$\text{VAN(Shell Ontario)} = 15\,180,47 + 15\,180,47(1+10\%)^{-9} +$$
$$15\,180,47(1+10\%)^{-18} + \ldots + 15\,180,47(1+10\%)^{-36}$$
$$= 15\,180,47\left(\frac{1-(1+10\%)^{-45}}{1-(1+10\%)^{-9}}\right) = 25\,997,81\,\$$$

On préférera donc le projet Shell Québec au projet Shell Ontario.

Si on reproduit les projets à l'infini en utilisant les formules de valeur présente de perpétuité, on obtient :

$$\text{VAN(Shell Québec)} = 13\,723,60\left(\frac{(1+10\%)^5}{(1+10\%)^5-1}\right) = 36\,202,51\,\$$$

$$\text{VAN(Shell Ontario)} = 15\,180,47\left(\frac{(1+10\%)^9}{(1+10\%)^9-1}\right) = 26\,359,45\,\$$$

On constate que les résultats sont similaires à ceux que l'on a obtenus précédemment (car la durée des projets est assez longue). Le projet Shell Québec semble le plus intéressant pour Shell Canada et serait retenu.

## 3.3 Les flux monétaires et la prise de décision d'investissement

Dans la section 3.2, nous nous sommes intéressés aux différents critères de prise de décision en matière de choix d'investissement. Il reste à voir maintenant quels éléments il convient de considérer ou d'ignorer dans nos mesures de rentabilité d'un projet. Plus particulièrement, cette section sera consacrée à l'analyse de certains aspects importants des flux monétaires, notamment l'amortissement fiscal et les effets de l'inflation.

### 3.3.1 Les flux monétaires

À des fins d'évaluation de projet, le gestionnaire financier devra compiler les prévisions des responsables de la recherche et développement, de l'approvisionnement, de la production, de la mise en marché et du marketing en vue d'établir des prévisions. Ces dernières sont des prévisions de flux monétaires. Les critères majeurs de choix d'investissement soulèvent la question suivante : la valeur de l'entreprise est-elle plus grande si on entreprend le projet ?

#### A ▪ La considération des seuls flux marginaux

La valeur de l'entreprise est évidemment la valeur actuelle des flux monétaires futurs qu'elle va générer. Ces flux seront-ils plus élevés si l'on entreprend le projet ? Pour répondre à cette question, il faut déterminer les flux occasionnés par la réalisation du projet. Notre raisonnement portera donc sur les flux marginaux. En d'autres mots, on peut se poser la question suivante : cette dépense (ou recette) est-elle encore présente si l'on ne réalise pas le projet ?

Il est important de noter qu'un nouveau projet entraîne souvent des effets secondaires qu'il faut aussi considérer lorsqu'on aborde les flux monétaires marginaux. Par exemple, si la compagnie Shell Canada décide de lancer un nouveau carburant, cette décision pourrait provoquer la baisse des ventes d'un carburant existant. Par conséquent, le calcul des flux marginaux du nouveau projet devrait être rajusté à la baisse pour tenir compte des effets secondaires sur le reste de l'entreprise. Toutefois, il faut s'assurer que la baisse des ventes d'un produit existant, par exemple, est bel et bien due au lancement du nouveau produit et non à une réaction de la concurrence.

Les coûts irrécupérables sont aussi de bons exemples des problèmes soulevés par cette question. Supposons que les dirigeants de Shell Canada étudient la possibilité d'ouvrir des agences internationales de voyage. Avant de lancer une équipe d'experts sur le projet et de déterminer les compagnies aériennes avec qui Shell Canada offrira ses excursions, la société effectue une étude de marché au coût de 100 000 $. Une fois l'étude terminée, la haute direction de Shell Canada se réunit afin de décider ou non de se lancer dans l'aventure. Doit-on tenir compte de ces 100 000 $ dans le coût du nouveau projet ?

Le coût de 100 000 $ ne doit pas être considéré comme une charge liée au projet. En effet, ce coût subsistera indépendamment de la décision de se lancer ou non dans le projet. C'est ce qu'on appelle un coût irrécupérable. En outre, un coût irrécupérable appartient au passé et ne doit pas être pris en considération dans les décisions d'investissement.

Supposons maintenant que la construction d'une nouvelle usine nécessite l'utilisation d'un terrain libre appartenant à l'entreprise. Il faut noter qu'en utilisant ce terrain, l'entreprise ne pourra plus le vendre 100 000 $, valeur de sa revente. Elle renoncera donc à encaisser 100 000 $. C'est un manque à gagner pour l'entreprise, qu'on appelle coût de renonciation ou coût d'opportunité. On doit donc tenir compte de ces coûts dans les décisions d'investissement.

## B ■ La considération des seuls flux monétaires

L'étape la plus importante, mais aussi la plus délicate dans le choix des investissements, est l'estimation des flux monétaires à actualiser. Cette estimation requiert la participation de nombreux services au sein de l'entreprise : la production, les ventes et les finances.

Un bon critère de sélection de projets d'investissement, comme on l'a vu à la section 3.2, permet de comparer les revenus qu'un projet rapporte aux investisseurs et ce que les investisseurs pourraient gagner en faisant un placement eux-mêmes de leur côté. Lorsqu'on évalue un projet d'investissement, il importe de recenser tous les flux qui peuvent constituer des dépenses et des versements du point de vue des investisseurs.

Les projets d'investissement d'une certaine taille nécessitent des dépenses majeures en capital pour démarrer ces projets. En finance, on réserve un traitement à part aux flux monétaires découlant des dépenses en capital. Généralement, on suppose que les dépenses en capital sont concentrées à $t = 0$ au début d'un projet.

Lorsqu'un projet d'investissement est accepté, l'évaluation doit représenter comment le fonctionnement du projet va produire des flux monétaires pour les investisseurs. Tout calcul des flux monétaires doit refléter le caractère résiduel des flux monétaires des investisseurs. Un bon point de départ pour ce travail d'évaluation est l'état des résultats. Celui-ci permet de mesurer la capacité des activités d'une entreprise à contribuer à l'enrichissement des propriétaires de la société. Parmi les éléments saillants qui figurent à l'état des résultats, on note les revenus d'exploitation où paraissent les rentrées et les charges d'exploitation associées aux activités de l'entreprise. Ici, le principe de rapprochement des produits et des charges est appliqué de façon à compter une portion des coûts d'acquisition d'un bien amortissable comme une charge qui est répartie sur plusieurs exercices. Les frais d'intérêts figurent également dans l'état des résultats comme un montant qu'on enlève des revenus d'exploitation, et les impôts payés par l'entreprise sont calculés comme un pourcentage du bénéfice imposable, après que les frais et charges ont été déduits.

En finance, on reconnaît que l'approche adoptée par les comptables pour dresser l'état des résultats permet de bien saisir l'aspect résiduel des flux monétaires qui peuvent être versés aux investisseurs. Ainsi, l'enrichissement qu'un projet peut apporter aux investisseurs se manifeste d'abord par un accroissement des revenus d'exploitation. De même, comme les paiements allant aux fournisseurs et au personnel de l'entreprise ont priorité sur les paiements qui peuvent être faits aux investisseurs, il est important d'enlever des flux monétaires des investisseurs toute augmentation des charges d'exploitation qui peut être imputée au fonctionnement du projet. Enfin, seulement la partie des flux monétaires nets d'impôts produits par un projet peut être versée aux investisseurs. On comprend tout de suite qu'en matière de sélection de projet d'investissement, les données comptables ne peuvent être utilisées. En d'autres mots, il y a une nette différence entre le flux monétaire (FM) et le bénéfice comptable. Qu'est-ce qui explique cette différence ?

D'abord, il est important de se rappeler que le moment où une transaction est enregistrée au point de vue comptable ne coïncide pas nécessairement avec le mouvement effectif de l'argent. Ainsi, par exemple, il peut s'écouler beaucoup de temps entre le moment où une dépense a lieu et le moment où le débours a effectivement lieu. À des fins d'évaluation de projet, on suppose que les dépenses en capital pour l'acquisition d'équipement pour un projet sont effectuées au début du projet.

Par ailleurs, du point de vue comptable, les impôts ne sont pas nécessairement les mêmes que ceux qui sont versés aux gouvernements. D'après la définition des flux monétaires, la dotation à l'amortissement est un flux fictif qui n'entraîne pas une sortie de fonds puisqu'on ne peut compter les flux monétaires qu'au moment où ils sont effectués.

Cependant, l'économie d'impôts découlant de la déduction fiscale de l'amortissement constitue un vrai flux monétaire pour les investisseurs.

De plus, il faut se rappeler que le choix de projets d'investissement doit uniquement tenir compte des éléments dépendants du projet et non des éléments indépendants tels que le mode de financement. Ce dernier dépend beaucoup plus des caractéristiques de l'entreprise que de celles d'un projet. Ainsi, il faut dissocier les décisions d'investissement des décisions de financement pour l'évaluation d'un projet d'investissement, ce qui nous amène à exclure les frais d'intérêts de nos calculs de flux monétaires. Techniquement, cette exclusion s'explique par le fait qu'en actualisant les rentrées et les sorties de fonds pour calculer la rentabilité d'un projet, on suppose que l'argent rapporte des intérêts. Ne pas exclure les frais financiers pour calculer les flux monétaires équivaut donc à compter les intérêts deux fois.

Ces divers points montrent que les bénéfices comptables et les flux monétaires (FM) ne sont pas les mêmes et que, si l'on veut déterminer les flux monétaires pour les investisseurs, on doit apporter plusieurs modifications à l'approche comptable.

## EXEMPLE 3.7

Supposons qu'un projet de remplacement d'actif génère les résultats suivants pour la première année :

|  | (en dollars) |
|---|---|
| Bénéfice brut | 100 000 |
| Amortissement | 20 000 |
| Bénéfice imposable | 80 000 |
| Impôts (40 %) | 32 000 |
| Bénéfice net | 48 000 |

Le bénéfice net ainsi réalisé ne correspond pas au flux monétaire de l'année 1, puisqu'il tient compte de l'amortissement, celui-ci n'étant pas une sortie de fonds. Le flux monétaire d'exploitation pour l'année 1 s'obtient comme suit :

|  | (en dollars) |
|---|---|
| Bénéfice brut | 100 000 |
| Impôts (40 %) | 40 000 |
| Flux monétaire d'exploitation | 60 000 |

Pour calculer le flux monétaire total, on peut utiliser les trois méthodes présentées ci-après.

**Première méthode**

$$\text{Flux monétaire total (FMT)} = (RE_t - CE_t) \times (1 - T) + AF_t \times T$$
$$= BE_t \times (1 - T) + AF_t \times T \qquad (3.3)$$
$$= \text{bénéfice net} + \text{amortissement}$$

où

$RE_t$ sont les revenus associés au projet pour l'exercice de la période $t$ ;

$CE_t$ sont les charges d'exploitation associées au projet pour l'exercice de la période $t$ ;

$T$ est le taux d'imposition de la société ;

$BE$ est le bénéfice d'exploitation ;

$AF_t$ est l'amortissement fiscal déduit pour l'exercice de la période $t$.

Dans notre exemple :

| | (en dollars) |
|---|---|
| Bénéfice net | 48 000 |
| Amortissement | 20 000 |
| Flux monétaire total | 68 000 |

**Deuxième méthode**

Flux monétaire total = bénéfice brut − impôts

| | (en dollars) |
|---|---|
| Bénéfice brut | 100 000 |
| Impôts (40 %) | 32 000 |
| Flux monétaire total | 68 000 |

**Troisième méthode**

La séparation entre les opérations et les avantages fiscaux

On calcule d'abord le flux monétaire en provenance du fisc :

| | (en dollars) |
|---|---|
| Flux monétaire total | 68 000 |
| Flux monétaire d'exploitation | 60 000 |
| Différence | 8 000 |

Cette différence de 8 000 $ s'explique uniquement par les impôts déduits. En effet, les impôts déduits dans le cas du flux monétaire total sont inférieurs aux impôts déduits dans le cas du flux monétaire d'exploitation, car on tient compte de l'amortissement dans le premier cas. L'amortissement permet donc d'économiser des impôts. On appelle flux monétaire en provenance du fisc les épargnes d'impôts réalisées à cause de l'amortissement. On pourrait aussi calculer directement ces épargnes comme suit : $20\,000 \times 40\,\% = 8\,000\,\$$.

La formule du flux monétaire total peut donc s'écrire ainsi :

FM total = FM en provenance de l'exploitation + FM en provenance du fisc

= bénéfice brut après impôts + épargnes d'impôts liées à l'amortissement

Dans notre exemple :

| | (en dollars) |
|---|---|
| Bénéfice brut | 100 000 |
| Impôts (40 %) | 40 000 |
| FM en provenance de l'exploitation | 60 000 |
| FM en provenance du fisc : $20\,000 \times 40\,\%$ | 8 000 |
| FM total | 68 000 |

Il faut noter que cette troisième méthode est plus intéressante que les deux premières, puisqu'elle permet de déterminer facilement chaque source de rentabilité d'un projet.

Le calcul des flux monétaires s'obtient avec la formule suivante :

$$\text{Flux monétaires} = (\text{RE}_t - \text{CE}_t) \times (1 - T) + \text{AF}_t \times T$$
$$= \text{BE}_t \times (1 - T) + \text{AF}_t \times T$$

Nous consacrons maintenant la sous-section suivante à l'amortissement fiscal.

### 3.3.2 L'amortissement fiscal

Au Canada, l'**amortissement du coût en capital** (ACC), appelé également amortissement fiscal, est une mesure d'amortissement qui sert à des fins de déclaration fiscale. Il est important de se rappeler que l'amortissement fiscal n'est pas nécessairement égal à l'amortissement établi selon les principes comptables généralement reconnus. De plus, l'amortissement fiscal n'est pas calculé individuellement pour chaque bien amortissable. On regroupe un ensemble de biens amortissables dans une même catégorie d'amortissement, appelée classe d'amortissement. Les autorités gouvernementales établissent les classes d'amortissement et les taux d'amortissement correspondants. Donc, ce ne sont pas les actifs eux-mêmes que le contribuable est autorisé à amortir, mais les classes. Au Canada, on dénombre plus de 40 classes d'amortissement différentes. Ces classes sont décrites dans le règlement 1 100 et à l'annexe II de la Loi de l'impôt.

Le solde d'ouverture de chaque classe d'amortissement représente le montant maximal du coût d'acquisition des biens amortissables qui pourra être déduit progressivement comme amortissement fiscal pendant les exercices à venir.

Le solde d'ouverture avec lequel on part au début de chaque exercice est défini comme la **fraction non amortie du coût en capital** (FNACC). On l'ajuste dans les cas suivants : a) pour l'acquisition de nouveaux biens amortissables inclus dans la classe d'amortissement pendant l'exercice ; b) pour la disposition de biens retirés (par exemple les ventes) de la classe d'amortissement pendant l'exercice ; c) pour la soustraction de l'amortissement fiscal de l'exercice afin d'obtenir le solde d'ouverture du prochain exercice. Ce calcul consiste à diminuer le solde du montant d'amortissement déduit pour chaque exercice que l'on décrit avec la méthode du solde dégressif.

Une entreprise, en déclarant ses revenus au fisc, agit comme si une certaine portion de ses biens amortissables s'usait durant chaque année de production. En calculant des amortissements pour ses immobilisations, l'entreprise fait paraître cette usure des installations comme une charge qui vient réduire le bénéfice d'exploitation de l'entreprise. Cette réduction des bénéfices d'exploitation va donc diminuer les revenus imposables pour l'année fiscale.

Il faut noter ici que, pour l'élaboration des états financiers apparaissant dans le rapport annuel, les comptables n'ont pas besoin de calculer l'amortissement comptable de la même manière que l'amortissement fiscal. La réconciliation de ces deux façons de calculer l'amortissement se fait dans le bilan sous la rubrique Impôts reportés.

| | Solde d'ouverture en début d'année | Amortissement fiscal de l'année[3] | Solde en fin d'année | Économie d'impôts |
|---|---|---|---|---|
| | $FNACC_{t-1}$ | $AF_t = FNACC_{t-1} \times d$ | $FNACC_{t-1} - AF_t$ | $AF_t \times T$ |
| Année 1 | $A$ | $A \times d \times 0,5$ | $A \times (1 \times 0,5 \times d)$ | $A \times d \times 0,5 \times T$ |
| Année 2 | $A \times (1 - 0,5 \times d)$ | $A \times d \times (1 - 0,5 \times d)$ | $A \times (1 - 0,5 \times d)$ $\times (1 - d)$ | $A \times d \times (1 - 0,5 \times d)$ $\times T$ |
| Année 3 | $A \times (1 - 0,5 \times d)$ $\times (1 - d)$ | $A \times d \times (1 - 0,5 \times d)$ $\times (1 - d)$ | $A \times (1 - 0,5 \times d)$ $\times (1 - d)^2$ | $A \times d \times (1 - 0,5 \times d)$ $\times (1 - d) \times T$ |
| Année $t$ lorsque $t > 1$ | $A \times (1 - 0,5 \times d)$ $\times (1 - d)^{(t-1)}$ | $A \times d \times (1 - 0,5 \times d)$ $\times (1 - d)^{(t-1)}$ | $A \times (1 - 0,5 \times d)$ $\times (1 - d)^{(t-1)}$ | $A \times d \times (1 - 0,5 \times d)$ $\times (1 - d)^{(t-1)} \times T$ |

où

$A$ est le coût d'origine d'un bien amortissable ;

$d$ est le taux d'amortissement ;

$T$ est le taux d'imposition.

---

3. Selon la règle du demi-taux, seulement la moitié de l'amortissement est admissible dans l'année de l'acquisition de l'actif.

$FNACC_{t-1}$ est le solde d'ouverture de la fraction non amortie du coût en capital au début de l'année $t$.

De façon générale, la $FNACC_t$ se calcule comme suit :

$$FNACC_t = A \times (1 - 0,5 \times d) \times (1 - d)^{t-1} \qquad (3.4)$$

où

$t$ est l'année pour laquelle le calcul est fait.

La valeur actualisée des économies d'impôts liées à l'amortissement fiscal (VAEI) pour un bien amortissable conservé indéfiniment dans une classe d'amortissement est de :

$$\frac{AdT}{(r+d)}\left(\frac{1+0,5r}{1+r}\right) \qquad (3.5)$$

où

$r$ est le facteur d'actualisation.

Remarques :

Puisqu'on calcule l'allocation du coût en capital sur le solde initial de chaque période, la valeur de ce coût diminue d'année en année, mais elle ne sera jamais nulle. On fait donc face à une perpétuité qui décroît à taux fixe.

Lorsque l'amortissement de la première année n'est pas réduit de moitié, la formule équivalente est :

$$\frac{AdT}{(r+d)}$$

Voici un exemple de tableau d'amortissement fiscal d'un actif. En 1998, Shell Canada achète une nouvelle machine 50 000 $ pour l'étiquetage de sa nouvelle gamme de lubrifiants. Le taux d'allocation du coût en capital est de 20 %. Le tableau d'amortissement fiscal de cette catégorie d'actif chez Shell Canada se présente comme suit :

| Année | Solde initial (en dollars) | Amortissement fiscal de l'année (en dollars) | Solde final (FNACC) (en dollars) |
|:-----:|:--------------------------:|:--------------------------------------------:|:--------------------------------:|
| 1 | 50 000 | 5 000 | 45 000 |
| 2 | 45 000 | 9 000 | 36 000 |
| 3 | 36 000 | 7 200 | 28 800 |
| 4 | 28 800 | 5 760 | 23 040 |
| etc. | | | |

Dans notre exemple, le capital non amorti à la fin de la quatrième année serait de :

$$FNACC_4 = 50\,000 \times (1 - 0,5 \times 0,2) \times (1 - 0,2)^{4-1} = 23\,040 \$$$

Ce résultat est le même que celui que l'on trouve dans le tableau précédent. Si l'on suppose que le facteur d'actualisation est de 12 % et que l'entreprise est imposée au taux marginal de 40 %, alors la valeur actualisée des économies d'impôts attribuables à l'allocation du coût en capital est de :

$$\frac{50\,000 \times 0,20 \times 0,4}{(0,12 + 0,20)}\left(\frac{1 + 0,5 \times 0,12}{1 + 0,12}\right) = 11\,830,35 \$$$

Dans ce calcul, on a supposé que l'actif de Shell Canada était amorti régulièrement chaque année jusqu'à l'infini. Toutefois, lorsque l'actif est revendu à la fin du projet, on devrait tenir compte de la valeur actualisée des économies d'impôts attribuables à l'allocation du coût en capital seulement pour les années pendant lesquelles l'actif fait partie du patrimoine de l'entreprise. Il ne s'agit donc plus d'une perpétuité, mais plutôt de la valeur actualisée d'un flux monétaire périodique reçu pendant $t$ années. Par conséquent, il faut rectifier nos calculs. Deux scénarios peuvent se présenter :

- Si la revente de l'actif entraîne la fermeture de la classe d'amortissement, on devrait alors soustraire de la VAEI liée à l'amortissement le montant d'économies d'impôts perdu à cause de la fermeture à la fin du projet. On obtient cette valeur à l'aide de l'équation suivante :

$$\frac{\text{FNACC}_n dT}{(r + d)(1 + r)^n} \qquad (3.6)$$

où

$n$ est l'année de la revente.

- Si la revente de l'actif n'entraîne pas la fermeture de la classe d'amortissement, alors le montant que l'on devrait soustraire de la VAEI liée à l'amortissement s'obtient à l'aide de l'équation suivante :

$$\frac{\text{minimum(VR;}A)dT}{(r + d)(1 + r)^n}\left(\frac{1 + 0,5r}{1 + r}\right) \qquad (3.7)$$

On constate que, comme l'amortissement fiscal est déterminé par le coût d'origine du bien amortissable, on n'enlève jamais plus que le coût d'origine de la classe d'amortissement lors de la disposition d'un bien amortissable. La récupération des économies d'impôts porte alors sur le minimum de la valeur résiduelle et du coût d'origine. Il faut aussi noter que la règle du demi-taux ne s'applique pas ici. En effet, le solde de la catégorie est diminué de la vente (à condition que le prix de vente soit inférieur au coût d'acquisition) et que l'ACC soit calculé sur le nouveau solde obtenu.

Nous sommes maintenant prêts à évaluer les projets d'investissement selon le critère de la VAN. Pour cela, on décompose la chronologie des flux monétaires du projet en trois périodes principales : le début du projet, les périodes pendant la durée du projet et la fin du projet.

### 3.3.3 Les flux au début du projet

Les principaux flux du début de projet sont le coût d'acquisition, les frais d'installation, de transport ou autres et la variation du fonds de roulement. En effet, lorsqu'on effectue un projet d'investissement, il faut, la plupart du temps, augmenter le volume des comptes clients et des stocks ainsi que des comptes fournisseurs. Il en découle une augmentation nette du fond de roulement qui devrait être considérée comme étant une sortie de fonds initiale. Toutes ces sorties et ces rentrées de fonds représentent le capital nécessaire pour réaliser le projet.

## EXEMPLE 3.8

Considérons le projet d'investissement suivant: Shell Canada prévoit acheter un appareil d'exploration pour ensuite le louer à des entreprises qui en auront besoin temporairement. L'appareil se vend actuellement 100 000 $ et serait amortissable à un taux de 35 % sur le solde dégressif. Cet achat entraînerait également une dépense immédiate de 2 000 $ pour l'identification aux couleurs de l'entreprise par un spécialiste. Cette dépense serait traitée comme des frais d'exploitation immédiatement déductibles d'impôts. De plus, cet achat nécessiterait un ajout de 9 000 $ au fonds de roulement (huiles et pièces de rechange à conserver en stock). Shell Canada exige un taux de rendement de 12 % sur ce type d'achat, et elle est soumise à un taux d'imposition de 40 %.

La valeur de l'investissement initial est de 100 000 + 2 000(1 − 40 %) + 9 000 = 110 200 $.

Supposons que l'entreprise dispose déjà d'un ancien appareil de production. Si l'on veut conserver cet appareil encore 10 ans, on devra dépenser 20 000 $ dans 2 ans pour une remise à neuf. Avec le projet d'acquisition d'un nouvel appareil de production, on évitera donc une sortie d'argent de 20 000 $ dans 2 ans. Cette sortie de fonds évitée est à considérer comme équivalant à une rentrée de fonds lors du calcul de la VAN du nouveau projet.

Sur le plan fiscal, il faut ajouter cette sortie de fonds à la catégorie correspondante d'actif et l'amortir annuellement selon le taux applicable à cette catégorie. Pour déterminer le montant (ou la rentrée de fonds) dont il faut tenir compte dans le calcul de la VAN du projet, on utilise la formule suivante:

$$\left[ SE - \frac{SEdT}{(r+d)}\left(\frac{1+0,5r}{1+r}\right)\right](1+r)^{-ns} \tag{3.8}$$

où

SE est la sortie de fonds évitée;

ns est la période où la sortie évitée a lieu.

Dans cet exemple, le montant est égal à:

$$\left[ 20\,000 - \frac{20\,000 \times 0,35 \times 40\,\%}{(12\,\% + 35\,\%)}\left(\frac{1+0,5 \times 12\,\%}{1+12\,\%}\right)\right](1 \times 12\,\%)^{-2} = +11\,449,06\,\$$$

### 3.3.4  Les flux pendant le projet

Pendant le projet, l'amortissement fiscal permet une déduction fiscale à chaque exercice qui correspond, du point de vue comptable, à une partie du coût d'origine du bien amortissable. Les flux monétaires qui peuvent être répartis entre les investisseurs pendant le projet sont les augmentations du bénéfice d'exploitation nettes d'impôts et les économies d'impôts:

Flux monétaires = BE × (1 − T) + AF × T

où

BE est le bénéfice d'exploitation;

T est le taux d'imposition de la société;

AF est l'amortissement fiscal déduit.

Pour simplifier les calculs, la valeur actualisée des économies d'impôts est calculée séparément des bénéfices d'exploitation. Le plus simple est de faire comme si chaque bien amortissable associé au projet sera conservé indéfiniment dans sa classe d'amortissement.

Les calculs pour la valeur actualisée des augmentations du bénéfice d'exploitation après impôts et de la valeur actualisée des économies d'impôts s'effectuent selon la formule suivante :

$$\frac{BE(1-T)}{(1+r)^n} + \frac{AdT}{(r+d)}\left(\frac{1+0,5r}{1+r}\right) \tag{3.9}$$

où

$n$ est la durée de vie du projet.

On peut ajouter l'information suivante à l'exemple 3.8. Ce projet devrait augmenter les recettes nettes d'exploitation (avant impôts) de 20 000 $ à la fin de chacune des années pendant 4 années. On calcule maintenant la valeur actuelle des flux monétaires durant le projet.

La valeur actualisée des recettes nettes d'exploitation est de :

$$20\,000(1-40\,\%)\left(\frac{1-(1+12\,\%)^{-4}}{12\,\%}\right) = +36\,448,19\,\$$$

La valeur actualisée des économies d'impôts liées à l'amortissement est de :

$$\frac{(100\,000 \times 35\,\% \times 40\,\%)}{(12\,\% + 35\,\%)}\left(\frac{1+0,5(12\,\%)}{1+12\,\%}\right) = +28\,191,49\,\$$$

### 3.3.5 Les flux à la fin d'un projet d'investissement

On doit examiner attentivement ce qui se passe à la fin du projet pour vérifier s'il n'y a pas de flux monétaires spéciaux qui s'ajoutent. Dès la fin d'un projet, la décision des gestionnaires va aboutir à deux possibilités distinctes : a) garder l'équipement et les biens amortissables utilisés pour le projet ; b) disposer des biens amortissables. Si la disposition des biens prend la forme d'une vente, on dira que ces biens ont une valeur résiduelle positive. Dans ce cas, on a une rentrée de fonds qui se calcule comme suit :

$$\frac{VR}{(1+r)^n}$$

où

VR est la valeur de revente du bien amortissable ;

$r$ est le taux d'actualisation ;

$n$ est le moment de la disposition.

D'un point de vue financier, la valeur résiduelle doit figurer comme un flux monétaire qui peut être versé aux investisseurs. La valeur résiduelle est une valeur marchande établie par une transaction avec une partie externe à l'entreprise. Il faut éviter de confondre la valeur résiduelle avec la fraction non amortie du coût en capital (FNACC) de la catégorie qui est obtenue par des calculs comptables (on retranche l'amortissement cumulé du coût d'origine).

La disposition d'un bien amortissable va occasionner, comme on l'a vu, le retrait de ce bien amortissable de sa classe d'amortissement. Ce retrait entraîne un ajustement vers le bas de la FNACC de la catégorie. Avec l'amortissement à régime dégressif, cet ajustement du solde de la classe d'amortissement s'accompagne d'une baisse des économies d'impôts pour tous les exercices qui succèdent à la fin du projet.

Benjamin Franklin[4] a écrit : «Dans ce monde, rien n'est certain, sauf la mort et l'impôt.» Il nous reste donc maintenant à considérer l'aspect fiscal de chaque décision d'investissement. Ainsi, si le prix de revente d'un bien dépasse le prix d'acquisition ou

4. Dans une lettre adressée à M. Leroy en 1789.

le coût d'origine, on a un gain en capital. Les gains en capital sont possibles sur des biens amortissables et également sur des biens non amortissables tels que des terrains. Pour bien déterminer toutes les incidences fiscales qui découlent d'un gain en capital sur un bien amortissable, on peut distinguer deux cas :

1. La classe d'actifs continue d'exister : les impôts à payer sur le gain en capital se calculent alors selon la formule suivante :

$$\frac{(\text{VR} - A)_k T}{(1 + r)^n} \text{ (ce qui constitue une sortie de fonds)} \qquad (3.10)$$

où

VR est la valeur de revente de l'actif ;

$k$ est la fraction imposable du gain en capital ;

$n$ est le moment où a lieu la revente.

La chronologie du paiement des impôts sur un gain en capital dépend du cycle de la déclaration fiscale. Toutefois, il faut noter que seule la disposition d'un actif non amortissable peut entraîner une perte de capital (donc une rentrée de fonds sur le plan fiscal).

Par exemple, un terrain acquis 150 000 $ il y a 15 années est revendu 100 000 $ aujourd'hui. En supposant que 50 % du gain en capital est imposable, que le taux d'imposition de l'entreprise est de 40 % et que le taux d'actualisation est de 10 %, on devrait considérer le traitement fiscal suivant :

$$(150\,000 - 100\,000) \times 50\% \times 40\% \times (1 + 10\%)^{-15} = +2\,393,92\,\$$$

2. La classe d'actifs cesse d'exister. La fermeture d'amortissement donne lieu à une récupération d'amortissement ou à une perte d'amortissement (appelée également perte finale), en plus du gain ou de la perte en capital.

Si le prix de revente VR est supérieur à la FNACC, l'entreprise doit payer une somme afin de rembourser le surplus d'économies d'impôts relatives à l'ACC dont elle a bénéficié au fil des années. Dans ce cas, la valeur actualisée de la récupération d'amortissement se calcule ainsi :

$$\frac{[\text{minimum}(\text{VR}; A) - \text{FNACC}_t] T}{(1 + r)^n} \text{ (ce qui est une sortie de fonds)} \qquad (3.11)$$

Si le prix de revente VR est inférieur à la FNACC, l'entreprise encaisse une somme en guise de remboursement des impôts qu'elle a payés en trop. Dans ce cas, la valeur actualisée de la perte d'amortissement se calcule ainsi :

$$\frac{(\text{FNACC}_t - \text{VR}) T}{(1 + r)^n} \text{ (ce qui est une rentrée de fonds)} \qquad (3.12)$$

où

$n$ est le nombre d'années qu'a duré le projet.

À la fin du projet, on doit également tenir compte de la récupération du fonds de roulement en considérant la formule suivante :

$$\frac{\text{FR}}{(1 + r)^n} \qquad (3.13)$$

où

FR est le fonds de roulement requis ;

$r$ est le taux d'actualisation ;

$n$ est le moment de la récupération du fonds de roulement.

En reprenant l'exemple 3.8, on suppose que la classe d'actifs continue d'exister et que l'horizon d'évaluation est de 4 ans au bout desquels on s'attend à ce que l'appareil prenne de la valeur et se revende 110 000 $. Aussi, on prévoit récupérer le fonds de roulement à la fin de ces 4 années. La valeur actuelle des rentrées et des sorties de fonds à la fin du projet se calcule de la manière décrite ci-après.

Revente de l'actif : $(+)\ 110\,000 \times (1 + 12\%)^{-4} = +69\,906,98\ \$$

Gain en capital : $(-)\ (110\,000 - 100\,000) \times 0,5 \times 40\% \times (1 + 12\%)^{-4} = -271,03\ \$$

Récupération de fonds de roulement : $(+)\ 9\,000 \times (1 + 12\%)^{-4} = +5\,719,66\ \$$

Comme $110\,000\ \$ > 100\,000\ \$$, alors la VAEI liée à l'amortissement pris en trop est de :

$$\frac{100\,000 \times 35\% \times 40\%}{(12\% + 35\%) \times (1 + 12\%)^4} = -18\,930,32\ \$$$

$$\text{VAN du projet} = 11\,449,06 + 69\,906,98 - 1\,271,03 + 5\,719,66$$
$$- 18\,930,32 + 36\,448,19 + 28\,191,49 - 110\,200,00$$
$$= 21\,314,03\ \$$$

La VAN du projet étant positive, on pourrait l'accepter.

En se basant sur les données de l'exemple 3.8, on peut calculer la valeur actuelle des économies d'impôts liées à l'amortissement pour la première et la deuxième année.

Amortissement de la première année $= 100\,000 \times 35\% \times (0,5) = 17\,500\ \$$

Amortissement de la deuxième année $= (100\,000 - 17\,500) \times 35\% = 28\,875\ \$$

La valeur actualisée des économies d'impôts liées à l'amortissement pour les années 1 et 2 est égale à 15 458 $.

### 3.3.6 La décision d'investissement et l'inflation

L'**inflation** correspond à une baisse du pouvoir d'achat de l'argent. Elle se traduit par une hausse soutenue du niveau général du prix des biens et des services. Pour se protéger contre ce phénomène, les investisseurs doivent anticiper l'inflation et intégrer leurs prévisions au taux d'actualisation. Pourquoi en est-il ainsi ?

D'abord, il faut noter qu'en période d'inflation, le taux de rendement réel diffère du taux de rendement nominal (taux de rendement normalement affiché). Prenons l'exemple suivant pour comprendre l'effet de l'inflation : supposons que l'on veut investir 1 000 $ au taux de 12 % (taux nominal) et que l'inflation est de 3 %. On calcule le rendement que l'on réalisera ainsi : à la fin de l'année, on aura 1 000 $ de capital et 120 $ d'intérêts, soit 1 120 $. En valeur réelle, cela équivaut à 1 120 $/1,03, soit 1 087,37 $. Le taux de rendement réel n'est donc que de 8,73 %. Ainsi, à cause de l'inflation, chaque dollar investi perd de sa valeur.

Techniquement, on peut facilement montrer ceci : Taux de rendement nominal (12 %) = Taux de rendement réel (8,73 %) + une prime pour l'inflation (3 % + 3 % × 8,73 = 3,27 %). Autrement dit, le taux de rendement nominal est un taux qui n'est pas ajusté aux effets de l'inflation.

Pour tenir compte de l'inflation lors de l'évaluation des projets d'investissement, on peut utiliser les deux méthodes suivantes : a) la méthode la plus simple consiste à actualiser les flux moné-taires exprimés en valeur nominale avec un taux nominal ; b) l'autre méthode est l'actualisation de tous les flux monétaires exprimés en valeur réelle avec un taux réel, à l'exception des flux monétaires provenant du fisc, tels que les épargnes d'impôts liées à l'ACC qui sont toujours exprimées en valeur nominale et doivent donc être actualisées avec un taux nominal.

Les deux méthodes doivent évidement donner le même résultat, et le choix de l'une ou l'autre de ces méthodes dépend des données à actualiser. Si les données sont en dollars courants, on utilise la première méthode ; si les données sont en dollars constants, on utilise la deuxième méthode.

# CHAPITRE 03

## Conclusion

La première partie de ce chapitre met en contexte le problème du choix des investissements en s'inspirant de l'exemple de la société Shell Canada. La deuxième partie décrit le processus de choix des investissements ainsi que les différentes catégories des projets selon le type des décisions à prendre et leurs caractéristiques particulières.

Nous avons ensuite consacré la troisième partie de ce chapitre à la présentation des différents critères permettant d'évaluer les projets d'investissement. Ces critères peuvent être regroupés en deux sous-ensembles :

1) Les critères dits traditionnels :

   • le délai de récupération ;

   • le délai de récupération actualisé ;

   • le rendement comptable moyen (RCM).

2) Les critères dits de la finance moderne :

   • la valeur actuelle nette (VAN) ;

   • le taux de rendement interne (TRI) ;

   • l'indice de rentabilité (IR).

Comme nous l'avons vu tout au long de ce chapitre, le critère de la VAN est le critère dominant. Il offre de bonnes indications en matière d'investissement surtout en cas de projets mutuellement exclusifs. Certains dirigeants trouvent cependant que les résultats obtenus avec la VAN sont difficiles à interpréter et préfèrent le TRI. Celui-ci leur permet une certaine assurance quant à la rentabilité de l'investissement. Les dirigeants évaluent le TRI par rapport à d'autres facteurs tels que le **taux d'inflation,** le taux d'emprunt, le coût du capital, le rendement d'un portefeuille ou d'un indice. Même s'il est un concurrent potentiel de la VAN, il serait imprudent d'utiliser le TRI sans connaître ses différentes lacunes, notamment en situation de changement de signe dans le cas des flux monétaires et des projets mutuellement exclusifs.

Enfin, il ne faut pas oublier que la qualité de l'analyse de rentabilité d'un projet dépend non seulement de la façon de calculer la VAN, mais également de la qualité des prévisions des flux monétaires. Il faut prendre son temps afin de fournir les bonnes prévisions. Dans ce contexte, notre conseil aux dirigeants d'entreprise est de ne pas hésiter à utiliser la VAN comme critère de décision. Le coût d'une mauvaise décision s'avère souvent plus élevé que les dépenses engagées pour utiliser ce critère primordial.

# À retenir

1. Il faut toujours et uniquement investir dans des projets ayant une VAN positive.
2. L'économie d'impôts découlant de la déduction fiscale de l'amortissement constitue un vrai flux monétaire pour les investisseurs.
3. Il faut dissocier les décisions d'investissement des décisions de financement au moment de l'évaluation d'un projet d'investissement.
4. Les frais d'intérêts doivent être exclus des calculs de flux monétaires.
5. Le calcul des flux monétaires (FM) est différent de celui des bénéfices comptables.
6. Il faut baser son raisonnement sur les flux marginaux et accorder une attention particulière aux effets secondaires, aux coûts irrécupérables et aux coûts d'opportunité.
7. Seule l'économie d'impôts découlant de la déduction fiscale de l'amortissement constitue un vrai flux monétaire pour les investisseurs.
8. Le choix de projets d'investissement ne doit tenir compte que des éléments dépendant du projet et non des éléments indépendants tels que le mode de financement.
9. Il convient d'accorder un traitement spécial à l'inflation ; il faut se rappeler qu'elle est omniprésente et que le taux de rendement réel diffère du taux de rendement nominal.

## Mots-clés

## Sommaire des formules

**La valeur actuelle**

$$\text{VA} = \sum_{t=1}^{n} \frac{\text{FM}_t}{(1 + r)^t} \qquad (3.1)$$

**La valeur actuelle nette**

$$\text{VAN} = \sum_{t=1}^{n} \frac{\text{FM}_t}{(1 + r)^t} - I_0 \qquad (3.2)$$

**Le flux monétaire total**

$$\begin{aligned}
\text{FMT} &= (\text{RE}_t - \text{CE}_t) \times (1 - T) + \text{AF}_t \times T \\
&= \text{BE}_t \times (1 - T) + \text{AF}_t \times T \\
&= \text{bénéfice net} + \text{amortissement}
\end{aligned}$$
(3.3)

**La fraction non amortie du coût en capital au début de l'année $t$**

$$\text{FNACC}_t = A \times (1 - 0,5 \times d) \times (1 - d)^{t-1}$$
(3.4)

**La valeur actualisée des économies d'impôts liées à l'amortissement fiscal**

$$\frac{AdT}{(r + d)}\left(\frac{1 + 0,5r}{1 + r}\right)$$
(3.5)

**Fermeture de la classe d'amortissement : économies d'impôts perdues**

$$\frac{\text{FNACC}_n dT}{(r + d)(1 + r)^n}$$
(3.6)

**Pas de fermeture de la classe d'amortissement : économies d'impôts perdues**

$$\frac{\text{minimum}(\text{VR};A)dT}{(r + d)(1 + r)^n}\left(\frac{1 + 0,5r}{1 + r}\right)$$
(3.7)

**La sortie de fonds évitée**

$$\left[\text{SE} - \frac{SEdT}{(r + d)}\left(\frac{1 + 0,5r}{1 + r}\right)\right](1 + r)^{-ns}$$
(3.8)

**La valeur actualisée des augmentations du bénéfice d'exploitation après impôts et la valeur actualisée des économies d'impôts**

$$\frac{\text{BE}(1 - T)}{(1 + r)^n} + \frac{AdT}{(r + d)}\left(\frac{1 + 0,5r}{1 + r}\right)$$
(3.9)

**La classe d'actifs continue d'exister : les impôts à payer sur le gain en capital**

$$\frac{(\text{VR} - A)_k T}{(1 + r)^n}$$
(3.10)

**La classe d'actifs cesse d'exister : la valeur actualisée de la récupération d'amortissement**

$$\frac{[\text{minimum}(\text{VR};A) - \text{FNACC}_t]T}{(1 + r)^n}$$
(3.11)

**La valeur actualisée de la perte d'amortissement**

$$\frac{(\text{FNACC}_t - \text{VR})T}{(1 + r)^n}$$
(3.12)

**La récupération du fonds de roulement**

$$\frac{\text{FR}}{(1 + r)^n}$$
(3.13)

## LA SOCIÉTÉ SHELL CANADA LIMITÉE : UN SURVOL[5]

Shell Canada ltée est l'une des grandes sociétés pétrolières intégrées au Canada. Elle est l'un des principaux producteurs de gaz naturel, de liquides extraits du gaz naturel et de bitume, ainsi que le plus gros producteur de soufre au pays. Elle est également un important fabricant et distributeur de produits pétroliers raffinés. La société évalue actuellement les possibilités d'investissement dans l'énergie éolienne au Canada.

Shell Canada est une société canadienne. Jusqu'à tout récemment, la participation dans cette société était répartie entre le public (22 %) et Shell Investments Limited (SIL) (78 %). Shell appartient à Shell Petroleum N.V. qui est la propriété de Royal Dutch Shell (RDS) plc, une société constituée au Royaume-Uni, mais dont le siège est aux Pays-Bas.

En octobre 2006, RDS a présenté une proposition en vue d'acquérir la participation des 22 % appartenant aux actionnaires minoritaires. L'offre faite officiellement aux actionnaires en février 2007 a été acceptée fin mars par les détenteurs de plus de 90 % des actions ordinaires de Shell Canada. Le 26 avril 2007, RDS avait achevé l'acquisition forcée, elle possède désormais 100 % des actions ordinaires de Shell Canada.

Shell Canada Limitée a affiché pour 2006 un bénéfice de 1 738 millions de dollars, contre 2 001 millions en 2005. Ce recul est imputable à la première grande révision planifiée des installations du projet d'exploitation des sables bitumineux de l'Athabasca, qui a entraîné une hausse des frais de maintenance, une diminution de la production et la baisse des prix du gaz naturel dans le secteur Exploration et production. La hausse des prix du pétrole et des marges de raffinage des produits pétroliers légers, ainsi qu'un rajustement favorable au deuxième trimestre de 222 millions de dollars, attribuable surtout à l'application des nouveaux taux fédéral et albertain d'imposition des sociétés, ont influé favorablement sur le bénéfice.

Le programme du secteur Exploration et production pour 2006 s'élève à 1 165 millions de dollars, dont environ 305 millions destinés à l'exploration et 845 millions, à la mise en valeur. Ces dépenses comprennent des frais d'exploration connexes de 80 millions et des dépenses préalables à la mise en valeur de 90 millions au titre des projets de croissance.

Environ 45 % du programme est axé sur le maintien des niveaux de production de gaz naturel dans les zones d'exploitation actuelles, soit 410 millions de dollars dans le piémont de l'Ouest canadien et 95 millions pour le projet d'exploitation des ressources énergétiques au large de l'île de Sable (PEREIS). Le reste du programme d'Exploration et production pour 2006 est principalement axé sur des occasions de croissance : le gaz naturel non classique dans l'Ouest canadien, le projet d'exploitation du gaz du Mackenzie, dans le Grand Nord, et l'exploitation *in situ* des sables bitumineux de Peace River. Les investissements d'environ 405 millions de dollars réservés au gaz non classique seront axés essentiellement sur les occasions d'exploration et de mise en valeur du gaz des réservoirs étanches, y compris le forage de puits d'essai dans la nouvelle superficie acquise en Colombie-Britannique en 2005. Le programme de 2006 dans le secteur du gaz de réservoirs étanches prévoit également des dépenses initiales pour la construction d'une éventuelle usine à gaz pour le traitement de volumes additionnels de gaz au cours des cinq prochaines années. Le programme de 2006 pour le delta du Mackenzie prévoit des dépenses préalables à la mise en valeur de quelque 45 millions de dollars en vue de faire progresser le processus réglementaire pour obtenir une approbation des autorités et donner le feu vert au projet en 2007.

---

5. Site Web : www.shell.ca.

Le programme de Peace River comprend un montant d'environ 115 millions de dollars pour le forage de puits supplémentaires en vue de porter la production de bitume à 12 000 barils par jour, soit le niveau prévu par le permis d'exploitation actuel. Le programme de Peace River pour 2006 comprend aussi des dépenses préalables à la mise en valeur d'environ 40 millions de dollars destinés à des études techniques et des travaux préliminaires sur un projet d'expansion qui pourrait ajouter 30 000 barils par jour. Selon les résultats de ces travaux et à la condition d'obtenir les approbations nécessaires, le projet d'expansion de Peace River pourrait être entrepris en 2007, et la production commencerait en 2009.

Le programme d'investissement dans les sables bitumineux pour 2006 s'élève au total à environ 965 millions de dollars, dont 85 millions en dépenses préalables à la mise en valeur pour des initiatives de croissance dans la région de l'Athabasca. En tenant compte de Peace River, 40 % du programme d'investissement de la société, soit environ 1,1 milliard de dollars, sont consacrés aux sables bitumineux.

Du total des investissements prévus pour 2006 dans le secteur des sables bitumineux, environ 385 millions de dollars seront consacrés à des activités opérationnelles au projet d'exploitation des sables bitumineux de l'Athabaska (PSBA) – projets de rentabilisation, de déblocage et d'optimisation de la production et réinvestissement de maintien. Le PSBA bénéficie déjà des dernières initiatives de déblocage, la production ayant atteint en moyenne 165 000 barils par jour au deuxième et au troisième trimestre de 2005, soit 10 000 barils par jour au-dessus du niveau prévu initialement. Pour maintenir cette production au cours des trois prochaines années, Shell compte réaliser des projets d'optimisation afin de traiter des volumes accrus d'eau et de sables en raison d'une baisse de la qualité du minerai. Dès 2009, les projets de déblocage et d'optimisation de la production permettraient au PSBA de produire durablement à une cadence de 180 000 barils par jour, soit 25 000 barils par jour au-dessus du niveau prévu.

Le reste des fonds réservés pour le programme des sables bitumineux, soit 580 millions de dollars, est destiné à appuyer la croissance. Shell s'attend à obtenir le feu vert pour avancer son premier projet d'expansion au PSBA en vue d'accroître la production d'environ 100 000 barils par jour. Le plan prévoit que le projet sera approuvé, que la décision définitive d'investir sera prise et que la construction sera amorcée dès le troisième trimestre de 2006. Les travaux d'expansion seraient ainsi terminés à la mine et à l'usine de valorisation à la fin de 2009. Les dépenses en immobilisations pour la première phase d'expansion se chiffreront à environ 465 millions de dollars en 2006 pour ensuite atteindre des sommets en 2007 et 2008. Le coût prévu de cette phase initiale sera considérablement plus élevé que celui prévu à l'origine en raison du changement de la portée du projet, de la construction de l'infrastructure nécessaire aux phases ultérieures et des tendances à la hausse dans les coûts de construction. Une estimation finale du coût de cette phase initiale ne pourra être faite avant d'avoir obtenu l'aval pour le projet.

Le programme des Produits pétroliers pour 2006 se chiffre à environ 510 millions de dollars, dont 310 millions pour la fabrication et la distribution et 170 millions pour le marketing. Environ 70 % des dépenses prévues pour 2006 serviront à répondre aux exigences de la réglementation et à assurer l'intégrité des infrastructures de la fabrication et de la distribution ainsi que celles des réseaux de marketing. Shell achèvera la construction des installations de production de carburant diesel à teneur ultrafaible en soufre aux raffineries de Montréal-Est et de Scotford en vue de leur mise en service au cours du premier semestre de 2006 avant l'entrée en vigueur au milieu de l'année de la nouvelle réglementation. Le reste des dépenses prévues pour 2006 sera consacré à l'amélioration de la rentabilité et de la compétitivité du secteur des Produits pétroliers, notamment à l'étude de projets d'agrandissement de l'infrastructure de fabrication et de marketing pour répondre à la demande croissante.

| Les points saillants financiers | | | |
|---|---|---|---|
| **FINANCES** | **2006** | **2005** | **2004** |
| Bénéfice (en millions de dollars) | 1 738 | 2 001 | 1 283 |
| Flux de trésorerie liés à l'exploitation (en millions de dollars) | 2 614 | 3 036 | 2 125 |
| Dépenses en immobilisations et dépenses préalables à la mise en valeur (en millions de dollars) | 2 426 | 1 715 | 951 |
| Rendement de la moyenne des capitaux propres des porteurs d'actions ordinaires (en pourcentage) | 19,6 | 27,2 | 21,3 |
| Rendement du capital moyen utilisé (en pourcentage) | 18,2 | 26,7 | 19,9 |
| Par action ordinaire (en dollars) | | | |
|     Bénéfice – de base | 2,11 | 2,43 | 1,55 |
|     Bénéfice – dilué | 2,09 | 2,40 | 1,54 |
| Dividendes (en dollars) | 0,440 | 0,367 | 0,313 |
| **EXPLOITATION** | | | |
| **Production** | | | |
| Production totale d'hydrocarbures (BEP/j) | 214 900 | 228 700 | 219 700 |
| Gaz naturel – brute (en millions de $pi^3$/j) | 523 | 512 | 540 |
| Éthane, propane et butane – brute (en barils/j) | 19 800 | 23 300 | 25 100 |
| Condensat – brute (en barils/j) | 13 000 | 15 300 | 15 200 |
| Bitume – brute (en barils/j) | | | |
|     Minier | 82 500 | 95 900 | 81 300 |
|     *In situ* | 12 400 | 8 900 | 8 100 |
| Total – bitume | 94 900 | 104 800 | 89 400 |
| Soufre – brute (en tonnes fortes/j) | 5 200 | 5 300 | 5 600 |
| Pétrole brut traité par les raffineries shell (en $m^3$/j) | 44 600 | 44 900 | 45 100 |
| **Ventes** | | | |
| Brut synthétique, sauf les bases de mélange (en barils/j) | 85 900 | 99 400 | 83 700 |
| Bases de mélange achetées pour la valorisation (en barils/j) | 35 400 | 37 100 | 38 200 |
| Total – brut synthétique (en barils/j) | 121 300 | 136 500 | 121 900 |
| Produits pétroliers (en $m^3$/j) | 47 300 | 49 100 | 47 500 |
| **Prix** | | | |
| Prix moyen net du gaz naturel à la sortie de l'usine (en dollars/millier de $pi^3$) | 6,79 | 8,23 | 6,49 |
| Prix moyen net de l'éthane, du propane et du butane (en dollars/baril) | 33,94 | 34,79 | 28,71 |
| Prix moyen du condensat à la sortie du champ (en dollars/baril) | 71,63 | 66,76 | 50,46 |
| Prix moyen du brut synthétique à la sortie de l'usine (en dollars/baril) | 61,32 | 57,55 | 44,67 |

## CDP Capital Entertainment ou la petite histoire d'un investissement désastreux

Baril, Hélène

*La Presse Affaires,* mardi 15 juillet 2003, p. D1

En s'associant avec l'homme d'affaires montréalais Henry Winterstern en 2001 pour créer CDP Capital Entertainment et s'installer à Hollywood, la Caisse de dépôt et placement du Québec voulait « se positionner mondialement dans le secteur du contenu » et en faire profiter les entreprises québécoises, selon le gestionnaire qui était responsable de la nouvelle filiale, Pierre Bélanger.

La suite s'est avérée coûteuse et stérile. Pierre Bélanger a été remercié à l'arrivée du nouveau président Henri-Paul Rousseau, en septembre 2002, et Henry Winterstern excepté, personne au Québec n'a profité de cette aventure. La valeur des investissements réalisés par la Caisse dans le secteur du divertissement s'est effondrée.

La Caisse de dépôt a annoncé dimanche la suspension de la raison sociale de sa filiale hollywoodienne et le remplacement d'Henry Winterstern aux conseils d'administration des entreprises dans lesquelles elle a investi. Ces investissements totalisent 300 millions de dollars canadiens.

Le plus important de ces investissements est un bloc de 5 millions d'actions dans la Metro Goldwin Mayer (MGM), payées 20 $ US l'unité, et qui ne valaient plus hier que 11,94 $ US l'unité.

La Caisse de dépôt est devenue un des principaux actionnaires de MGM, derrière Kirk Kerkorian, l'actionnaire de contrôle qui a vendu et racheté l'entreprise trois fois déjà.

Dans la plus récente de ces transactions controversées, le Crédit Lyonnais, qui finançait un acheteur lié au crime organisé, a perdu deux milliards et ses dirigeants ont été traduits en justice pour avoir mené la banque française au bord de la faillite avec cet investissement risqué.

Le fait que la Caisse de dépôt investisse massivement dans MGM après cet épisode retentissant a surpris bien des observateurs. Henry Winterstern, un homme d'affaires de Montréal qui s'est fait connaître dans l'immobilier, connaît les dirigeants de MGM et siège à son conseil d'administration. Il a servi d'intermédiaire entre eux et les dirigeants de la Caisse.

CDP Capital Entertainment détient aussi des participations dans quatre entreprises à capital fermé, Mosaic Media Group, Mosaic Music Publishing, Mosaic Venture Partners et dans Signpost Films (aussi connue sous le nom de Lakeshore).

Avec Mosaic, CDP Capital Entertainment a investi 140 millions $ US pour faire l'acquisition de Dick Clark Production, de Burbank en Californie. Cet investissement ne valait plus que 60 millions $ CAN au 31 décembre 2002, selon le rapport annuel de la Caisse.

Au total, le portefeuille de CDP Capital Entertainment est de 300 millions $ CAN. Ces investissements seront gérés par CDP Capital Communications à Montréal, a fait savoir la Caisse de dépôt en annonçant dimanche qu'elle veut mettre fin à sa relation d'affaires avec Henry Winterstern.

La Caisse de dépôt a perdu 9,6 % de son actif l'an dernier, soit 8,6 milliards $ CAN, en raison surtout de ses investissements dans le secteur des technologies, des médias et des télécommunications (TMT).

| MGM: un investissement qui a fondu | |
|---|---|
| De **100** millions $ US à **60** millions $ US (**82** millions $ CAN) | |
| **Valeur des autres investissements de CDP à Hollywood (en dollars US)** | |
| CDP Capital Entertainment | Moins de **5** millions |
| Mosaic Media Group | **10** à **30** millions |
| Mosaic Music Publishing LLC | **10** à **30** millions |
| Mosaic Venture Partners II LP | **5** à **10** millions |
| Signpost Films Ltd. | **30** à **50** millions |
| DCPI Invesco | **10** à **30** millions |
| Metro Goldwyn Mayer (MGM) | **82** millions |

# Questions

1. Selon le type de décision à prendre, quels sont les différents projets d'investissement qui s'offrent à l'entreprise ?

2. Quels sont les deux inconvénients majeurs du délai de récupération ?

3. Le délai de récupération actualisé est-il suffisant comme critère de choix d'investissement ? Expliquez votre réponse.

4. La VAN est basée sur le principe qu'un dollar aujourd'hui vaut plus qu'un dollar futur. Expliquez cet énoncé.

5. Aboutit-on toujours à la même décision lorsqu'on utilise le TRI ou la VAN comme critère de choix d'investissement ?

6. Quels sont les inconvénients de l'indice de rentabilité ?

7. Dans quelle situation doit-on utiliser le taux de rendement interne intégré ?

8. Le critère de la valeur actuelle nette fournit en général de bonnes estimations. Toutefois, dans certains cas précis, il peut se révéler inefficace. Expliquez pourquoi il en est ainsi.

# Exercices

1. **Un projet de croissance**

Supposons que Shell Canada envisage d'investir dans les nouvelles installations de production afin d'accroître son marché. Les actifs qu'elle doit acquérir pour réaliser ce projet sont énumérés ci-dessous :

| Actif | Coût net à l'acquisition (en dollars) | Taux d'ACC prescrit (en pourcentage) | Valeur de revente (en dollars) |
|---|---|---|---|
| Terrain | 200 000 | s. o. | 415 000 |
| Bâtisse | 100 000 | 5 | 210 000 |
| Machinerie | 50 000 | 20 | 1 500 |

On estime des flux monétaires annuels (avant impôts et amortissement) de 73 660 $ pour chacune des 15 années que durera ce projet. Afin de soutenir la croissance prévue des ventes, la firme devra accroître son fonds de roulement net de 15 000 $ au début du projet et de 10 000 $ l'année suivante. Par la suite, aucun autre investissement en fonds de roulement supplémentaire ne sera requis. Pour que la machinerie soit utilisable pendant toute la durée de ce projet, on estime qu'il faudra la réparer 3 ans après le début des activités et tous les 3 ans par la suite, au coût de 5 000 $ la réparation. Cette dépense sera déductible du revenu imposable. De plus, il faut noter que la dernière réparation aura lieu 12 ans après le début des activités. En effet, la machinerie n'aura pas à être réparée à la fin de la quinzième année, puisqu'elle sera revendue.

Selon vous, la société devrait-elle accepter ce projet de croissance sur la base des hypothèses suivantes ?

- Shell Canada est imposée à 25 % ;
- le taux de rendement exigé pour ce type de projet est de 16 % ;
- la revente de la bâtisse n'entraînera pas la fermeture de sa catégorie ;
- la machinerie était seule dans sa catégorie d'actif.

2. La revente avec fermeture de classe et récupération
   Les camions et remorques achetés aujourd'hui par l'entreprise Shell Canada (classe 10, amortissement de 30 % sur le solde dégressif) pour la somme de 225 000 $ vont permettre une économie de coûts d'exploitation brute annuelle de 95 000 $ pour 4 ans. C'est la première fois que Shell Canada acquiert de tels équipements. Après ces 4 ans, un spécialiste affirme que la société pourra revendre le tout 85 000 $. Si l'on considère un taux marginal d'imposition de 40 % et un coût des fonds de 16 %, ce projet permettra-t-il d'accroître la valeur de la firme ?

3. La revente avec fermeture de classe, gain en capital et récupération
   L'entrepôt et le terrain sous-jacent ont été achetés 150 000 $ en janvier 1987 et vendus en décembre 1991 pour la somme de 250 000 $. Ce bâtiment de classe fiscale 3, qui bénéficie donc d'un amortissement fiscal de 5 % sur le solde dégressif, représentait les deux tiers du prix d'achat alors qu'il ne contribue que pour la moitié de la valeur de revente. Cet entrepôt était nécessaire à l'exploitation de l'entreprise et a coûté en coûts bruts d'exploitation 10 000 $ par an au cours de cette période. Ce projet d'acquisition d'espace d'entreposage a nécessité un investissement initial en stock de 200 000 $ ; ce montant a été récupéré entièrement au moment de la vente de l'immeuble. Sachant que le taux marginal d'imposition de la société s'est maintenu à 40 % au cours de cette période et que le taux de rendement exigé sur les investissements a été constant à 14 %, quelle était la VAN de ce projet en janvier 1987 ?

4. La revente sans fermeture de classe avec gain en capital
   L'installation d'un pipeline (catégorie fiscale 2, amortissement sur le solde dégressif de 6 %) par la société Shell Canada à l'intérieur de bâtiments et de réseaux de distribution de même classe fiscale réduirait les frais d'exploitation bruts annuels de 275 000 $ pendant 5 ans. Cet investissement de 425 000 $ aurait une valeur marchande de 500 000 $ dans 5 ans. Considérant un taux marginal d'imposition de 45 % et un coût moyen des fonds nécessaires à l'investissement de 14 %, calculez la VAN de ce projet.

5. Le remplacement d'un vieil équipement

L'entreprise Shell Canada envisage de remplacer un vieil équipement. Le prix de la nouvelle machine est de 100 000 $. Avec cette nouvelle machine, l'entreprise compte augmenter ses ventes annuelles de 10 000 $, tandis que les coûts d'exploitation diminueraient de 2 000 $ par an. La nouvelle machine doit être utilisée pendant 5 ans, et sa valeur de revente prévue est de 10 000 $. Le vieil équipement peut être revendu 5 000 $, alors que sa valeur comptable est de 7 000 $. En outre, le taux d'imposition de l'entreprise est de 40 % et le coût du financement de ce projet de remplacement, de 14 %. L'amortissement est calculé selon la méthode de l'amortissement dégressif au taux de 20 %. La valeur de revente prévue du vieil équipement dans 5 ans est nulle. L'entreprise doit-elle remplacer le vieil équipement ?

6. L'implantation d'une nouvelle usine

Supposons qu'à la réunion du conseil d'administration tenue le 15 novembre 2002, Shell Canada donnait mandat à M. Rochon d'évaluer l'implantation d'une nouvelle usine dans la région du lac Saint-Jean. M. Rochon a estimé que ce projet nécessiterait l'achat d'un terrain pour la somme de 100 000 $, la construction d'un bâtiment évalué à 300 000 $ et l'acquisition de 900 000 $ d'équipement. Le fonds de roulement net acquis serait de 50 000 $. Le fonds de roulement net nécessaire serait de 50 000 $.

Sur les 1,3 million de dollars que nécessiteraient les investissements en immobilisations, une tranche de 800 000 $ serait financée à l'aide d'un emprunt à 13 % et une tranche de 500 000 $ serait fournie par Shell Canada.

Ayant analysé le nouveau projet, M. Rochon lui a attribué une vie économique de 10 ans. Il a estimé qu'à la fin de cette période, il pourrait revendre le terrain 150 000 $ et le bâtiment 200 000 $. Quant à l'équipement, il aurait une valeur résiduelle nulle. Ces ventes se concrétiseraient au tout début de 2003. L'investissement initial en fonds de roulement pourrait être récupéré à ce moment-là.

M. Rochon établit aussi un état des résultats prévisionnels pour les 10 ans du projet.

| État des résultats prévisionnels pour chaque année de vie du projet de la nouvelle usine de bois de sciage (en dollars) | | |
|---|---|---|
| Ventes | | 700 000 |
| Achat | 75 000 | |
| Salaires | 230 000 | |
| Amortissement[6] | 100 000 | |
| Intérêts[7] | 104 000 | |
| Répartition des frais fixes du siège social de Shell Canada | 40 000 | 549 000 |
| Revenu imposable | | 151 000 |
| Impôts[8] | | 60 400 |
| Bénéfice net | | 90 600 |

---

6. Amortissement linéaire du bâtiment et de l'équipement.

7. Intérêt sur l'emprunt de 800 000 $ à 13 %.

8. Taux d'imposition de Shell Canada approximatif de 40 %.

La société Shell Canada exige un taux de rendement minimal de 18 % sur ce genre d'opération.

M. Rochon devrait tenir compte de la règle de la demi-année pour ce qui est de l'amortissement fiscal. Les taux d'amortissement dégressif maximal étaient de 5 % pour le bâtiment et de 20 % pour l'équipement.

Pour évaluer de tels projets, M. Rochon avait jusqu'alors utilisé la méthode du délai de récupération. M. Plante, un jeune financier de la société, a déclaré à M. Rochon que sa méthode d'analyse de projet laissait à désirer. Il lui a suggéré d'utiliser soit la méthode de la valeur actualisée nette, soit la méthode du taux de rendement interne.

a) Évaluez le projet de la nouvelle usine en utilisant la VAN comme critère de choix d'investissement.

b) Supposons que Shell Canada obtient une subvention de 300 000 $ applicable à l'achat de l'équipement. Dans ce cas, quel serait l'effet de cette subvention sur l'analyse du projet ?

7. Deux projets d'investissement

Supposons que Shell Canada a la possibilité d'entreprendre deux projets d'investissement différents : le projet Shell Alpha et le projet Shell Bêta. Les projets ont les flux monétaires suivants :

| Année | Shell Alpha (en dollars) | Shell Bêta (en dollars) |
|-------|--------------------------|-------------------------|
| 0 | −9 000 | 9 000 |
| 1 | 12 000 | 0 |
| 2 | 0 | 0 |
| 3 | 0 | 15 870 |

a) Calculez la VAN de chaque projet avec un taux d'actualisation de 14 %. Déterminez lequel des deux projets est préférable en vous basant sur ce critère.

b) Évaluez le TRI de chaque projet. Déterminez lequel des deux projets est préférable en vous basant sur ce critère.

c) Quel taux de réinvestissement générerait une valeur finale des flux monétaires des deux projets identique au bout de 3 ans ?

# L'évaluation des actifs de l'entreprise et les modes de financement

# Mise en contexte

Au chapitre 2, nous avons abordé les notions de capitalisation et d'actualisation des flux monétaires qui permettent d'évaluer des montants d'argent d'aujourd'hui dans le futur (capitalisation) ou de ramener des flux monétaires futurs à des sommes d'aujourd'hui (actualisation). En finance, l'application la plus fréquente de ces outils porte sur l'évaluation des actifs financiers, notamment les titres financiers (par exemple, les actions et les obligations) émis par la firme pour obtenir du financement. Afin d'assurer son essor, une entreprise a recours à un large éventail de moyens de financement que l'évolution des marchés financiers a rendu possibles. Cette évolution émane principalement de la compétition grandissante entre les bailleurs de fonds ainsi que du développement de l'ingénierie financière, cette dernière ayant permis la création de nouveaux instruments financiers et de montages financiers complexes. Toutefois, quel que soit le contexte où évolue l'entreprise, celle-ci dispose généralement de trois sources majeures de financement : l'autofinancement, les apports en capitaux (émission d'actions) et le recours à l'endettement ou l'émission d'obligations.

Pour une nouvelle entreprise publique, les actions ordinaires constituent la première source de financement. Nous commencerons donc notre exposé des différents produits de financement à long terme par une analyse des actions ordinaires. Nous étudierons également les obligations avant de discuter de certains titres convertibles (obligations convertibles et actions privilégiées).

Dans le cadre de ce chapitre, nous essaierons de comprendre comment les investisseurs évaluent les titres financiers qu'ils détiennent ou qui les intéressent, tels que les actions et les obligations. Cette évaluation est basée sur les flux monétaires futurs que ces titres sont capables de générer pour leur détenteur. En effet, la valeur de tout titre financier est égale à la valeur actuelle des flux monétaires que ce titre promet de générer dans le futur pour son détenteur. Nous recourons donc au principe fondamental relatif aux flux monétaires et à leur valeur dans le temps, sujet déjà abordé au chapitre 2.

## 4.1 Les actions ordinaires

Les actions sont des titres de propriété d'une entreprise. Les acheteurs des **actions ordinaires** d'une entreprise se présentent comme les propriétaires des avoirs résiduels de l'entreprise. Si celle-ci se dissout, l'actif sera d'abord réparti entre tous les créanciers et les détenteurs d'actions privilégiées. Ce qui reste sera divisé entre les détenteurs d'actions ordinaires, en proportion de leur capitalisation. Ces détenteurs participent aux bénéfices éventuels de l'entreprise grâce à l'appréciation des actions qu'ils détiennent ou à la distribution des dividendes versés à même les bénéfices. Par contre, si l'entreprise ne bénéficie pas d'une bonne santé financière, il est probable que les porteurs d'actions ordinaires ne recevront pas de dividendes et verront la valeur de leurs actions baisser.

Les actions ordinaires n'ayant pas de date d'échéance ou d'expiration, les actionnaires peuvent les liquider en les vendant sur le marché secondaire. En outre, la possession d'actions ordinaires confère des droits sur l'entreprise émettrice de ces titres. Ces droits peuvent se diviser en trois catégories.

**Le droit de gestion** Le détenteur d'actions ordinaires acquiert une qualité d'associé qui lui permet de participer à la gestion de la société. Chaque action détenue donne droit à un vote (certaines actions ont même un droit de vote double, qui permet de participer aux assemblées générales de la société et de voter les décisions de gestion).

**Le droit sur les bénéfices** La détention d'une fraction du capital au moyen de l'action ouvre un droit sur les bénéfices de la société proportionnellement à la part détenue. En effet, après déduction des impôts, les bénéfices sont soit mis en réserve, soit distribués aux actionnaires sous la forme de dividendes. Si la première option est choisie, l'actionnaire n'est pas pénalisé, car la mise en réserve renforce la situation financière de l'entreprise.

**Le droit sur l'actif net** Tel qu'on l'a mentionné auparavant, les actionnaires sont des propriétaires d'avoirs résiduels. En effet, si la société est liquidée, après le règlement des dettes (actif net), les biens disponibles sont distribués aux actionnaires proportionnellement à la part du capital qu'ils détiennent.

Prenons un exemple. Supposons que l'entreprise Bombardier émet deux classes d'actions ordinaires : la famille Bombardier détient majoritairement les actions de type A, tandis que le public détient les actions de type B. Ces dernières actions sont plus liquides et plus nombreuses. Les deux types d'actions se distinguent, en fait, par le droit de vote qui leur est rattaché. En effet, les actions A comportent chacune 10 droits de vote par rapport à 1 droit pour les actions B. Ainsi, la famille Bombardier s'assure du contrôle de l'entreprise.

## 4.1.1 L'évaluation d'une action ordinaire

La valeur d'une action est la valeur à laquelle l'action est négociée. Cette valeur, appelée valeur marchande, reflète les anticipations des investisseurs quant aux flux des dividendes de l'entreprise (flux monétaires à recevoir), ainsi que le niveau de risque de l'entreprise tel qu'il est perçu par ces investisseurs.

Une fois émises, les actions ordinaires sont cotées en Bourse. Pour évaluer une action, on a d'abord besoin de connaître le montant des dividendes liés à ces actions, la date de leur versement et le rendement attendu par les investisseurs.

Ainsi, supposons que vous achetez aujourd'hui une action que vous prévoyez revendre dans un an. Le prix que vous êtes prêt à payer pour cette action dépend du rendement que vous exigez sur celle-ci et du montant du dividende que vous allez recevoir, mais aussi du prix auquel vous espérez vendre l'action l'année prochaine. En effet, il ne faut pas oublier que les dividendes ne sont pas la seule source de revenu de l'actionnaire ; il y a aussi le gain (ou la perte) en capital réalisé lors de la revente. Si le prix de vente est supérieur à la valeur de l'action, vous réalisez un gain en capital. Dans le cas contraire, vous subissez une perte de capital.

En conséquence, le prix est égal à la valeur actuelle des flux monétaires futurs que vous recevrez si vous achetez cette action.

Sous forme graphique, on a :

$$D_1 + P_1$$

$t = 0$ $t = 1$
$P_0$

où

$P_0$ est le prix de l'action aujourd'hui ;

$P_1$ est le prix de l'action à la fin de la période ;

$D_1$ est le dividende à recevoir à la fin de la période.

D'où l'équation :

$$P_0 = \frac{D_1 + P_1}{(1 + r)}$$

Mais à quoi devrait être égal $P_1$ ? Le même raisonnement peut être appliqué au temps $t = 1$ pour évaluer $P_1$ à partir de $D_2$ et de $P_2$, et ainsi de suite jusqu'à l'infini puisque l'action n'a pas d'échéance.

$P_1$ sera alors égal à :

$$P_1 = \frac{D_2 + P_2}{(1 + r)}$$

Par conséquent, $P_0$ peut s'écrire ainsi :

$$P_0 = \sum_{t=1}^{\infty} \frac{D_t}{(1 + r)^t} + \frac{P_\infty}{(1 + r)^\infty}$$

Or, comme $\dfrac{P_\infty}{(1 + r)^\infty}$ tend vers zéro, l'expression de $P_0$ est réduite à :

$$P_0 = \sum_{t=1}^{\infty} \frac{D_t}{(1 + r)^t} \tag{4.1}$$

Quand on connaît le rendement exigé de cette action, toute la difficulté de son évaluation réside dans la prévision des dividendes futurs. À ce point de vue, on ne peut que faire des suppositions sur la base de certaines hypothèses par rapport à ces dividendes futurs. Les deux principales hypothèses portent sur les dividendes constants dans le temps et les dividendes qui augmentent à un taux constant $g$.

### A ▪ Les dividendes constants

Les actions qui permettent le versement de dividendes constants sont appelées **actions privilégiées.** Ces actions donnent la possibilité d'obtenir des dividendes qui sont en général connus d'avance et ne varient que très rarement dans le temps. Selon cette hypothèse, l'équation (4.1) devient alors l'équation d'une perpétuité qui se réduit à :

$$P_0 = \frac{D_1}{r} \tag{4.2}$$

où le rendement est :

$$r = \frac{D_1}{P_0}$$

### B ▪ Les dividendes croissants à taux constant

Une hypothèse plus proche de la réalité serait de considérer que le dividende augmente chaque année à un taux de croissance constant (noté $g$). Il s'agit de l'hypothèse de Gordon ; le modèle qui en découle s'appelle le **modèle de Gordon.** Selon cette hypothèse, évaluer l'action revient à appliquer la formule d'actualisation d'une perpétuité qui augmente à taux constant.

Sous forme graphique, on a :

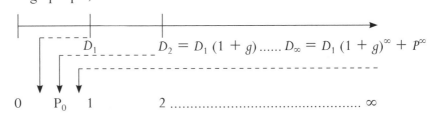

En appliquant la formule d'évaluation d'une perpétuité à taux croissant $g$, on obtient :

$$P_0 = \frac{D_1}{r - g} \tag{4.3}$$

où $g$ est inférieur à $r$. Ainsi, le rendement est :

$$r = \frac{D_1}{P_0} + g$$

**La provenance du taux de croissance g** Si une entreprise ne retient de ses bénéfices que l'amortissement nécessaire au renouvellement de ses équipements désuets afin que son activité continue au même rythme, et si elle distribue le reste en dividendes, le modèle (4.3) s'applique. Par contre, si de nouveaux projets sont entrepris, il y aura croissance des bénéfices futurs, donc des dividendes futurs. Dans ce cas, le modèle de Gordon est plus plausible. Si ces projets sont financés à partir d'une partie des bénéfices qui n'est pas distribuée, $g$ dépendra alors du pourcentage des bénéfices réinvesti (appelé taux de rétention) et de la rentabilité des nouveaux investissements.

Dans la pratique, le taux de rétention n'est pas toujours constant. En effet, quand les bénéfices diminuent, on essaie de ne pas faire baisser les dividendes, car cette action risquerait de réduire la confiance des actionnaires. De plus, tous les nouveaux projets ne sont pas nécessairement financés à partir des bénéfices retenus. Il est alors plus courant d'estimer le taux de croissance $g$ à partir du taux de croissance des dividendes historiques, en particulier quand on dispose d'information à propos des dividendes passés sur une assez longue période.

## EXEMPLE 4.2

Le 31 décembre 2007, l'entreprise Néon a payé un dividende de 11 $ par action. Le rendement exigé par ses actionnaires est de 25 %. On dispose des renseignements suivants sur ses dividendes passés :

| Année (au 31 décembre) | Dividende (en dollars) |
|---|---|
| 2007 | 11,00 |
| 2006 | 10,57 |
| 2005 | 10,08 |
| 2004 | 9,49 |
| 2003 | 9,05 |

À cette date, quel devrait être le prix de l'action de cette entreprise ?

Réponse :

Commençons par estimer le taux de croissance historique des dividendes $g$ :

$$9,05\,\$(1 + g)^4 = 11\,\$, \text{ d'où } g = (11\,\$\,/\,9,05\,\$)^{\frac{1}{4}} - 1 = 5\,\%$$

$$P = D_1 / (r - g) = 11\,\$(1 + 0,05) / (0,25 - 0,05) = 57,75\,\$$$

### C ▪ Les dividendes croissants à différents taux

Nous analysons ici un cas particulier du modèle de Gordon, où différents taux de croissance s'appliquent à différentes périodes. Ce cas constitue la réalité de plusieurs entreprises qui, au début de leur existence, ont de fortes possibilités de croissance et qui, une fois plus mûres, voient leurs bénéfices et, par là même leurs dividendes, se stabiliser.

## EXEMPLE 4.3

L'entreprise EVA a annoncé un dividende de 3 $ par action qui sera versé dans 1 an. On s'attend à ce que ce dividende augmente de 6 % par an durant les 2 ans suivants, puis de 2 % à perpétuité. Le rendement exigé sur ce type d'action est de 15 %. Quel est le prix de cette action aujourd'hui ?

Réponse :

Sous forme graphique, ce cas se présente comme suit :

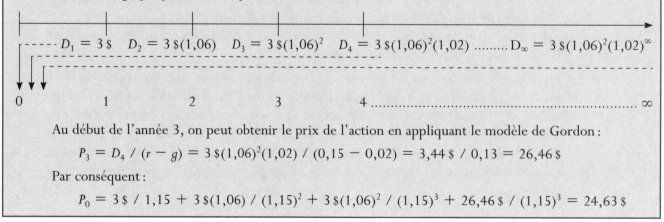

Au début de l'année 3, on peut obtenir le prix de l'action en appliquant le modèle de Gordon :

$$P_3 = D_4 / (r - g) = 3\,\$(1,06)^2(1,02) / (0,15 - 0,02) = 3,44\,\$ / 0,13 = 26,46\,\$$$

Par conséquent :

$$P_0 = 3\,\$ / 1,15 + 3\,\$(1,06) / (1,15)^2 + 3\,\$(1,06)^2 / (1,15)^3 + 26,46\,\$ / (1,15)^3 = 24,63\,\$$$

## D ■ Remarques importantes

- Le prix $P$ des actions qu'on a essayé de modéliser dans cette section représente la valeur intrinsèque des actions. C'est le prix auquel les actions devraient se négocier sur les marchés financiers si ces derniers sont efficients. En général, les prix tournent autour de ces valeurs. Cependant, d'autres valeurs de l'action existent et ont une signification économique moins importante. Ainsi, une action peut avoir une valeur nominale inscrite sur le certificat d'action émis. Si l'action n'a pas de valeur nominale, elle est dite entièrement libérée. Cela veut dire que le prix d'émission a été entièrement payé par le souscripteur. Sinon, elle peut être partiellement libérée (pas entièrement payée), et la firme peut imposer le paiement de la différence au détenteur. Dans ce cas, la valeur nominale sert de référence pour déterminer le montant non encore payé.

  Une autre valeur des actions est la valeur comptable. Celle-ci est égale à l'actif net divisé par le nombre d'actions en circulation. Puisque l'actif net est l'actif total moins le passif externe, cette valeur dépend donc du bilan de l'entreprise et de ses pratiques comptables.

  Ces deux valeurs ont normalement peu de relation avec la valeur de marché qui s'adapte continuellement en fonction de l'évolution des bénéfices et des dividendes de l'entreprise.

- Si l'entreprise distribue tous ses bénéfices nets en dividendes, alors le prix de ses actions peut aussi s'écrire ainsi :

$$P = \frac{\text{BPA}}{r}$$

où

BPA est le bénéfice par action ;

$r$ est le taux de rendement des actionnaires.

Notons que le ratio $\frac{\text{BPA}}{r}$ est appelé cours-bénéfice, et il est souvent mentionné dans les pages financières des journaux. C'est une estimation de l'inverse du rendement requis par les actionnaires. Cependant, il faut noter que ce ratio est basé sur le dernier bénéfice réalisé (bénéfice historique) et le prix courant.

- Certaines entreprises ne distribuent pas de dividendes, par exemple Microsoft, qui n'a versé son premier dividende qu'en 2002. Il s'agit souvent d'entreprises qui ont beaucoup de possibilités de croissance et qui retiennent tous leurs bénéfices pour se financer (autofinancement). Le principe d'évaluation reste le même, la difficulté demeurant la date prévue de versement du premier dividende.

## 4.2   L'évaluation des obligations

Les **obligations** sont des titres d'endettement émis par les gouvernements, les municipalités et les entreprises. Elles procurent à leur détenteur des revenus fixes dont le montant est connu d'avance et qui sont remis à des dates fixes. En achetant une obligation, l'investisseur prête ainsi son argent à l'émetteur pour une période déterminée. Sa rémunération provient des intérêts (appelés coupons) versés périodiquement (en général, semestriellement) durant toute la période d'investissement, ou de la différence entre le prix d'achat et le montant remboursé à l'échéance.

Le principe d'évaluation des obligations d'une entreprise est le même que celui des actions, avec deux différences majeures :

- les revenus des actions sont des dividendes dont le montant n'est en général ni fixe ni connu d'avance, contrairement aux coupons ;
- les actions n'ont pas d'échéance, donc il n'y a pas de remboursement de la valeur nominale, contrairement aux obligations.

### 4.2.1  Quelques définitions et notations

**Valeur nominale** (VN) ou capital : Valeur inscrite sur l'obligation, qui sera remboursée à échéance. (Cette caractéristique du titre ne change pas une fois qu'il est émis.)

**Échéance** ($T$) : Date du (ou nombre de jours restant jusqu'au) remboursement de la valeur nominale. (Cette caractéristique du titre ne change pas une fois qu'il est émis.)

**Prix de vente** ($P$) : Prix auquel le titre est vendu. Il est exprimé en pourcentage de la valeur nominale. (Ce prix change en fonction des caractéristiques du marché.)

**Obligation au pair** : Obligation émise lorsque le prix de vente de celle-ci est égal à sa valeur nominale.

**Obligation à escompte** : Obligation émise lorsque le prix de vente de celle-ci est inférieur à sa valeur nominale.

**Obligation à prime** : Obligation dont le prix de vente est supérieur à sa valeur nominale.

**Taux de coupon** ($c$) : Taux inscrit sur l'obligation. On multiplie ce taux par la valeur nominale pour trouver le montant des intérêts à recevoir. (Cette caractéristique du titre ne change pas une fois que celui-ci est émis.)

**Prix offert ou cours acheteur** (*bid*) : Prix que le négociant en valeurs mobilières offrira pour l'achat du titre. C'est le prix que vous recevrez si vous voulez vendre votre titre.

**Prix demandé ou cours vendeur** (*ask*) : Prix que le négociant en valeurs mobilières demandera pour la vente du titre. C'est le prix que vous devrez payer si vous voulez en acheter un.

**Marge** : Écart entre le cours vendeur et le cours acheteur.

**Rendement** : Revenu promis à l'investisseur au moment de l'achat de l'obligation. Ce rendement sera effectivement réalisé par l'investisseur si celui-ci conserve son obligation jusqu'à l'échéance et réinvestit ses coupons dans le même type d'obligation.

### 4.2.2  Les obligations zéro coupon

Les obligations zéro coupon sont des obligations pour lesquelles aucun intérêt périodique n'est versé, mais dont la rémunération provient uniquement de la différence entre le prix payé et la valeur nominale remboursée à l'échéance. Elles sont donc toujours vendues à escompte. C'est le cas, par exemple, des **bons du Trésor.** Ces derniers sont des titres d'endettement à court terme (pour 3, 6 ou 12 mois) émis fréquemment (chaque semaine) par le gouvernement pour emprunter de l'argent auprès des investisseurs. À l'échéance, l'investisseur (détenteur du bon du Trésor) reçoit du gouvernement la valeur nominale et tire son profit de la différence entre cette valeur et le prix qu'il a payé au moment de l'achat. Aucun versement d'intérêts ne se fait durant la période d'investissement, d'où le nom de zéro coupon. Les bons du Trésor ont une valeur nominale de 1 000 $, de 5 000 $, de 25 000 $ ou de 100 000 $.

## A ▪ Le calcul du prix d'un bon du Trésor

Comme tout autre titre financier, le prix du bon du Trésor est égal à la valeur actuelle des flux monétaires futurs promis grâce à la détention de ce titre. Or, comme nous l'avons exposé plus haut, le seul flux monétaire que ce titre produit est la valeur nominale :

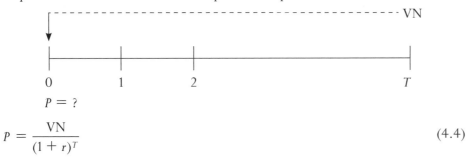

$$P = \frac{VN}{(1 + r)^T} \qquad (4.4)$$

où

$P$ est le prix du bon du Trésor aujourd'hui ;

VN est la valeur nominale à rembourser dans $T$ périodes ;

$T$ est l'échéance du bon du Trésor ;

$r$ est le taux de rendement périodique effectif du bon du Trésor.

### EXEMPLE 4.4

Quel est le prix d'un bon du Trésor ayant une échéance de 12 mois et une valeur nominale de 1 000 $, si le taux de rendement annuel nominal à capitalisation semestrielle est de 8 % ?

Réponse : Il faut d'abord calculer le taux de rendement annuel effectif [équation (2.8)] pour pouvoir l'utiliser dans l'équation (4.4). Comme on l'a vu au chapitre 2, on a :

$$R = \left(1 + \frac{r}{m}\right)^m - 1 = \left(1 + \frac{0,08}{2}\right)^2 - 1 = 8,16\,\%$$

où

$$P = \frac{1\,000\,\$}{(1 + 0,0816)} = 924,56\,\$$$

## B ▪ Le calcul du rendement d'un bon du Trésor

Il ne faut pas oublier que les taux de rendement rapportés n'ont pas toujours une capitalisation annuelle. C'est le cas, par exemple, des bons du Trésor. Les taux de rendement des bons du Trésor rapportés sur les pages financières ne sont pas des taux effectifs annuels, mais des taux annuels nominaux. Comme nous l'avons vu au chapitre 2, les taux effectifs sont plus appropriés lorsqu'il s'agit d'évaluer le vrai rendement qui sera réalisé ou de comparer le rendement de différents bons du Trésor ayant des échéances différentes.

Quel est le taux de rendement annuel effectif d'un bon du Trésor ayant une échéance de 6 mois, dont la valeur nominale est de 10 000 $ et le prix, de 9 768,31 $ ?

Réponse : D'après l'équation (4.4) :

$$P_3 = \frac{VN}{(1+r)^T} \Rightarrow 9\,768,31\,\$ = \frac{10\,000\,\$}{(1+r)^{\frac{1}{2}}} \Rightarrow r = \left(\frac{10\,000\,\$}{9\,768,31\,\$}\right)^2 - 1 = 4,8\,\%$$

L'équation (4.4) nous donne la valeur juste du bon du Trésor. Si le prix sur le marché lui est supérieur, on dit que le bon du Trésor est surévalué ; la stratégie consiste alors à le vendre. Dans le cas inverse, on dit qu'il est sous-évalué ; il convient alors de l'acheter.

### 4.2.3 Les obligations avec coupon

La majorité des obligations (gouvernementales et d'entreprises) permettent le versement de coupons périodiques (généralement semestriels), constants et connus d'avance. On a donc besoin, pour les évaluer, de connaître le montant de ces coupons, la date de leur versement, la date d'échéance ainsi que le rendement de ces obligations.

### A ▪ Le calcul du prix d'une obligation

Pour calculer le prix d'une obligation, on utilise les variantes suivantes où

   $P$ est le prix de l'obligation ;

   $T$ est l'échéance de l'obligation ;

   $C$ est le montant du coupon périodique ;

   VN est la valeur nominale de l'obligation.

On peut représenter les flux monétaires liés à l'obligation comme suit :

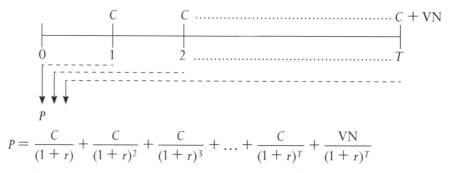

$$P = \frac{C}{(1+r)} + \frac{C}{(1+r)^2} + \frac{C}{(1+r)^3} + \ldots + \frac{C}{(1+r)^T} + \frac{VN}{(1+r)^T}$$

Il s'agit là d'une combinaison d'une annuité fixe de $C$ $ pendant $T$ périodes et d'un montant fixe de VN $ dans $T$ périodes. D'où

$$P = C\left(\frac{1-(1+r)^{-T}}{r}\right) + \frac{VN}{(1+r)^T} \tag{4.5}$$

## EXEMPLE 4.6

Soit l'extrait suivant des pages financières d'un journal en date du 15 janvier 2008 :

|  | Coupon | Échéance | Prix | Rendement |
|---|---|---|---|---|
| Canada | 10 | 2012-01-15 | ? | 8 |

Calculez le prix de l'obligation du gouvernement du Canada à cette date.

Réponse :

À la lecture de cet extrait des pages financières, il faut déduire les renseignements suivants :

- Le prix est affiché sous la forme du pourcentage d'une valeur nominale de 1 000 $.
- Le taux de coupon est de 10 % de la valeur nominale. C'est un taux annuel nominal à capitalisation semestrielle. Les coupons étant versés chaque semestre, si on suppose une valeur nominale de 1 000 $, le montant du coupon semestriel est de 50 $.
- Le taux de rendement affiché est un taux nominal à capitalisation semestrielle, ce qui implique un taux de rendement semestriel de 4 %.
- L'échéance est le 15 janvier 2012.
- Un dernier coupon est toujours versé à l'échéance. De plus, les coupons étant semestriels, ils sont versés le 15 janvier et le 15 juillet de chaque année.
- En achetant le 15 janvier 2008, on ne reçoit pas le coupon de cette date. Il reste donc huit coupons à recevoir jusqu'à l'échéance.

Sous forme graphique, on a :

Le prix est donc égal à :

$$P_{2008\text{-}01\text{-}15} = 50\ \$\left(\frac{1-(1+0,04)^{-8}}{0,04}\right) + \frac{1\ 000}{(1+0,04)^8} = 1\ 067,33\ \$$$

On remarque que cette obligation est à prime. Ce résultat est prévisible, puisque cette obligation offre un taux d'intérêt supérieur au rendement demandé par les investisseurs : ces derniers sont prêts à payer un prix supérieur à la valeur nominale qui leur sera remboursée à l'échéance. Enfin, le prix affiché étant en pourcentage de la valeur nominale de 1 000 $, dans le tableau extrait des pages financières et sous la colonne « Prix », on lira 1 067,33. Dans cet exemple, la date d'achat correspond exactement à une date de versement de coupon.

Comment peut-on calculer le prix de l'obligation à une date qui ne correspond pas à une date de coupon ?

Dans l'exemple précédent, quel serait le prix de l'obligation, le 15 mai 2008, si le rendement était le même ?

Sous forme graphique, on a :

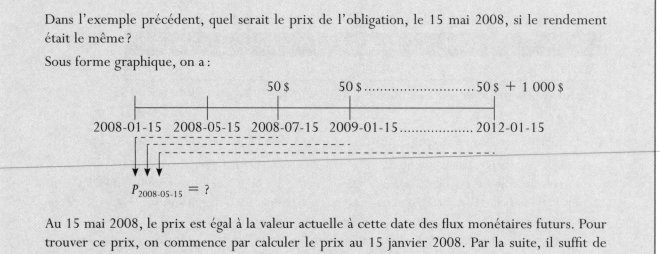

Au 15 mai 2008, le prix est égal à la valeur actuelle à cette date des flux monétaires futurs. Pour trouver ce prix, on commence par calculer le prix au 15 janvier 2008. Par la suite, il suffit de capitaliser la valeur trouvée à la date du 15 mai 2008. Ainsi :

$$P_{2008\text{-}05\text{-}15} = P_{2008\text{-}01\text{-}15} \times (1 + 0,04)^{\frac{4}{6}} = 1\,067,33\,\$(1,04)^{\frac{2}{3}} = 1\,095,60\,\$$$

### B ▪ Le calcul du rendement d'une obligation

On calcule le rendement d'une obligation à partir de la même formule, soit l'équation (4.5). La résolution de cette équation se fait par interpolation linéaire ou au moyen d'une calculatrice financière.

Le 30 juin 2007, une obligation du gouvernement fédéral était listée ainsi :

|        | Coupon | Échéance   | Prix (en dollars) | Rendement |
|--------|--------|------------|-------------------|-----------|
| Canada | 6,375  | 2018-12-31 | 993,125           | ?         |

Pour trouver le rendement affiché, on détermine $r$ à l'aide de l'équation (4.5) :

$$993\,125 = 31\,875\left(\frac{1 - (1 + r)^{-23}}{r}\right) + \frac{1\,000}{(1 + r)^{23}}$$

Il faut essayer plusieurs valeurs de $r$.

| $r$ (en pourcentage) | $P$ (en dollars) |
|----------------------|------------------|
| 0                    | 1 733            |
| 1                    | 1 447            |
| 2                    | 1 217            |
| 3                    | 1 031            |
| 3,23                 | 993              |
| 3,5                  | 951              |
| 4                    | 755              |

Le taux de rendement semestriel est donc de 3,23 %. Par conséquent, le taux annuel nominal est de 6,46 % et le taux annuel effectif, de 6,56 %.

Dans le tableau précédent, on remarque que, plus le rendement augmente, plus le prix diminue, et inversement. Le prix et le rendement sont liés, et tous deux sont des caractéristiques du marché.

Après avoir analysé les modes de financement les plus courants d'une entreprise et appris à les évaluer, nous décrivons dans la section suivante certains autres types de financement à la disposition des entreprises.

## 4.3 Les titres convertibles

Un **titre convertible** est une obligation convertible ou une action privilégiée qui peut être échangée selon la volonté de son détenteur contre un nombre donné d'actions ordinaires. Les titres convertibles représentent une autre source de financement à long terme. Nous analysons maintenant deux types de titres convertibles : les actions privilégiées (que l'on a appris à évaluer) et les obligations convertibles.

### 4.3.1 Les actions privilégiées ou les actions à dividendes prioritaires

Depuis 1978, les sociétés canadiennes ont la possibilité d'émettre des actions privilégiées. Il s'agit d'actions dont le droit de vote est détaché, mais dont le dividende est prioritaire, c'est-à-dire que son versement s'effectue en priorité par rapport aux actions ordinaires. Les droits étant moindres avec ce type d'action, celle-ci est donc mieux rémunérée. Par ailleurs, le montant minimal du dividende doit être de 7,5 % de la valeur nominale de l'action et doit, par ailleurs, être supérieur au dividende versé pour les actions ordinaires. Dans le cas où le dividende ne pourrait être versé intégralement à cause de bénéfices insuffisants, le solde serait reporté sur les deux exercices suivants. Si la situation durait plus de trois ans, le droit de vote serait réintégré, et l'action privilégiée redeviendrait une action ordinaire.

### A ▪ Les caractéristiques des actions privilégiées

Contrairement aux actions ordinaires, les actions privilégiées ne donnent pas droit au partage des fruits du succès de l'entreprise. Les droits du porteur d'actions privilégiées se limitent à un montant fixe de dividendes et à un droit de priorité sur les actionnaires ordinaires en cas de faillite de l'entreprise et de liquidation de ses actifs.

Les actionnaires privilégiés peuvent exercer leur droit de vote seulement si l'entreprise omet un certain nombre de versements de dividendes. Si l'entreprise redevient rentable, les actionnaires privilégiés ont habituellement le droit d'obtenir le paiement des dividendes dus avant les actionnaires ordinaires.

À de nombreux égards, les actions privilégiées ressemblent aux obligations, mis à part le fait qu'elles n'ont pas de date d'échéance fixe. Elles sont souvent émises à une valeur nominale, habituellement de 25 $, de 50 $ ou de 100 $. Le paiement de dividendes fixes, la plupart du temps effectué tous les trois mois, est semblable au paiement des intérêts sur une obligation. Les actions privilégiées se comportent de la même façon que les obligations lorsque les taux d'intérêt évoluent. Ainsi, lorsque les taux baissent, le cours des actions privilégiées monte, et inversement.

Certaines actions privilégiées peuvent être convertibles, et, de ce fait, peuvent être échangées contre des actions ordinaires de l'entreprise. Dans la plupart des cas, les actions privilégiées possèdent une option de rachat qui peut être exercée par l'émetteur et, en conséquence, un prix de rachat fixe qui doit être supérieur à la valeur d'émission de ces actions.

Les actions privilégiées ne représentent pas le moyen de financement à long terme le plus populaire, car les dividendes auxquels elles donnent droit ne sont pas déductibles des impôts, contrairement au paiement des intérêts de la dette. Cependant, ces dividendes donnent droit à des déductions fiscales pour les investisseurs.

Pour une entreprise, l'avantage de l'émission des actions privilégiées est que le versement des dividendes ne constitue pas une obligation légale. Lorsque les conditions financières de l'entreprise ne le permettent pas, celle-ci n'est pas obligée de distribuer des dividendes. Par contre, dans le cas d'un financement par dette, les intérêts de la dette doivent être payés indépendamment des revenus enregistrés par l'entreprise.

Les actions privilégiées n'ont pas de date d'échéance (exception faite des actions privilégiées convertibles), elles peuvent être assimilées à une dette perpétuelle.

### 4.3.2 Les obligations convertibles

Une **obligation convertible** est une obligation dont les caractéristiques sont similaires à celles d'une obligation classique. Toutefois, elle donne au souscripteur la possibilité d'échanger son obligation contre un certain nombre d'actions ordinaires, à l'intérieur d'une période donnée.

L'obligation convertible offre une grande souplesse d'utilisation, puisque le taux d'intérêt peut être fixe, variable, indexé ou flottant. La conversion de cette obligation doit se faire à l'intérieur d'une période définie dans le contrat d'émission. Cette période, appelée période de conversion, peut débuter dès l'émission ou à une date ultérieure. Elle prend fin à la date de remboursement de l'obligation. Si l'entreprise procède au remboursement anticipé des obligations, les souscripteurs auront le choix entre le remboursement de l'obligation ou sa conversion.

La base de conversion ou ratio de conversion détermine le nombre d'actions qui seront reçues en contrepartie de la conversion de l'obligation. Elle est fixée au moment de l'émission (par exemple 1,5 action pour une obligation). Toutefois, ce ratio peut être modifié si un événement majeur influe sur le capital de l'entreprise, tel qu'une fusion ou une distribution d'actions gratuites.

Pour connaître le prix payé effectivement pour recevoir les actions ordinaires en contrepartie de la conversion, il suffit de diviser la valeur nominale de l'obligation par le ratio de conversion. Ainsi :

$$\text{Prix de conversion} = \frac{\text{valeur nominale de l'obligation convertible}}{\text{ratio de conversion}}$$

On définit la **prime de conversion** comme étant la différence entre la valeur de l'obligation (le cours boursier si le titre est coté) et le prix de la conversion. Par exemple, une entreprise émet, sur le marché, des obligations convertibles en actions ordinaires au prix de 25 $ par action (chaque 1 000 $ d'obligations peut être échangé contre 50 actions ordinaires). Si le prix de marché des actions est de 22 $, la prime de conversion s'élèvera à 3 $, soit 13,63 %.

La **valeur de conversion** est le résultat de la multiplication du ratio de conversion par le prix de marché de l'action ordinaire. Elle correspond à la valeur des actions qui serait effectivement reçue si l'obligation était convertie. Le prix de marché de l'obligation convertible ne pourra jamais se vendre en bas de cette valeur de conversion. Si cela se produisait, l'investisseur pourrait réaliser un bénéfice instantané et sans risque.

Dans l'exemple précédent, la valeur de conversion était de 1 100 $ (50 × 22 $). Si le titre se vendait 1 000 $, l'investisseur pourrait réaliser un bénéfice instantané de 100 $ en achetant le titre convertible et en effectuant la conversion.

On définit la valeur nue de l'obligation convertible ou encore la **valeur plancher** comme étant la valeur de l'obligation hors le privilège de la conversion. Cette valeur est égale à la valeur d'une obligation classique. On l'obtient en actualisant les flux futurs liés à l'obligation au taux du marché (c'est-à-dire au taux d'intérêt de l'obligation sans privilège de conversion).

La première motivation derrière l'émission d'obligations convertibles est de reporter un financement en actions ordinaires à plus tard. Les gestionnaires anticipent ainsi que le prix des actions augmentera et que le privilège de conversion permettra d'obtenir un meilleur prix.

Les entreprises ont recours aux obligations convertibles comme financement temporaire afin de diminuer les frais d'intérêt. En comparaison avec une émission de dette ordinaire, le financement par dette convertible permet de payer un taux d'intérêt plus faible de 1 à 2 %. En effet, les entreprises paient un taux d'intérêt plus faible pour les obligations convertibles par rapport au taux payé pour une obligation classique ayant le même risque. Les entreprises se gardent également la possibilité d'obtenir un financement ultérieur par actions ordinaires à un prix plus élevé. Toutefois, il faut noter que la conversion ne procure pas un capital supplémentaire à l'entreprise.

Dans la plupart des cas, on émet des titres convertibles, car on suppose que ces titres pourront être convertis à l'intérieur d'une courte période de une à trois années. Cette pratique consiste, en fait, à différer une émission d'actions dans l'espoir d'obtenir un meilleur prix par rapport à une émission d'actions ordinaires immédiate, ce qui permet également d'émettre moins d'actions.

### 4.3.3 Le refinancement

La décision de refinancer consiste à émettre de nouveaux titres afin de rembourser et de remplacer d'autres titres déjà en cours. Le **refinancement** peut se faire dans deux cas. Dans le premier cas, le produit en circulation arrive à échéance, et le refinancement est alors inévitable. Dans le deuxième cas, une société rappelle un titre en cours pour le remplacer par un autre. Cette décision relève de la direction de l'entreprise. Dans cette situation, le but recherché par l'entreprise est de diminuer ses coûts de financement soit en éliminant des clauses contraignantes dans le contrat de financement, soit en obtenant de meilleurs taux d'intérêt qui lui permettront de réduire ses charges financières.

La société vise, en fait, à augmenter sa valeur de marché. Comme dans toute décision d'investissement, le refinancement requiert une comparaison entre les économies des frais de financement et les frais engagés afin d'effectuer le refinancement. Les frais concernent principalement les frais juridiques et les autres frais de refinancement. Ces frais sont déductibles des impôts. Le refinancement implique aussi le paiement d'une prime de rachat non déductible des impôts.

La décision de refinancement est fondée sur la comparaison entre la valeur actuelle des économies de coût de financement et la valeur actualisée des frais après imputation des frais de refinancement. Le taux d'actualisation utilisé doit refléter le fait que tous les flux financiers sont certains puisqu'ils sont établis par contrat. En général, le coût de la dette après impôts de la société représente une bonne approximation du taux certain. Si la valeur actuelle des économies de frais de financement excède les coûts de refinancement, l'entreprise devrait considérer le projet de refinancement puisqu'il permettrait d'augmenter la richesse des actionnaires.

## EXEMPLE 4.9

Il y a un an, la société S a émis 200 000 $ d'obligations rachetables à un taux de 15 % avec une échéance de 11 années. La société a la possibilité de refinancer ces obligations à un taux de 12 % avec une échéance dans 10 ans. Le refinancement occasionnerait le paiement d'une prime de 4 % et des frais de 12 000 $. La société étant imposée à un taux de 40 %, devrait-elle procéder au refinancement ?

La valeur actuelle des coûts liés au refinancement est la suivante :

- frais après impôts : $12\ 000 \times (1 - 0,40) = 7\ 200$ $ ;
- prime de rachat : $200\ 000 \times 0,04 = 8\ 000$ $ ;
- coût total du refinancement : $7\ 200 + 8\ 000 = 15\ 200$ $.

Le taux d'actualisation des flux monétaires peut être estimé à l'aide du taux de la nouvelle dette après impôts : $7,20\ \%[0,12(1 - 0,40)]$.

La valeur actuelle des économies d'intérêts après impôts est de :

$$\sum [(15\ 000\ \$ - 12\ 000\ \$)(1 - 0,40)] / (1 + 0,072)^i;\ i = 1 \ldots 10 = 12\ 526\ \$$$

La valeur actuelle nette du projet de refinancement est de :

$$12\ 526\ \$ - 15\ 200\ \$ = -2\ 674\ \$$$

Il n'est pas opportun d'exécuter le projet de refinancement.

Dans le cas d'actions privilégiées, il s'agirait d'une économie en dividendes dont l'horizon est l'infini. Ces dividendes ne sont toutefois pas déductibles des impôts.

# CHAPITRE 04

## Conclusion

Dans ce chapitre, nous avons mis en application les outils de mathématiques financières acquis au chapitre 2. Plus exactement, nous avons appris à évaluer différents types d'actions et d'obligations en fonction de leurs flux monétaires futurs (prévus) et de leur taux de rendement. En outre, nous avons abordé certains autres modes de financement à la disposition de l'entreprise tels que les actions privilégiées, les obligations convertibles ou encore le refinancement.

Dans ce qui suit, nous allons nous consacrer à l'évaluation des projets d'investissement. La décision d'investissement est primordiale pour l'investisseur, qu'il s'agisse d'un individu ou d'une entreprise. Nous verrons donc sur quelle base et selon quels critères on devrait adopter ou rejeter un projet donné. Cette problématique repose elle aussi sur les flux anticipés du projet, son taux de rendement et son coût, et elle fera notamment appel à la notion d'actualisation.

# À retenir

1. La possession d'actions ordinaires confère des droits sur l'entreprise émettrice de ces titres. Ces droits peuvent se diviser en trois catégories : les droits sur la gestion, les droits sur les bénéfices et les droits sur l'actif net.

2. La valeur d'une action est la valeur à laquelle l'action est négociée. Cette valeur, appelée valeur marchande, reflète les anticipations des investisseurs quant au flux des dividendes de l'entreprise (flux monétaires à recevoir), ainsi que le niveau de risque de l'entreprise tel qu'il est perçu par ces investisseurs.

3. En achetant une obligation, l'investisseur prête ainsi son argent à l'émetteur pour une période déterminée. Sa rémunération provient des intérêts (appelés coupons) versés périodiquement (en général, semestriellement) durant toute la période d'investissement ou de la différence entre le prix d'achat et le montant remboursé à l'échéance.

4. Une obligation convertible est une obligation dont les caractéristiques sont similaires à celles d'une obligation classique ; de plus, elle donne au souscripteur la possibilité d'échanger son obligation contre un certain nombre d'actions ordinaires, et ce, à l'intérieur d'une période donnée.

5. On définit la prime de conversion comme étant la différence entre la valeur de l'obligation (le cours boursier si le titre est coté) et le prix de la conversion.

6. La décision de refinancement consiste à émettre de nouveaux titres afin de rembourser et de remplacer d'autres titres déjà en cours. Le refinancement peut se faire dans deux cas. Dans le premier cas, le produit en circulation arrive à échéance, le refinancement est alors inévitable. Dans le deuxième cas, une société rappelle un titre en cours pour le remplacer par un autre.

7. Contrairement aux actions ordinaires, les actions privilégiées ne donnent pas droit au partage des fruits du succès de l'entreprise. Les droits du porteur d'actions privilégiées se limitent à un montant fixe de dividendes et à un droit de priorité sur les actionnaires ordinaires en cas de faillite de l'entreprise et de liquidation de ses actifs.

## Mots-clés

**La valeur d'une action ordinaire**

$$P_0 = \sum_{t=1}^{\infty} \frac{D_t}{(1+r)^t} \tag{4.1}$$

**La valeur d'une action privilégiée**

$$P_0 = \frac{D_1}{r} \tag{4.2}$$

**La valeur d'une action à dividendes croissants (modèle de Gordon)**

$$P_0 = \frac{D_1}{r-g} \tag{4.3}$$

**La valeur d'un bon du Trésor**

$$P = \frac{VN}{(1+r)^T} \tag{4.4}$$

**La valeur d'une obligation**

$$P = C\left(\frac{1-(1+r)^{-T}}{r}\right) + \frac{VN}{(1+r)^T} \tag{4.5}$$

## Étude de cas

### LA SOCIÉTÉ ALCAN

Alcan inc. (NYSE, TSX : AL), société mondiale de premier plan dans le domaine des matériaux, fournit à l'échelle internationale des produits et des services de haute qualité. Grâce à ses technologies et à ses établissements de classe mondiale dans l'extraction de la bauxite, le traitement de l'alumine, la production d'aluminium de première fusion, la production d'électricité, la transformation de l'aluminium, les produits usinés ainsi que les emballages flexibles et de spécialité, la société Alcan d'aujourd'hui est bien placée pour répondre aux besoins de ses clients, même au-delà de leurs attentes. Représentée par 68 000 employés répartis dans 61 pays et régions, incluant ses coentreprises, Alcan a enregistré un chiffre d'affaires de 23,6 G $ US en 2006. La société fait partie du Dow Jones Sustainability World Index depuis 2003.

Alcan est aujourd'hui une entreprise multiculturelle dynamique qui intervient dans le monde de différentes façons. À titre de fournisseur de matières premières – bauxite, alumine et aluminium – et de fabricant de produits finis – produits usinés et emballages –, Alcan est un chef de file occupant des positions majeures dans les Amériques, en Europe et en Asie et aussi l'un des principaux défenseurs de la durabilité économique, environnementale et sociale.

Les quatre groupes d'exploitation d'Alcan – Bauxite et alumine, Métal primaire, Produits usinés et Emballages – continuent à construire un avenir prometteur dans le monde entier.

**Bauxite et alumine :**

- 4 700 employés
- 17 établissements de production
- 12 pays et régions
- Siège social à Montréal, au Canada
- Un des trois premiers producteurs mondiaux de bauxite et d'alumine
- Leadership reconnu dans les ventes de technologie et l'assistance technique pour le traitement de l'alumine
- Principaux produits et services : bauxite, alumine métallurgique, alumines de spécialité, ingénierie et assistance technique

**Métal primaire :**

- 16 000 employés
- 55 établissements de production
- 21 pays et régions
- Siège social à Montréal, au Canada
- Un des plus grands producteurs mondiaux d'aluminium de première fusion grâce à la plus grande capacité d'électrolyse à faible coût qui soit
- La technologie AP exclusive d'Alcan, référence dans l'industrie, affichant le coût économique complet le moins élevé pour les producteurs d'aluminium du monde
- Principaux produits et services : lingots de laminage et d'extrusion, fil machine, lingots de fonderie et de refusion, anodes et cathodes, fluorure d'aluminium, ventes de technologies et d'équipement d'électrolyse, et services d'ingénierie

**Produits usinés :**

- 15 000 employés
- 120 établissements de production, centres de service et bureaux du réseau international
- 32 pays et régions
- Siège social à Paris, en France
- Fournisseur n° 1 d'aluminium à valeur ajoutée de l'industrie aéronautique européenne et n° 2 à l'échelle mondiale
- Premier fournisseur de grands profilés de l'industrie européenne du transport
- Premier fournisseur de tôle à canettes en Europe
- Leader sur le marché des câbles d'aluminium en Amérique du Nord
- Chef de file mondial dans les composites et les solutions automobiles légères
- Principaux produits et services : produits laminés, profilés et produits moulés, produits et structures usinés, câbles, etc.

**Emballages :**

- 31 000 employés
- 130 établissements de production
- 35 pays et régions
- Siège social à Paris, en France
- Deuxième fournisseur au monde d'emballages de spécialité à valeur ajoutée
- N° 1 des emballages alimentaires flexibles, et des emballages de produits pharmaceutiques, de cosmétiques et de tabac
- Principaux produits et services : emballages multimatériaux novateurs utilisant les plastiques, les films usinés, l'aluminium, le papier, le carton et le verre pour les produits alimentaires et les boissons, les produits pharmaceutiques et médicaux, les cosmétiques et les soins personnels, ainsi que les produits du tabac

| Les faits saillants financiers (2005-2006) | | |
|---|---|---|
| **En millions de dollars US** | **2005** | **2006** |
| Ventes et produits d'exploitation | 20 320 | 23 641 |
| Bénéfice net | 129 | 1 786 |
| Total de l'actif | 26 638 | 28 939 |
| Flux de trésorerie provenant des activités d'exploitation | 1 535 | 3 040 |
| Flux de trésorerie affectés aux dépenses en immobilisations et acquisitions d'entreprises | 1 854 | 2 282 |
| Flux de trésorerie disponibles | (433) | 690 |
| **En dollars US par action ordinaire** | | |
| Bénéfice net (dilué) | 0,33 | 4,75 |
| Dividendes | 0,60 | 0,70 |
| Cours à la Bourse de New York (à la clôture de l'exercice) | 40,95 | 48,74 |
| **Livraisons (Kt)** | | |
| Produits en lingots | 3 070 | 3 018 |
| Aluminium utilisé dans les produits usinés et les emballages | 1 269 | 1 315 |
| Volume total d'aluminium (incluant les coentreprises) | 4 339 | 4 333 |

| Les cibles financières à long terme | |
|---|---|
| Croissance du bénéfice d'exploitation par action | 15 %/an |
| Flux de trésorerie provenant des activités d'exploitation | Minimum de 2 G$ à partir de 2006 |
| Rendement du capital investi | Couvrir le coût du capital pour 2008 |
| Pourcentage de la dette par rapport au capital investi | 35 % |

# Questions

1. Quelle est la différence entre le taux de coupon et le taux de rendement d'une obligation ?

2. Dans quels cas une obligation se négocie-t-elle à prime, à escompte ou au pair ?

3. Énumérez les différences entre une obligation, une action ordinaire et une action privilégiée.

4. À quelles conditions peut-on réaliser le rendement promis sur une obligation au moment de son achat ?

5. Quelles sont les deux différentes hypothèses émises lors de l'évaluation des actions ? Pourquoi a-t-on besoin de poser de telles hypothèses ? Laquelle de ces deux hypothèses vous paraît la plus plausible ?

6. À votre avis, lequel de ces trois investissements est le plus risqué et lequel est le moins risqué : acheter une obligation, une action ordinaire ou une action privilégiée ?

7. Qu'est-ce qu'une action convertible ?

8. Pourquoi le mode de financement par actions privilégiées est-il impopulaire ?

9. Qu'est-ce que le ratio de conversion d'une obligation convertible ?

10. Quand le refinancement est-il souhaitable ?

# Exercices

1. Une action privilégiée, ayant une valeur nominale de 100 $, rapporte un dividende annuel de 12 %. Si les investisseurs veulent obtenir un rendement de 14 %, le cours actuel de l'action sera de :
   a) 7,00 $ ;
   b) 14,00 $ ;
   c) 85,71 $ ;
   d) 100,00 $ ;
   e) 116,67 $.

2. En quoi les actions privilégiées diffèrent-elles des obligations ?
   a) Elles offrent plus de garanties.
   b) Elles se négocient sur le marché des valeurs mobilières.
   c) Les dividendes privilégiés sont versés à même les bénéfices après impôts.
   d) Elles sont comprises dans le coût moyen pondéré du capital.
   e) Elles prévoient un fonds d'amortissement.

3. Considérez l'obligation suivante : Valeur nominale (VN) = 1 000 $, taux effectif $r = 8$ %, les coupons sont semestriels.
   Combien accepteriez-vous de payer pour acquérir cette obligation si :
   a) le taux de coupon = 8 %, et l'échéance est dans 20 ans ?
   b) le taux de coupon = 10 %, et l'échéance est dans 15 ans ?

4. Le prix actuel d'une obligation est 793,35 $, sa VN = 1 000 $, son échéance est dans 15 ans et les investisseurs exigent un taux de rendement annuel nominal de 12 % (capitalisation semestrielle). Quel est le taux de coupon si les coupons sont payés tous les six mois ?

**CHAPITRE 05**

# La relation rendement-risque

# Mise en contexte

Nous avons souligné, dans les chapitres 3 et 4, l'importance du choix du taux de rendement dans tout calcul d'actualisation ou de capitalisation, comme lorsqu'on évalue les actifs financiers des entreprises. Nous avons plus particulièrement noté que les investisseurs, par nature, ont une **aversion pour le risque.** Donc, pour accepter de courir un risque supplémentaire, ceux-ci exigent un rendement supérieur. Il en découle qu'il existe une relation directe et positive entre le rendement et le risque. Dans ce chapitre, nous caractériserons cette relation. Pour y parvenir, nous devons d'abord définir la notion de risque (et de rendement) et, aussi, mesurer ce risque.

Bien qu'il existe plusieurs mesures du risque en finance, la notion du risque reste en général étroitement liée à la notion d'incertitude. Dans ce chapitre, nous verrons la façon dont les investisseurs gèrent cette incertitude et arrivent à la réduire grâce à une méthode scientifique nommée **processus de diversification.**

## 5.1    Le taux de rendement sans risque

Dans le chapitre 3, nous avons appris que les bons du Trésor sont des titres d'endettement à court terme émis par le gouvernement pour emprunter de l'argent auprès des investisseurs. En raison de la nature de leur émetteur (le gouvernement) et de leur échéance (court terme), les bons du Trésor sont considérés comme les titres financiers présentant un risque tellement faible qu'on le considère comme nul, et le rendement qui en découle est un rendement sûr.

Dans le chapitre précédent, nous avons étudié la façon de calculer le rendement des bons du Trésor. Une partie de ce rendement sert à compenser la perte du pouvoir d'achat causée par l'inflation durant la période d'investissement. Ainsi, l'augmentation réelle de la richesse de l'investisseur, ou le rendement réel, est le solde du rendement une fois éliminé l'effet de l'inflation prévue. Comme le taux d'inflation n'est pas connu d'avance avec certitude, le taux de rendement des bons du Trésor n'est pas, rationnellement, un taux de rendement sûr.

Dans la réalité, les investisseurs raisonnent aussi en fonction de l'impôt. Ils évaluent donc le rendement réel net, soit après inflation et après impôt. De plus, ils savent que les revenus provenant des titres n'ont pas le même traitement fiscal que les autres revenus. En effet, le gouvernement encourage les investissements risqués en accordant aux revenus qui en découlent des traitements fiscaux plus favorables. Par exemple, les revenus en dividendes, moins certains que les revenus d'intérêts, bénéficient d'un meilleur traitement fiscal.

## 5.2    La notion de risque

Un investisseur en valeurs mobilières peut percevoir le risque comme étant la possibilité que son investissement n'obtienne pas le rendement qu'il a exigé, ou espéré, au moment de l'achat de son titre financier. Lorsque l'investisseur est un détenteur d'actions ou d'obligations d'entreprises, il existe un lien étroit entre ce risque et les performances financières de l'entreprise émettrice. En effet, l'actionnaire obtient son rendement, entre autres, grâce aux dividendes que l'entreprise lui verse. L'obligataire prête son argent à l'entreprise en espérant recevoir des coupons et être remboursé à l'échéance. Or, la capacité de l'entreprise à répondre à ces attentes dépendra de sa capacité à survivre et à générer des flux monétaires.

L'entreprise court elle-même un risque dans ses activités d'investissement relatives à la production ou à la commercialisation et dans ses activités de financement. On peut répartir le risque total auquel fait face une entreprise en deux parties : le risque d'exploitation (ou risque d'affaires) et le risque financier.

### 5.2.1 Le risque d'exploitation

Le **risque d'exploitation** émane de l'incertitude sur les flux monétaires générés par les investissements actuels et futurs d'une entreprise. Toute entreprise y est confrontée. En effet, il est impossible de connaître à l'avance avec certitude la quantité de biens qui seront produits et vendus, le chiffre d'affaires, les coûts et les profits futurs, ni d'assurer la stabilité de ces éléments. Ce risque est donc étroitement lié à la nature des activités de l'entreprise. Ainsi, une entreprise du secteur agroalimentaire, par exemple, ne court pas le même risque d'exploitation qu'une entreprise du secteur pétrolier puisque l'on s'attend à une plus grande fluctuation des ventes dans le deuxième secteur que dans le premier.

Comme les investisseurs sont conscients de l'existence de ce risque inévitable, ils vont exiger une rémunération supplémentaire chaque fois qu'ils estiment ce risque plus grand dans un secteur que dans un autre.

Ainsi, pour accepter d'acheter et de détenir une action, un investisseur exigera un taux de rendement comprenant, d'une part, une rémunération de base équivalente au taux de rendement des titres sans risque et, d'autre part, une prime liée au risque d'exploitation de l'entreprise.

Dans ce cas, on peut écrire :

$$R_o = R_f + \text{prime pour le risque d'exploitation} \qquad (5.1)$$

où

$R_o$ est le rendement exigé par les actionnaires ;

$R_f$ est le rendement des titres sans risque.

Nous savons que la relation entre la prime liée au risque d'exploitation et le niveau même de ce risque est positive. De plus, si l'on suppose que cette relation est linéaire, l'équation (5.1) peut être représentée comme suit :

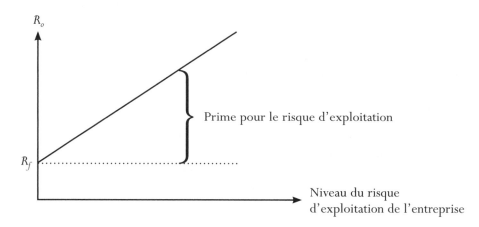

### 5.2.2 Le risque financier

Contrairement au risque d'exploitation, le **risque financier** n'est pas lié à la nature des activités de l'entreprise, mais à son mode de financement. En effet, la structure typique du capital de chaque entreprise repose sur des dettes et des fonds propres. Le financement par dette possède l'avantage d'augmenter la rentabilité de l'entreprise (cet aspect sera étudié en détail au chapitre 7). Or, ce mode de financement possède aussi un inconvénient non négligeable : plus une entreprise est endettée, plus la probabilité d'être incapable d'honorer ses engagements envers les créanciers augmente. À la limite, si une entreprise se trouve dans l'incapacité de rembourser ses dettes, elle est conduite à la faillite. Étant conscients de ce risque, les actionnaires exigeront un rendement d'autant plus élevé que la part de la dette dans le capital de l'entreprise est élevée.

Si l'on incorpore cette nouvelle prime de risque dans le rendement total exigé par les actionnaires, l'équation (5.1) devient :

$$R_o = R_f + \text{prime pour le risque d'exploitation}$$
$$+ \text{ prime pour le risque financier} \qquad (5.2)$$

où

$R_o$ et $R_f$ sont les variables définies dans l'équation (5.1).

Nous savons que la relation entre la prime pour le risque financier et le niveau même de ce risque financier est positive. Si l'on suppose en plus que cette relation est linéaire, l'équation (5.2) peut être représentée comme suit :

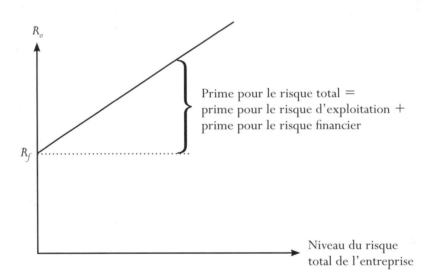

## 5.3 Les mesures du rendement et du risque

### 5.3.1 Le rendement

Sur le plan financier, on peut définir le rendement comme la vitesse à laquelle un investisseur s'enrichit (ou s'appauvrit) grâce aux revenus périodiques générés par son investissement et à la variation de la valeur de cet investissement. Le rendement périodique d'un investissement se traduit donc par l'équation suivante :

$$R_t = \frac{\text{revenu} + \text{gain (ou perte) en capital}}{\text{prix initial}} = \frac{D_t + \Delta P_t}{P_{t-1}} \qquad (5.3)$$

où

$R_t$ est le rendement périodique du titre ;

$D_t$ est le revenu périodique (dividende, intérêt ou autres flux monétaires) ;

$P_{t-1}$ est le prix en début de période $t$ ;

$P_t$ est le prix en fin de période $t$ ;

$\Delta P_t$ est le gain (ou perte) en capital $= P_t - P_{t-1}$.

## EXEMPLE 5.1

Une action payée 100 $ en début d'année, rapportant 5 $ de dividende en fin d'année et valant 105 $ après versement du dividende, aurait connu un rendement annuel de :

$$\frac{5\,\$ + (105\,\$ - 100\,\$)}{100} = \frac{10}{100} = 10\,\%$$

En réalité, on ne peut pas toujours connaître avec certitude les revenus futurs à recevoir et encore moins la valeur de l'investissement en fin de période. On ne peut que prévoir différents scénarios (états possibles), avec un rendement pour chaque scénario éventuel, et assigner à chacun une probabilité de réalisation. On calcule ainsi un **rendement espéré** de la façon suivante :

$$E(R_i) = \sum_{j=1}^{n} R_{i,j}\, p_j \qquad (5.4)$$

où

$E(R_i)$ est l'espérance de rendement de l'investissement $i$ ;

$R_{i,j}$ est le rendement de l'investissement $i$ sous le scénario $j$ ;

$p_j$ est la probabilité de réalisation du scénario $j$ ;

$n$ est le nombre de scénarios $j$ possibles (*voir l'exemple 5.2*).

Deux remarques importantes doivent être faites à ce stade. D'abord, le rendement espéré de 14,6 % dans l'exemple 5.2 ne sera en réalité jamais atteint. Les seuls rendements possibles à la fin de la période sont 12 %, 14 %, 15 %, 17 % ou 18 %. L'espérance n'est donc qu'une estimation de la moyenne de ces rendements possibles. À elle seule, cette valeur de 14,6 % ne nous informe pas sur la dispersion possible du rendement qui sera réalisé par rapport à cette moyenne.

Ensuite, si on ne dispose pas d'informations permettant d'établir des prévisions futures sur les différents scénarios possibles, leur probabilité de réalisation et le rendement associé à chacun, mais qu'on dispose d'informations sur les rendements historiques du même investissement, on peut alors estimer le rendement espéré pour la période à venir à partir de la moyenne des rendements observés au cours des périodes passées :

$$E(R_i) = \sum_{t=1}^{n} \frac{R_{i,t}}{N} \equiv \overline{R}_i \qquad (5.5)$$

où

$E(R_i)$ est l'espérance de rendement de l'investissement $i$ ;

$R_{i,t}$ est le rendement de l'investissement $i$ à la période $t$ ;

$N$ est le nombre de périodes historiques.

On vous fournit les prévisions suivantes sur les rendements futurs d'un projet d'investissement $i$ en fonction de cinq scénarios économiques $j$ possibles :

| Scénario | Probabilité | Rendement (en pourcentage) |
|---|---|---|
| $j$ | $p_j$ | $R_{i,j}$ |
| Forte expansion | 0,1 | 18 |
| Légère expansion | 0,2 | 17 |
| Statu quo | 0,2 | 15 |
| Légère récession | 0,2 | 14 |
| Forte récession | 0,3 | 12 |

Cette distribution de probabilités peut être représentée graphiquement comme suit :

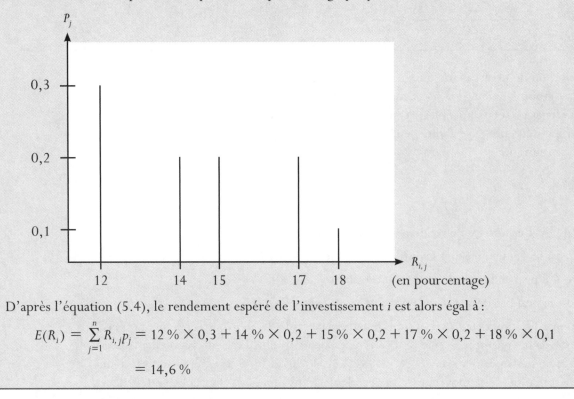

D'après l'équation (5.4), le rendement espéré de l'investissement $i$ est alors égal à :

$$E(R_i) = \sum_{j=1}^{n} R_{i,j} p_j = 12\% \times 0{,}3 + 14\% \times 0{,}2 + 15\% \times 0{,}2 + 17\% \times 0{,}2 + 18\% \times 0{,}1$$

$$= 14{,}6\%$$

### 5.3.2 La variance

Pour un investisseur, il est utile de connaître à l'avance le rendement qu'il espère obtenir sur son investissement. Cependant, le rendement qui sera effectivement obtenu s'écarte souvent de celui espéré et calculé en début de période. Cet aspect représente le risque auquel fait face l'investisseur. Tel que nous l'avons mentionné dans la sous-section précédente, l'espérance est un opérateur qui ne nous indique pas l'ampleur du risque de s'écarter de cette valeur. Un autre opérateur statistique nous fournit une estimation de ce risque, soit l'opérateur nommé variance. La variance des rendements est utilisée pour mesurer le risque associé au rendement d'un titre, puisqu'elle indique la dispersion des rendements possibles par rapport au rendement espéré.

La variance des rendements se calcule comme suit :

$$var(R_i) \quad \text{ou} \quad \sigma^2(R_i) \quad \text{ou} \quad \sigma_i^2 = \sum_{j=1}^{n} [R_{i,j} - E(R_i)]^2 \times p_j \qquad (5.6)$$

où

$E(R_i)$, $R_{i,j}$, $p_j$ et $n$ sont les variables définies dans l'équation (5.4).

## A ■ Les expressions possibles de la variance

$$\sigma_i^2 = E[R_i - E(R_i)]^2 \qquad (5.7)$$

L'écart-type est égal à la racine carrée de la variance :

$$\sigma_i = \sqrt{\sigma_i^2} \qquad (5.8)$$

Le concept d'écart-type est important si l'on considère que la distribution des rendements possibles suit une loi normale. Les caractéristiques statistiques de la loi normale nous informent qu'il y a une probabilité d'environ 68 % que le rendement obtenu soit compris dans l'intervalle englobant l'espérance plus ou moins un écart-type, c'est-à-dire $[E(R_i) - \sigma_i, E(R_i) + \sigma_i]$, et que cette probabilité augmente à 95 % si l'on élargit l'intervalle à $[E(R_i) - 2\sigma_i, E(R_i) + 2\sigma_i]$.

Ainsi, en combinant les opérateurs espérance et écart-type, nous disposons de plus d'informations sur l'éventail des rendements qui pourront être obtenus en fin de période.

Si l'on ne dispose pas d'informations permettant d'établir des prévisions futures sur les différents scénarios possibles, leur probabilité de réalisation et leur rendement, mais qu'on dispose d'informations sur les rendements historiques du même investissement, on peut alors estimer la variance pour la période à venir à partir des rendements observés au cours des périodes passées :

$$\sigma_i^2 = \frac{1}{N} \sum_{t=1}^{N} [R_{i,t} - E(R_i)]^2 \qquad (5.9)$$

où

$E(R_i)$, $R_{i,t}$ et $N$ sont les variables définies dans l'équation (5.5).

Lorsque l'espérance du rendement, inconnue au départ, est elle-même estimée à l'aide de la même suite de rendements historiques, on dit alors qu'il y a perte d'un degré de liberté, et l'équation (5.9) devient :

$$\sigma_i^2 = \frac{1}{N-1} \sum_{t=1}^{N} (R_{i,t} - \overline{R}_i)^2 \qquad (5.10)$$

et l'écart-type est alors égal à :

$$\sigma_i = \sqrt{\frac{1}{N-1} \sum_{t=1}^{N} (R_{i,t} - \overline{R}_i)^2} \qquad (5.11)$$

## EXEMPLE 5.3

On vous fournit les prévisions suivantes sur l'évolution future des flux monétaires de deux projets d'investissement, A et B.

| Scénario | Projet A | | Projet B | |
| --- | --- | --- | --- | --- |
| | Probabilité | Flux monétaire (en dollars) | Probabilité | Flux monétaire (en dollars) |
| $j$ | $p_j$ | $FM_A$ | $p_j$ | $FM_B$ |
| Augmentation | 0,2 | 1 200 | 0,1 | 1 300 |
| Stabilité | 0,6 | 1 000 | 0,8 | 1 100 |
| Diminution | 0,2 | 800 | 0,1 | 700 |

La distribution des flux monétaires de ces deux projets peut être représentée par les graphiques suivants :

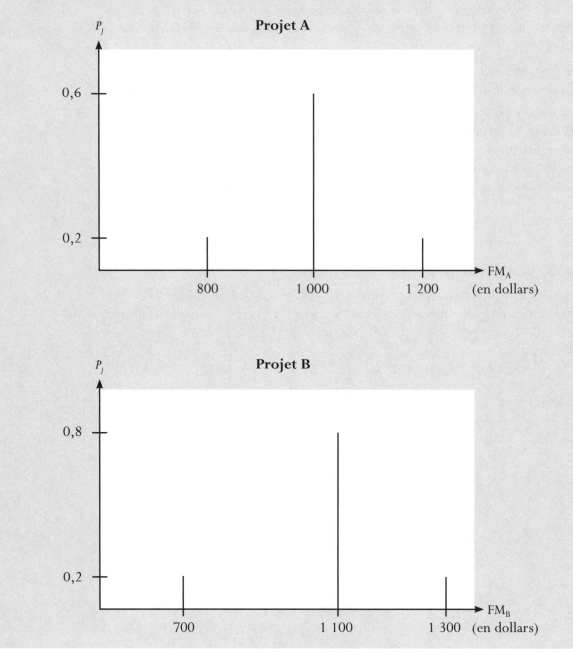

En se basant sur le critère des flux monétaires futurs, peut-on déterminer le meilleur projet?

Réponse:

On calcule d'abord le flux monétaire espéré de chaque projet:

$$E(\text{FM}_A) = \sum_{j=1}^{n} \text{FM}_{A,j} P_j = 800\,\$ \times 0{,}2 + 1\,000\,\$ \times 0{,}6 + 1\,200\,\$ \times 0{,}2 = 1\,000\,\$$$

$$E(\text{FM}_B) = \sum_{j=1}^{n} \text{FM}_{B,j} P_j = 700\,\$ \times 0{,}1 + 1\,100\,\$ \times 0{,}8 + 1\,300\,\$ \times 0{,}1 = 1\,080\,\$$$

D'après l'opérateur espérance, le projet B est meilleur. Cependant, on peut voir dans les graphiques de distribution des flux monétaires des deux projets que le projet B semble plus risqué, puisque la dispersion de ses flux monétaires est plus grande. On peut maintenant calculer la variance et l'écart-type des flux monétaires des deux projets:

Projet A:

$$\sigma_A^2 = \sum_{j=1}^{n} [\text{FM}_{A,j} - E(\text{FM}_A)]^2 P_j$$

$$= 0{,}2 \times (1\,200\,\$ - 1\,000\,\$)^2 + 0{,}6 \times (1\,000\,\$ - 1\,000\,\$)^2 + 0{,}2 \times (800\,\$ - 1\,000\,\$)^2$$

$$= 16\,000\,\$$$

$$\sigma_A = \sqrt{\sigma_A^2} = \sqrt{16\,000\,\$} = 126{,}49\,\$$$

Projet B:

$$\sigma_B^2 = \sum_{j=1}^{n} [\text{FM}_{B,j} - E(\text{FM}_B)]^2 P_j$$

$$= 0{,}1 \times (1\,300\,\$ - 1\,080\,\$)^2 + 0{,}8 \times (1\,100\,\$ - 1\,080\,\$)^2 + 0{,}1 \times (700\,\$ - 1\,080\,\$)^2$$

$$= 19\,600\,\$$$

$$\sigma_B = \sqrt{\sigma_B^2} = \sqrt{19\,600\,\$} = 140\,\$$$

Le projet B est effectivement plus risqué que le projet A. Ainsi, si l'on se base sur les opérateurs espérance des flux monétaires et variance (ou écart-type) des flux monétaires pour évaluer les projets, on constate qu'aucun d'eux ne domine l'autre. En effet, le projet B promet, en moyenne, des flux monétaires futurs plus élevés que ceux du projet A, mais, en même temps, il est plus risqué. Dans ce genre de situation, on peut utiliser un autre critère pour comparer les deux projets. Il s'agit du critère du coefficient de variation.

### 5.3.3 Le coefficient de variation

Le coefficient de variation représente le nombre d'unités d'écart-type par rapport à une unité d'espérance mathématique. En termes financiers, nous pouvons dire que ce critère nous indique le risque total par unité de rendement moyen espéré. Ainsi, plus ce coefficient est élevé, plus le risque relatif est élevé:

$$\text{CV}_i = \frac{\sigma(R_i)}{R(R_i)} \tag{5.12}$$

Revenons aux projets A et B de l'exemple 5.3 :

| | | | | |
|---|---|---|---|---|
| CV du projet A | = | 126,49 $/1 000 $ | = | 0,126 |
| CV du projet B | = | 140 $/1 080 $ | = | 0,13 |

Sur la base de ce critère, le projet B est le plus risqué.

Enfin, il faut noter que les critères d'espérance et de variance (appelés moments d'ordre 1 et 2) et, conséquemment, de coefficient de variation, ne sont suffisants pour caractériser une distribution de rendements ou de flux monétaires que si cette distribution suit la loi normale. Dans le cas contraire, il devient dangereux de se limiter à ces deux premiers moments, et il est nécessaire de calculer des moments d'ordre supérieur. La démonstration de ce calcul dépasse l'objectif du présent manuel.

## 5.4 Introduction à la théorie de portefeuille

Généralement, un investisseur détient un ensemble varié de titres (actions de différentes entreprises, obligations et autres titres) appelé portefeuille. Il est donc important de pouvoir mesurer le rendement et le risque agrégé de tout le portefeuille. Il en est de même pour les entreprises qui investissent, de façon générale, simultanément dans plusieurs projets dans différents secteurs industriels et à divers endroits géographiques. Si le rendement d'un portefeuille d'investissements ne dépend que des rendements de chacun de ces investissements, le risque, quant à lui, ne dépend pas uniquement du risque de chaque investissement, mais aussi de la façon dont ces investissements sont liés entre eux. C'est la nature de ce lien qui incite le plus souvent les investisseurs à constituer un portefeuille qui, dans la mesure où ses composantes sont bien choisies, leur permet de bénéficier d'un effet de diversification du risque total.

### 5.4.1 Le rendement d'un portefeuille

Le rendement d'un portefeuille d'investissements est égal à la moyenne pondérée des rendements de chaque investissement. Il en est de même pour l'espérance de rendement.

Ainsi, le rendement et l'espérance de rendement d'un portefeuille composé de $N$ investissements dans des proportions $x_i$ sont donnés par :

$$\tilde{R}_p = \sum_{i=1}^{N} x_i \tilde{R}_i \qquad (5.13)$$

et

$$E(R_p) = \sum_{i=1}^{N} x_i E(R_i) \qquad (5.14)$$

où

$E(R_i)$ est l'espérance de rendement de l'investissement $i$ ;

$\tilde{R}_i$ est le rendement aléatoire de l'investissement $i$ ;

$x_i$ est la proportion de l'investissement $i$ dans le portefeuille ;

$N$ est le nombre d'investissements dans le portefeuille.

Ainsi, dans le cas d'un portefeuille d'actions contenant deux titres, 1 et 2, dans des proportions $x_1$ et $x_2$, on a :

$$R_p = x_1 R_1 + x_2 R_2 = x_1 R_1 + (1 - x_1) R_2$$

et

$$E(R_p) = x_1 E(R_1) + x_2 E(R_2) = x_1 E(R_1) + (1 - x_1) E(R_2)$$

## 5.4.2 La variance du rendement d'un portefeuille

Contrairement au rendement, la variance du rendement d'un portefeuille de $N$ investissements est égale à la moyenne pondérée des $N$ variances individuelles de chaque investissement, et aussi des $N(N-1)$ covariances des investissements considérés deux par deux :

$$\sigma_P^2 = \sum_{i=1}^{N} x_i^2 \sigma_i^2 + \sum_{i=1}^{N} \sum_{j=1}^{N} x_i x_j \sigma_{i,j} \tag{5.15}$$

où

$\sigma_{i,j}$ est la covariance entre les rendements des investissements $i$ et $j$ ;

$\sigma_i$ est la variance du rendement de l'investissement $i$ ;

$x_i$ est la proportion de l'investissement $i$ dans le portefeuille.

Ainsi, dans le cas d'un portefeuille contenant deux titres, nous avons (*voir la démonstration à l'annexe 5A*) :

$$\sigma_P^2 = x_1^2 \sigma_1^2 + (1 - x_1)^2 \sigma_2^2 + 2x_1(1 - x_1)\sigma_{1,2} \tag{5.16}$$

Cette équation indique que le risque du portefeuille $\sigma_P^2$ ne dépend pas seulement des risques propres aux titres qui le composent (variance), mais aussi de la covariance entre les rendements des titres, c'est-à-dire du synchronisme plus ou moins poussé entre ces titres.

## 5.4.3 La covariance

On définit la covariance comme la mesure de l'aptitude de deux variables aléatoires à varier ensemble. Quand les rendements des titres tendent à varier dans le même sens, la covariance est positive. Elle est négative quand les variations tendent à s'opposer. La covariance peut être décomposée en **coefficient de corrélation** et en écarts-types :

$$cov(R_1, R_2) \equiv \sigma_{1,2} = \rho_{1,2} \times \sigma_1 \times \sigma_2 \tag{5.17}$$

où

$\sigma_{1,2}$ est le coefficient de corrélation entre les rendements des investissements 1 et 2. Il est compris entre $-1$ et $1$ et donne le signe de la covariance.

### A ■ Les expressions possibles de la covariance

$$\sigma_{i,j} = E\{[R_i - E(R_i)][R_j - E(R_j)]\} \tag{5.18}$$

ou

$$\sigma_{i,j} = \sum_i \sum_j [R_i - E(R_i)][R_j - E(R_j)]p(R_i, R_j) \tag{5.19}$$

où

$p(R_i, R_j)$ est une probabilité conjointe, c'est-à-dire la probabilité qu'une certaine valeur de $R_i$ soit observée conjointement avec une certaine valeur de $R_j$.

Si les rendements tendent à varier dans le même sens, les écarts par rapport à la moyenne auront le même signe, et la covariance sera positive et élevée.

## 5.4.4 La mesure de la covariance

Si l'on dispose d'une suite de rendements passés, la moyenne des $N$ produits des écarts de ces rendements passés par rapport à l'espérance de rendement constituera une estimation de la covariance :

$$\sigma_{1,2} = \frac{1}{N} \sum_{t=1}^{N} [R_{i,t} - E(R_i)][R_{j,t} - E(R_j)] \tag{5.20}$$

Si les rendements espérés proviennent de la même suite historique, on perd alors un degré de liberté et l'équation devient :

$$\sigma_{1,2} = \frac{1}{N-1} \sum_{t=1}^{N} (R_{i,t} - \overline{R}_i)(R_{j,t} - \overline{R}_j) \tag{5.21}$$

## EXEMPLE 5.5

On a ici une série de rendements historiques de deux titres, 1 et 2, au cours des six dernières années.

| Année | 1 | 2 | 3 | 4 | 5 | 6 |
|---|---|---|---|---|---|---|
| $R_{1,t}$ (en pourcentage) | 6 | 7 | 7 | 8 | 9 | 11 |
| $R_{2,t}$ (en pourcentage) | 9 | 9 | 10 | 11 | 12 | 9 |

Quel est le coefficient de corrélation entre les titres 1 et 2?

Réponse:

Selon l'équation (5.17): $\sigma_{1,2} = \rho_{1,2}\,\sigma_1\,\sigma_2$

Pour calculer le coefficient de corrélation, on doit d'abord calculer la covariance et l'écart-type des rendements des deux titres. Ces deux derniers calculs nécessitent aussi le calcul du rendement moyen de chaque titre.

D'après l'équation (5.5), on a:

$$E(R_1) = \sum_{t=1}^{N} \frac{R_{1,t}}{N} = \frac{6\,\% + 7\,\% + 7\,\% + 8\,\% + 9\,\% + 11\,\%}{6} = 8\,\%$$

$$E(R_2) = \sum_{t=1}^{N} \frac{R_{2,t}}{N} = \frac{9\,\% + 9\,\% + 10\,\% + 11\,\% + 12\,\% + 9\,\%}{6} = 10\,\%$$

D'après l'équation (5.21), on a:

$$\sigma_{1,2} = \frac{1}{N-1} \sum_{t=1}^{N} (R_{1,t} - \overline{R}_1)(R_{2,t} - \overline{R}_2)$$

| $R_{1,t} - \overline{R}_1$ (en pourcentage) | $-2$ | $-1$ | $-1$ | 0 | 1 | 3 |
|---|---|---|---|---|---|---|
| $R_{2,t} - \overline{R}_2$ (en pourcentage) | $-1$ | $-1$ | 0 | 1 | 2 | $-1$ |

$$\sigma_{1,2} = \frac{1}{5}[2\,\% + 1\,\% + 0\,\% + 2\,\% - 3\,\%] = \frac{2\,\%}{5} = 0{,}4\,\%$$

La covariance est positive, car les titres ont tendance à varier dans le même sens en même temps.

Selon l'équation (5.11), on a:

$$\sigma_1 = \sqrt{\frac{1}{N-1} N \sum_{t=1}^{6} (R_{1,t} - \overline{R}_1)^2}$$

$$= \sqrt{\frac{1}{5}[(-2\,\%)^2 + (-1\,\%)^2 + (-1\,\%)^2 + (0\,\%)^2 + (1\,\%)^2 + (3\,\%)^2]}$$

$$= \left(\frac{16\,\%}{5}\right)^{\frac{1}{2}} = 17{,}9\,\%$$

De même:

$$\sigma_2 = \sqrt{\frac{1}{N-1} N \sum_{t=1}^{6} (R_{2,t} - \overline{R}_2)^2}$$

$$= \left(\frac{8\,\%}{5}\right)^{\frac{1}{2}} = 12{,}6\,\%$$

donc:

$$\rho_{1,2} = \frac{\sigma_{1,2}}{\sigma_1 \sigma_2} = \frac{0{,}4\,\%}{17{,}9\,\% \times 12{,}6\,\%} = 0{,}18$$

Comme on s'y attendait, le coefficient de corrélation entre les deux titres est légèrement positif.

## 5.4.5 La diversification

L'équation (5.16) illustre bien l'importance de la covariance dans la mesure du risque d'un portefeuille bien diversifié. En intégrant l'équation (5.17) dans l'équation (5.16), on obtient :

$$\sigma_P^2 = x_1^2\sigma_1^2 + (1 - x_1)^2\sigma_2^2 + 2x_1(1 - x_1)\rho_{1,2} \times \sigma_1 \times \sigma_2 \qquad (5.22)$$

Le risque d'un portefeuille dépend ainsi du risque individuel de chaque investissement et aussi du coefficient de corrélation entre ces investissements. En choisissant des investissements ayant un faible coefficient de corrélation entre eux, l'investisseur peut réduire le risque total de son portefeuille et bénéficier ainsi d'un effet de **diversification.** Illustrons cela par un exemple.

## EXEMPLE 5.6

Soit un portefeuille équipondéré d'actions de deux entreprises, A et B, ayant les caractéristiques suivantes :

$$\overline{R}_A = 1,54\% \qquad \sigma_A = 5\%$$
$$\overline{R}_B = 1,05\% \qquad \sigma_B = 3,46\%$$

Le rendement de ce portefeuille est alors égal à :

$$\overline{R}_p = \sum_{1=1}^{2} x_i\overline{R}_i = 0,5 \times 1,54 + 0,5 \times 1,05 = 1,29$$

D'après l'équation (5.22), le risque total de ce portefeuille est égal à :

$$\sigma_P^2 = x_A^2 \times \sigma_A^2 + (1 - x_A)^2 \times \sigma_B^2 + 2 \times x_A \times (1 - x_A) \times \rho_{A,B} \times \sigma_A \times \sigma_B$$
$$= 0,5^2 \times (5\%)^2 + 0,5^2 \times (3,46\%)^2 + 2 \times 0,5 \times 0,5 \times 5\% \times 3,46\% \times \rho_{A,B}$$

Analysons l'effet du coefficient de corrélation sur le risque du portefeuille en nous appuyant sur trois cas.

**Premier cas :** les deux titres sont parfaitement positivement corrélés

$$\rho_{A,B} = 1$$
$$\sigma_P^2 = x_A^2 \times \sigma_A^2 + (1 - x_A)^2 \times \sigma_B^2 + 2 \times x_A \times (1 - x_A) \times \sigma_A \times \sigma_B$$
$$= 0,5^2 \times (5\%)^2 + 0,5^2 \times (3,46\%)^2 + 2 \times 0,5 \times 0,5 \times 5\% \times 3,46\%$$
$$= 17,89\%$$

et

$$\sigma_p = \sqrt{\sigma_P^2} = \sqrt{x_A^2 \times \sigma_A^2 + (1 - x_A)^2 \times \sigma_B^2 + 2 \times x_A \times (1 - x_A) \times \sigma_A \times \sigma_B}$$
$$= \sqrt{(x_A \times \sigma_A + x_B\sigma_B)^2} = (x_A \times \sigma_A + x_B\sigma_B)$$
$$= 4,23\%$$

Dans le cas où le coefficient de corrélation entre les deux investissements est égal à 1, le risque du portefeuille, tel qu'il est mesuré par l'écart-type de son rendement, est égal à la moyenne des risques des différents investissements, pondérée par la proportion de chaque investissement dans le portefeuille total. Le portefeuille est dans ce cas à son niveau maximum de risque possible et aucun effet de diversification n'est possible.

**Deuxième cas :** les deux titres sont indépendants

$$\rho_{A,B} = 0$$

$$\sigma_P^2 = x_A^2 \times \sigma_A^2 + (1 - x_A)^2 \times \sigma_B^2$$

$$= 0,5^2 \times (5\%)^2 + 0,5^2 \times (3,46\%)^2$$

$$= 9,24\%$$

et

$$\sigma_P = \sqrt{\sigma_P^2} = \sqrt{x_A^2 \times \sigma_A^2 + (1 - x_A)^2 \times \sigma_B^2}$$

$$= 3,04\%$$

Dans ce cas, le risque du portefeuille est plus faible. L'investisseur bénéficie d'un effet de diversification en choisissant des investissements peu corrélés.

**Troisième cas :** les deux titres sont parfaitement négativement corrélés

$$\rho_{A,B} = -1$$

$$\sigma_P^2 = x_A^2 \times \sigma_A^2 + (1 - x_A)^2 \times \sigma_B^2 - 2 \times x_A \times (1 - x_A) \times \sigma_A \times \sigma_B$$

$$= 0,5^2 \times (5\%)^2 + 0,5^2 \times (3,46\%)^2 - 2 \times 0,5 \times 0,5 \times 5\% \times 3,46\%$$

$$= 0,59\%$$

et

$$\sigma_P = \sqrt{\sigma_P^2} = \sqrt{x_A^2 \times \sigma_A^2 + (1 - x_A)^2 \times \sigma_B^2 - 2 \times x_A \times (1 - x_A) \times \sigma_A \times \sigma_B}$$

$$= \sqrt{(x_A \times \sigma_A - x_B \sigma_B)^2} = (x_A \times \sigma_A - x_B \sigma_B)$$

$$= 0,77\%$$

Ici, le risque du portefeuille est encore plus faible que dans les deux cas précédents. Il en ressort que, plus le coefficient de corrélation est faible, plus le risque du portefeuille diminue, sans pour autant que son rendement en soit affecté. En choisissant des titres très faiblement corrélés, l'investisseur bénéficie pleinement des avantages de la diversification.

## 5.5 La notion de portefeuille efficient

La diversification scientifique consiste à choisir un portefeuille optimal, c'est-à-dire un portefeuille présentant un risque minimal pour un rendement donné, ou un rendement maximal pour un risque donné.

Ici, le problème consiste à résoudre l'algorithme de Markowitz suivant :

- choix des proportions $x_i$ du portefeuille de telle sorte que l'on minimise la variance :

$$\sigma_P^2 = \sum_{i=1}^{N} x_i^2 \sigma_i^2 + \sum_{\substack{j=1 \\ i \neq j}}^{N} \sum_{i=1}^{N} x_i x_j \sigma_{i,j}$$

- à la condition que son rendement espéré corresponde au niveau désiré :

$$E(R_P) = \sum_{j=1}^{N} x_i E(R_i) = E_P^*$$

- et que la somme de ses proportions soit égale à 1 :

$$\sum_{i=1}^{n} x_i = 1$$

On peut combiner ces trois égalités dans une seule fonction, dite fonction objectif de Lagrange :

$$\min(Z) = \left( \sum_{i=1}^{N} x_i^2 \sigma_i^2 + \sum_{i=1}^{N} \sum_{j=1}^{N} x_i x_j \sigma_{i,j} \right) + \lambda_1 \left( \sum_{i=1}^{N} x_i E(R_i) - E_P^* \right) + \lambda_2 \left( \sum_{i=1}^{N} x_i - 1 \right)$$

En égalant les dérivées partielles de $Z$ par rapport aux $x_i$ et $\lambda_k$ à zéro, on obtient le vecteur des proportions recherchées.

Ainsi, pour chaque niveau de rendement désiré du portefeuille, on obtient le meilleur portefeuille, soit celui qui présente le risque le plus faible. L'ensemble de ces portefeuilles optimaux s'appelle la frontière efficiente. C'est le lieu des points qui correspondent à un rendement espéré maximal pour une variance donnée, ou à une variance minimale pour un rendement espéré donné. Cette frontière peut être représentée graphiquement comme suit :

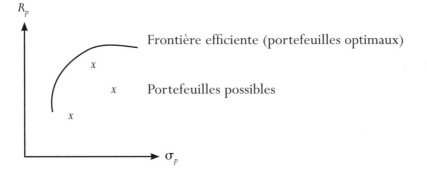

## 5.6 Le modèle du marché

Lorsqu'un portefeuille comporte plusieurs investissements, le calcul de son risque total à l'aide de l'équation (5.15) devient fastidieux. Pour réduire le nombre de calculs nécessaires à l'estimation du risque d'un portefeuille, on peut recourir au modèle du marché. Selon ce modèle, en toute période $t$, le rendement global de l'économie, généralement représenté par le rendement aléatoire du marché des titres risqués, serait le principal facteur commun d'explication des rendements aléatoires des actifs. Les titres ne seraient donc corrélés entre eux qu'en raison de leur relation commune avec le marché. Ainsi, selon ce modèle, le rendement d'un titre financier s'écrit comme suit :

$$\tilde{R}_{i,t} = \alpha_i + \beta_i \tilde{R}_{m,t} + \epsilon_{i,t} \tag{5.23}$$

où

$\alpha_i$ est la constante caractéristique du titre $i$ qui correspond à la partie du rendement ($\tilde{R}_{i,t}$) explicable par des facteurs propres au titre $i$ ;

$\beta_i$ est le coefficient de sensibilité au regard des mouvements du marché ; il s'agit d'un coefficient de **risque systématique** que l'on traduit par $cov(\tilde{R}_{i,t}, \tilde{R}_{m,t}) / var(\tilde{R}_{m,t})$ ;

$\epsilon_{i,t}$ est le terme résiduel aléatoire possédant les propriétés suivantes :
$E(\epsilon_{i,t}) = 0$ ; $cov(\epsilon_{i,t}, \tilde{R}_{m,t}) = 0$ ; $cov(\epsilon_{i,t}, \epsilon_{i,t+1}) = 0$ ; $cov(\epsilon_{i,t}, \epsilon_{j,t}) = 0$.

En d'autres termes, les résidus concernés sont, respectivement, de moyenne nulle, indépendants des rendements du marché, indépendants dans leur suite temporelle et indépendants d'un actif à un autre.

En pratique, on obtient des estimateurs de $\alpha_j$ et de $\beta_j$ en effectuant une régression linéaire avec deux suites historiques parallèles de $\tilde{R}_{j,t}$ et de $\tilde{R}_{m,t}$ à l'aide de la méthode traditionnelle des moindres carrés. La droite de régression est appelée ligne caractéristique et peut être représentée graphiquement comme suit :

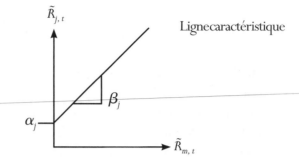

Ainsi, pour un portefeuille, on aura (*voir la démonstration à l'annexe 5B*) :

$$\tilde{R}_{p,t} = \alpha_p + \beta_p R_{m,t} + \epsilon_{p,t} \tag{5.24}$$

où

$$\alpha_p = \sum_i x_i \alpha_i$$

$$\beta_p = \sum_i x_i \beta_i$$

$$\epsilon_{p,t} = \sum_i x_i \epsilon_{i,t}$$

On peut alors établir deux résultats intéressants (*voir la démonstration à l'annexe 5C*).

1) La covariance entre deux titres :

$$\sigma_{i,j} = \beta_i \beta_j \sigma_m^2 \tag{5.25}$$

2) La variance d'un portefeuille :

$$\sigma_p^2 = \beta_p^2 \sigma_m^2 + \sigma_{\tilde{\epsilon}_p}^2 \tag{5.26}$$

Bref, le risque total du portefeuille est égal à la somme du risque systématique (ou non diversifiable) lié à l'effet d'entraînement du système économique et du risque non systématique (ou risque résiduel) diversifiable.

Un portefeuille parfaitement diversifié ne présenterait que du risque systématique ; donc, pour ce portefeuille :

$$\sigma_p^2 = \beta_p^2 \sigma_m^2$$

et

$$\sigma_p = \beta_p \sigma_m$$

## 5.7 Le modèle d'évaluation des actifs financiers (MÉDAF)

Le **MÉDAF** est un modèle d'équilibre général, en ce sens qu'il nous permet de déterminer le prix d'équilibre des titres qui se négocient sur les marchés financiers si tous les investisseurs détiennent un portefeuille optimal, soit un portefeuille à rendement espéré maximal pour un risque donné, ou à risque minimal pour un rendement espéré donné (un portefeuille efficient).

Les hypothèses et postulats de ce modèle sont les suivants :

- L'investisseur a une aversion pour le risque ; donc, pour un risque plus élevé, il exige un rendement plus élevé.

- L'investisseur est rationnel et veut maximiser la richesse provenant de ses placements.

- L'investisseur perçoit ses possibilités d'investissement au regard du rendement espéré et de la variance de ces rendements.

- La variance ou l'écart-type des rendements est une mesure pertinente du risque d'un portefeuille.

- Les perceptions des investisseurs sont homogènes, de sorte que la frontière efficiente est la même pour tous.

- L'horizon est identique pour tous et limité à une période.

- On ignore les complications liées aux impôts, aux frais de transaction et à l'inflation.

En fonction de ces hypothèses et de l'équilibre entre l'offre et la demande des titres, le rendement de tout titre financier s'écrit comme suit :

$$E(\tilde{R}_i) = R_f + [E(\tilde{R}_m) - R_f]\beta_i \tag{5.27}$$

où

$R_f$ est le rendement du titre sans risque ;

$E(\tilde{R}_m)$ est l'espérance de rendement du portefeuille du marché ;

$\beta_i$ est le coefficient du risque systématique du titre $i$.

Il s'agit là de l'équation du MÉDAF, mieux connue sous le nom de droite d'équilibre des actifs.

Selon cette équation, le rendement d'un actif $i$ est égal au rendement du titre sans risque bonifié d'une prime du risque égale au niveau du risque systématique du titre $i$ multiplié par la prime de risque du marché. Donc, d'après le MÉDAF, seul le risque systématique doit être rémunéré.

La droite d'équilibre des actifs peut être représentée graphiquement comme suit :

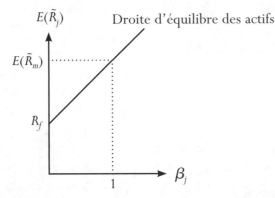

Le MÉDAF est un modèle très séduisant, compte tenu de sa simplicité et de sa logique. Son inconvénient réside dans les hypothèses restrictives qu'il pose. Notamment, pour tester sa validité, il faut émettre une hypothèse supplémentaire pour estimer le portefeuille du marché par l'indice du marché boursier. Le test devient ainsi une nécessité quant au MÉDAF et à cette hypothèse. Malgré cet inconvénient et le développement d'autres modèles concurrents d'évaluation des actifs, le MÉDAF reste encore le modèle le plus connu en finance et le plus utilisé aussi bien par les théoriciens que par les praticiens.

# Conclusion

La notion de risque est fondamentale en finance. Les investisseurs, par nature, ont une aversion pour le risque : plus le risque qu'ils courent est élevé, plus ils exigeront un rendement supérieur sur leur investissement. Nous avons, dans ce chapitre, défini et mesuré le risque, et caractérisé la relation entre ce risque et le rendement. Plus particulièrement, nous avons vu que le risque est lié en grande partie à l'incertitude quant aux performances futures de l'entreprise. Cette incertitude découle de la nature des activités de l'entreprise (risque d'exploitation) ainsi que de son mode de financement (risque financier). Nous avons alors mesuré le risque en fonction de la variance (ou de l'écart-type) des rendements.

Nous avons vu comment l'investisseur peut réduire une grande partie de ce risque en diversifiant ses investissements, soit en choisissant des titres financiers peu corrélés entre eux. Le MÉDAF nous fournit des informations sur la relation directe entre le rendement que devrait rapporter chaque investissement et le niveau de son risque systématique. Ce modèle est d'une grande importance, et nous verrons, dans le chapitre suivant, la façon dont il est utilisé lors de l'évaluation du coût du capital d'une entreprise et, par conséquent, de la rentabilité de ses projets d'investissement.

# À retenir

1. Les investisseurs ont naturellement une aversion pour le risque. Ainsi, pour accepter de courir un risque supplémentaire, ils exigent un rendement supérieur. Il en découle une relation directe et positive entre le rendement et le risque.

2. Pour un investisseur en valeurs mobilières, le risque représente la possibilité qu'il n'obtienne pas le rendement exigé, ou espéré, au moment de l'achat de son titre financier.

3. On peut répartir le risque total auquel fait face une entreprise en deux parties : le risque d'exploitation (ou risque d'affaires) et le risque financier.

4. Le risque d'exploitation est étroitement lié à la nature des activités de l'entreprise.

5. Le risque financier est étroitement lié au mode de financement de l'entreprise.

6. Sur le plan financier, on peut définir le rendement comme la vitesse à laquelle un investisseur s'enrichit (ou s'appauvrit) grâce aux revenus périodiques générés par son investissement et à la variation de la valeur de cet investissement.

7. La variance des rendements est utilisée pour mesurer le risque associé au rendement d'un titre, puisqu'elle indique la dispersion des rendements possibles par rapport au rendement espéré.

8. En choisissant des investissements ayant un faible coefficient de corrélation entre eux, l'investisseur peut réduire le risque total de son portefeuille et bénéficier ainsi de l'effet de diversification.

9. Le risque total du portefeuille est égal à la somme du risque systématique (ou non diversifiable) lié à l'effet d'entraînement du système économique et du risque non systématique (ou risque résiduel) diversifiable.

10. Selon le MÉDAF, seul le risque systématique doit être rémunéré.

## Sommaire des formules

### Le rendement exigé par les actionnaires

- en fonction du risque d'exploitation :

$$R_o = R_f + \text{prime pour le risque d'exploitation} \tag{5.1}$$

- en fonction du risque financier :

$$R_o = R_f + \text{prime pour le risque d'exploitation} \\ + \text{prime pour le risque financier} \tag{5.2}$$

### Le rendement et l'espérance du rendement d'un titre

Le rendement périodique :

$$R_t = \frac{\text{revenu} + \text{gain (ou perte) en capital}}{\text{prix initial}} = \frac{D_t + \Delta P_t}{P_{t-1}} \tag{5.3}$$

Le rendement espéré :

$$E(R_i) = \sum_{j=1}^{n} R_{i,j} p_j \tag{5.4}$$

$$E(R_i) = \sum_{t=1}^{n} \frac{R_{i,t}}{N} \equiv \overline{R}_i \tag{5.5}$$

### Les expressions possibles de la variance

$$var(R_i) \quad \text{ou} \quad \sigma^2(R_i) \quad \text{ou} \quad \sigma_i^2 = \sum_{j=1}^{n} [R_{i,j} - E(R_i)]^2 \times P_j \tag{5.6}$$

$$\sigma_i^2 = E[R_i - E(R_i)]^2 \tag{5.7}$$

$$\sigma_i = \sqrt{\sigma_i^2} \tag{5.8}$$

$$\sigma_i^2 = \frac{1}{N} \sum_{t=1}^{N} [R_{i,t} - E(R_i)]^2 \tag{5.9}$$

$$\sigma_i^2 = \frac{1}{N-1} \sum_{t=1}^{N} (R_{i,t} - \overline{R}_i)^2 \tag{5.10}$$

L'écart-type :

$$\sigma_i = \sqrt{\frac{1}{N-1} \sum_{t=1}^{N} (R_{i,t} - \overline{R}_i)^2} \tag{5.11}$$

**Le coefficient de variation**

$$CV_i = \frac{\sigma(R_i)}{R(R_i)} \tag{5.12}$$

**Le rendement d'un portefeuille de titres**

$$\tilde{R}_P = \sum_{i=1}^{N} x_i \tilde{R}_i \tag{5.13}$$

$$E(R_P) = \sum_{i=1}^{N} x_i E(R_i) \tag{5.14}$$

**La variance du rendement d'un portefeuille**

$$\sigma_P^2 = \sum_{i=1}^{N} x_i^2 \sigma_i^2 + \sum_{i=1}^{N} \sum_{j=1}^{N} x_i x_j \sigma_{i,j} \tag{5.15}$$

$$\sigma_P^2 = x_1^2 \sigma_1^2 + (1-x_1)^2 \sigma_2^2 + 2x_1(1-x_1)\sigma_{1,2} \tag{5.16}$$

**Les expressions possibles de la covariance**

$$cov(R_1, R_2) \equiv \sigma_{1,2} = \rho_{1,2} \times \sigma_1 \times \sigma_2 \tag{5.17}$$

$$\sigma_{i,j} = E\{[R_i - E(R_i)][R_j - E(R_j)]\} \tag{5.18}$$

$$\sigma_{i,j} = \sum_i \sum_j [R_i - E(R_i)][R_j - E(R_j)]p(R_i, R_j) \tag{5.19}$$

**La mesure de la covariance**

$$\sigma_{1,2} = \frac{1}{N} \sum_{t=1}^{N} [R_{i,t} - E(R_i)][R_{j,t} - E(R_j)] \tag{5.20}$$

$$\sigma_{1,2} = \frac{1}{N-1} \sum_{t=1}^{N} (R_{i,t} - \overline{R}_i)(R_{j,t} - \overline{R}_j) \tag{5.21}$$

**La covariance dans la mesure du risque
d'un portefeuille diversifié**

$$\sigma_P^2 = x_1^2 \sigma_1^2 + (1-x_1)^2 \sigma_2^2 + 2x_1(1-x_1)\rho_{1,2} \times \sigma_1 \times \sigma_2 \tag{5.22}$$

**Le rendement d'un titre et d'un portefeuille
selon le modèle du marché**

$$\tilde{R}_{i,t} = \alpha_i + \beta_i \tilde{R}_{m,t} + \epsilon_{i,t} \tag{5.23}$$

$$\tilde{R}_{p,t} = \alpha_p + \beta_p R_{m,t} + \epsilon_{p,t} \tag{5.24}$$

**La covariance entre deux titres selon le modèle du marché**

$$\sigma_{i,j} = \beta_i \beta_j \sigma_m^2 \tag{5.25}$$

**La variance d'un portefeuille selon le modèle du marché**

$$\sigma_P^2 = \beta_P^2 \sigma_m^2 + \sigma_{\tilde{\epsilon}_p}^2 \tag{5.26}$$

**Le rendement d'un titre selon le MÉDAF**

$$E(\tilde{R}_i) = R_f + [E(\tilde{R}_m) - R_f]\beta_i \tag{5.27}$$

### ▶ 5A – DÉMONSTRATION DE L'ÉQUATION (5.16)

$$\sigma_P^2 = E[R_p - E(R_p)]^2$$

$$= E\{x_1 R_1 + x_2 R_2 - [x_1 E(R_1) + x_2 E(R_2)]\}^2$$

$$= E\{x_1[R_1 - E(R_1)] + x_2[R_2 - E(R_2)]\}^2$$

$$= E\{x_1[R_1 - E(R_1)] + x_2[R_2 - E(R_2)]\}\{x_1[R_1 - E(R_1)] + x_2[R_2 - E(R_2)]\}$$

$$= E\{x_1^2[R_1 - E(R_1)]^2 + x_2^2[R_2 - E(R_2)]^2 + x_1 x_2[R_1 - E(R_1)][R_2 - E(R_2)] +$$
$$x_2 x_1[R_2 - E(R_2)][R_1 - E(R_1)]\}$$

$$= x_1^2 E[R_1 - E(R_1)]^2 + x_2^2 E[R_2 - E(R_2)]^2 + x_1 x_2 E\{[R_1 - E(R_1)][R_2 - E(R_2)]\} +$$
$$x_2 x_1 E\{[R_2 - E(R_2)][R_1 - E(R_1)]\}$$

$$= x_1^2 \sigma_1^2 + x_2^2 \sigma_2^2 + x_1 x_2 \sigma_{1,2} + x_2 x_1 \sigma_{2,1}$$

$$= x_1^2 \sigma_1^2 + x_2^2 \sigma_2^2 + 2 x_1 x_2 \sigma_{1,2}$$

Comme $\sum_{i=1}^{N} x_i = 1$, donc :

$$\sigma_P^2 = x_1^2 \sigma_1^2 + (1 - x_1)^2 \sigma_2^2 + 2 x_1(1 - x_1)\sigma_{1,2} \qquad (5.16)$$

où

$\sigma_1^2$ et $\sigma_2^2$ sont les variances des rendements des titres 1 et 2 ;

$\sigma_{1,2}$ est la covariance entre les rendements des titres 1 et 2.

### ▶ 5B – DÉMONSTRATION DE L'ÉQUATION (5.24)

D'après l'équation (5.13), nous avons :

$$\tilde{R}_p = \sum_{i=1}^{N} x_i \tilde{R}_i$$

D'après le modèle du marché [équation (5.23)], nous avons :

$$\tilde{R}_{i,t} = \alpha_i + \beta_i \tilde{R}_{m,t} + \epsilon_{i,t}$$

Alors, si le rendement de tous les titres suit le modèle du marché, nous avons :

$$\tilde{R}_p = \sum_{i=1}^{N} x_i \tilde{R}_i \sum_{i=1}^{N} x_i (\alpha_i + \beta_i \tilde{R}_{m,t} + \epsilon_{i,t}) = \sum_{i=1}^{N} x_i \alpha_i + \tilde{R}_{m,t} \sum_{i=1}^{N} x_i \beta_i + \sum_{i=1}^{N} x_i \epsilon_{i,t}$$

Donc :

$$\tilde{R}_{p,t} = \alpha_p + \beta_p \tilde{R}_{m,t} + \epsilon_{p,t} \qquad (5.24)$$

où

$$\alpha_p = \sum_i x_i \alpha_i$$

$$\beta_p = \sum_i x_i \beta_i$$

$$\epsilon_{p,t} = \sum_i x_i \epsilon_{i,t}$$

Selon les expressions possibles de la variance et de la covariance, nous avons :

$$\sigma_{i,j} = E\{[R_i - E(R_i)][R_j - E(R_j)]\}$$

et

$$\sigma_i^2 = E[R_i - E(R_i)]^2$$

D'après le modèle du marché [équation (5.23)], nous avons :

$$\tilde{R}_{i,t} = \alpha_i + \beta_i \tilde{R}_{m,t} + \epsilon_{i,t}$$

Alors, si le rendement de tous les titres suit le modèle de marché, nous avons :

$$
\begin{aligned}
\sigma_{i,j} &= E\{[R_i - E(R_i)][R_j - E(R_j)]\} \\
&= E\{[\alpha_i + \beta_i \tilde{R}_{m,t} + \epsilon_{i,t} - E(\alpha_i + \beta_i \tilde{R}_{m,t} + \epsilon_{i,t}][\alpha_j + \beta_j \tilde{R}_{m,t} + \epsilon_{j,t} \\
&\quad - (E \alpha_j + \beta_j \tilde{R}_{m,t} + \epsilon_{j,t})]\}
\end{aligned}
$$

et

$$\sigma_i^2 = E[\alpha_i + \beta_i \tilde{R}_{m,t} + \epsilon_{i,t} - E(\alpha_i + \beta_i \tilde{R}_{m,t} + \epsilon_{i,t})]^2$$

Or, comme selon le modèle du marché :

$$E(\epsilon_{i,t}) = 0 \,;\, cov(\epsilon_{i,t}, \tilde{R}_{m,t}) = 0 \,;\, cov(\epsilon_{i,t}, \epsilon_{i,t+1}) = 0 \,;\, cov(\epsilon_{i,t}, \epsilon_{j,t}) = 0$$

on obtient alors :

$$\sigma_{i,j} = \beta_i \beta_j \sigma_m^2 \tag{5.25}$$

et

$$\sigma_P^2 = \beta_P^2 \sigma_m^2 + \sigma_{\tilde{\epsilon}_P}^2 \tag{5.26}$$

---

## Étude de cas

# BOMBARDIER INC.[1]

Bombardier inc. est une entreprise d'envergure internationale dont le siège social est situé à Montréal. Spécialisée dans la fabrication d'unités de transport sur rail et aériennes, qu'elle vend sur les cinq continents, elle est considérée comme un chef de file dans ce domaine. Ses actions se négocient aux Bourses de Toronto, de Bruxelles et de Francfort (BBD, BOM, BBDd.F).

## Le profil de l'entreprise

La fabrication d'avions régionaux, de biréacteurs d'affaires et d'équipement de transport sur rail a valu à Bombardier des revenus de 14,8 milliards de dollars canadiens au cours de l'exercice clos le 31 janvier 2007.

---

1. Site Web : www.bombardier.com.

**Siège social**

Bombardier
800, boul. René-Lévesque Ouest
Montréal (Québec)
Canada  H3B 1Y8
Téléphone : 514 861-9481
Télécopieur : 514 861-7053

**Domaines d'activité**

- Matériel de transport sur rail
- Avions régionaux et biréacteurs d'affaires
- Services financiers

**Marchés**

- Sur les cinq continents, avec une forte concentration en Amérique du Nord et en Europe.
- Plus de 96 % des revenus sont réalisés sur des marchés à l'extérieur du Canada.

**Nombre d'employés**

| | |
|---|---|
| Bombardier Transport | 29 100 |
| Bombardier Aéronautique | 27 130 |
| Bombardier Capital | 195 |
| Autres | 1 300 |
| **Total** | **56 425** |

## L'historique de l'entreprise

En 1942, Joseph-Armand Bombardier fonde une société qui fabrique des véhicules chenillés destinés au transport sur terrain enneigé, L'Auto-Neige Bombardier ltée.

En 1967, L'Auto-Neige Bombardier ltée devient Bombardier ltée.

Le 23 janvier 1969, inscription du titre de Bombardier aux Bourses de Montréal et de Toronto, et offre publique de deux millions d'actions. Les actions sont maintenant inscrites aux Bourses de Toronto, de Bruxelles et de Francfort.

En 1972, création des filiales Crédit Bombardier ltée, au Canada, et Bombardier Credit Inc., aux États-Unis, pour assurer le financement des stocks des concessionnaires Ski-Doo$^{MC}$.

En 1974, diversification dans l'industrie de l'équipement de transport de passagers grâce à un contrat portant sur la fourniture de voitures de métro pour la ville de Montréal.

En décembre 1986, acquisition de Canadair, principal avionneur canadien.

En décembre 1987, signature d'une entente avec GEC Alsthom concernant la commercialisation du train à grande vitesse (TGV) en Amérique du Nord.

Au début de 1988, acquisition d'un intérêt majoritaire (90,6 %) dans la société belge BN Constructions Ferroviaires et Métalliques S.A., concepteur et fabricant de matériel roulant (pleine propriété aujourd'hui de Bombardier).

À l'automne 1988, acquisition, en partenariat avec une société finlandaise, d'installations de fabrication de motoneiges en Finlande. En décembre 2003, cession de cette activité lors de la vente du secteur Produits récréatifs à un groupe composé de membres de la famille Bombardier, de Bain Capital et de la Caisse de dépôt et placement du Québec.

En février 1989, acquisition des actifs et de l'exploitation de la division des véhicules chenillés de la société américaine Universal Go-Tract. En décembre 2003, cession de cette activité lors de la vente du secteur Produits récréatifs à un groupe composé de membres de la famille Bombardier, de Bain Capital et de la Caisse de dépôt et placement du Québec.

En octobre 1989, acquisition de la société Short Brothers plc (Shorts) d'Irlande du Nord, fabricant d'avions civils militaires, de composants aéronautiques et de systèmes de défense. Fondée en 1901, Shorts a notamment reçu, en 1909, la première commande de production d'avions de l'histoire, des frères Wright.

En décembre 1989, acquisition de ANF-Industrie, second fabricant français de matériel roulant ferroviaire.

En mars 1990, création de la filiale Bombardier Immobilier ltée, responsable de la gestion des actifs immobiliers de Bombardier.

En juin 1990, création de la filiale Learjet inc. pour réaliser l'acquisition de l'actif et de l'exploitation de Learjet Corporation, fabricant américain reconnu mondialement pour ses avions d'affaires Learjet.

En novembre 1990, acquisition de Procor Engineering Limited, fabricant britannique de caisses de locomotives et de caisses de voitures de passagers.

En février 1992, acquisition de l'actif canadien de la société ontarienne Urban Transport Development Corporation Inc. (UTDC) relié au matériel de transport de passagers sur rail.

En mars 1992, acquisition de l'exploitation et de l'actif de l'avionneur ontarien de Havilland, fabricant de la gamme d'avions de transport régional à turbopropulsion Dash 8 ; acquisition réalisée par l'entremise d'une nouvelle société, de Havilland inc., dont 51 % du capital est détenu par Bombardier et 49 %, par la province de l'Ontario.

En janvier 1997, Bombardier achève l'acquisition de 49 % du capital que détenait la province de l'Ontario dans de Havilland.

En mai 1992, acquisition du fabricant mexicain de matériel roulant de transport sur rail Constructora Nacional de Carros de Ferrocarril, réalisée par l'entremise d'une nouvelle filiale mexicaine, Bombardier-Concarril, S.A. de C.V.

En décembre 1992, alliance stratégique entre la filiale Short Brothers et la société française Hurel-Dubois portant sur la création d'une nouvelle société, International Nacelles Systems EEIG, afin d'offrir aux grands avionneurs et motoristes du monde une compétence complète en matière de nacelles.

En mars 1993, création de Shorts Missile Systems Limited, une coentreprise à parts égales formée par Short Brothers plc et Thomson-CSF, de France, dans le domaine des systèmes de défense sol-air à très courte portée. En janvier 2000, Bombardier vend ses intérêts de 50 % dans Shorts Missile Systems Limited à Thomson-CSF.

En novembre 1993, acquisition, par l'entremise de la filiale Shorts, de la société Airwork Ltd. du Royaume-Uni, une entreprise internationale qui fournit des services de soutien dans le domaine de l'aviation. En juin 2000, Bombardier vend ses activités de services à la défense du Royaume-Uni, incluant la filiale Airwork.

En novembre 1994, acquisition de 25 % des actifs de la société québécoise Nova Bus Corporation qui œuvre dans l'industrie de la fabrication d'autobus. En janvier 1997, Bombardier annonce son intention de se départir de ses intérêts dans Nova Bus, qui sont vendus en décembre de la même année.

En février 1995, élargissement de la gamme de produits récréatifs avec l'acquisition des actifs de la société québécoise AMT Marine inc., déjà fournisseur et partenaire dans le domaine des bateaux à propulsion par jet Sea-Doo<sup>MC</sup>. Autre acquisition : les actifs de Celebrity Boats, fabricant américain de bateaux à moteur. En décembre 2003, cession de cette activité lors de la vente du secteur Produits récréatifs à un groupe composé de membres de la famille Bombardier, de Bain Capital et de la Caisse de dépôt et placement du Québec.

En février 1995, par l'entremise de sa filiale Learjet Inc., acquisition de quatre centres d'entretien d'avions de la société américaine AMR Combs.

En avril 1995, acquisition de Waggonfabrik Talbot GmbH & Co. KG, fabricant allemand de matériel de transport.

En mai 1995, de concert avec la société américaine AMR Combs, établissement d'une coentreprise, Business JetSolutions, qui offre le programme de multipropriété Bombardier Flexjet en aviation d'affaires. En décembre 1997, Bombardier acquiert les intérêts d'AMR Combs dans le programme Flexjet.

En décembre 1995, inauguration, en collaboration avec CAE Électronique, d'un centre de formation aéronautique.

En février 1996, création de Bombardier Services pour renforcer la présence de Bombardier sur le marché mondial des services de soutien, de maintenance, de formation et de gestion des opérations dans les secteurs public et privé.

En décembre 1996, Bombardier se porte acquéreur de la division d'aménagement intérieur d'avions d'affaires d'Innotech Aviation inc. de Dorval, au Québec.

En février 1997, Bombardier fait l'acquisition de NorRail inc., une entreprise de location et de gestion de véhicules ferroviaires desservant sa clientèle aux États-Unis, au Canada et au Mexique.

En novembre 1997, Lufthansa Bombardier Aviation Services ouvre le seul centre de maintenance du réseau des avions de Bombardier en Europe.

En 1998, Bombardier est réorganisée en cinq groupes : Bombardier Aéronautique, Bombardier Transport, Bombardier Produits récréatifs, Bombardier Services et Bombardier Capital. Les activités de Bombardier Services seront réintégrées au sein des groupes manufacturiers en janvier 1999.

En février 1998, Bombardier achève l'acquisition du fabricant de matériel de transport sur rail Deutsche Waggonbau AG (DWA) de Berlin, en Allemagne.

En mars 1998, Bombardier Transport annonce la conclusion d'une entente pour l'acquisition de 26 % du capital-actions de la société viennoise ELIN EBG Traction d'Autriche.

En décembre 1989, acquisition de ANF-Industrie, second fabricant. En mars 1998, Bombardier International est créé pour accélérer la croissance de la société dans des régions ciblées du globe, à l'extérieur de l'Amérique du Nord et de l'Europe de l'Ouest. En septembre 1998, Bombardier inscrit ses actions classe B à la Bourse de Francfort sous le symbole BBDd.F.

En septembre 1998, Bombardier Transport achève la création d'une coentreprise avec The Greenbrier Companies pour la construction de wagons à marchandises au Mexique.

En novembre 1998, Bombardier et Power Corporation du Canada établissent une entreprise conjointe avec Sifang Locomotive & Rolling Stock Works de Quingdao pour la fabrication de véhicules de passagers sur rail en Chine.

Le 1er février 1999, Robert E. Brown est nommé président et chef de la direction de Bombardier inc., alors que Laurent Beaudoin devient président du conseil d'administration et du comité exécutif.

En juillet 2000, Bombardier achète Skyjet, pionnier dans le domaine de la réservation en direct d'avions nolisés.

En août 2000, Bombardier signe une convention de vente et d'achat avec Daimler-Chrysler AG d'Allemagne visant l'acquisition de sa filiale DaimlerChrysler Rail Systems GmbH (Adtranz), de Berlin. Adtranz est implantée sur les principaux marchés mondiaux avec 22 000 employés et des installations manufacturières dans 19 pays sur 4 continents. Son chiffre d'affaires, en 1999, était de 5 milliards de dollars canadiens (3,4 milliards de dollars américains). En août 2000, Bombardier annonce qu'elle investira près de 170 millions $ dans la construction d'une usine d'assemblage final des appareils Bombardier CRJ700 et Bombardier CRJ900 à l'aéroport Mirabel de Montréal.

En décembre 2000, Bombardier choisit Pierre Beaudoin pour diriger l'unité avions d'affaires de Bombardier Aéronautique. Jean-Yves Leblanc est nommé président du conseil de Bombardier Transport et Pierre Lortie est nommé président et chef de l'exploitation de Bombardier Transport. Ces nominations entrent en vigueur le 6 décembre 2000 et ces postes relèveront directement du président et chef de la direction de Bombardier inc., Robert E. Brown.

En mars 2001, Bombardier achève l'acquisition de l'actif relatif aux moteurs hors-bord de Outboard Marine Corporation (OMC^MC). En décembre 2003, cession de cette activité lors de la vente du secteur Produits récréatifs à un groupe composé de membres de la famille Bombardier, de Bain Capital et de la Caisse de dépôt et placement du Québec.

En mai 2001, Bombardier achève l'acquisition de DaimlerChrysler Rail Systems GmbH (Adtranz), de Berlin, en Allemagne, et devient, sur les marchés mondiaux, le chef de file de l'industrie de la production de véhicules ferroviaires. Cette acquisition permet à Bombardier d'étendre ses activités de transport sur de nouveaux marchés et de compléter la gamme de ses produits et services. Elle apporte, en outre, des actifs tangibles, une expertise et des technologies additionnelles.

En mai 2001, Bombardier dévoile la nouvelle structure de production des moteurs hors-bord Johnson^MC et Evinrude^MC. En décembre 2003, cession de cette activité lors de la vente du secteur Produits récréatifs à un groupe composé de membres de la famille Bombardier, de Bain Capital et de la Caisse de dépôt et placement du Québec.

En octobre 2001, Pierre Beaudoin devient président et chef de l'exploitation de Bombardier Aéronautique.

En mai 2002, le gouvernement du Canada reconnaît l'importance historique nationale de Joseph-Armand Bombardier.

En octobre 2002, Bombardier dévoile la locomotive à grande vitesse Bombardier JetTrain. À la fine pointe de la technologie, la locomotive JetTrain est propulsée par une turbine qui offre la vitesse et l'accélération des trains électriques, mais ne nécessite pas l'électrification coûteuse des rails.

Le 13 décembre 2002, Robert E. Brown quitte Bombardier et Paul M. Tellier est nommé président et chef de la direction. Il entre en fonction le 13 janvier 2003.

Le 3 avril 2003, le président et chef de la direction, Paul M. Tellier, présente un programme d'augmentation du capital. Ce programme comprend une émission d'actions et la vente d'actifs, dont le groupe Bombardier Produits récréatifs, les Services à la défense et l'aéroport municipal de Belfast. Ces dispositions, conjuguées à l'émission d'actions, devraient générer plus de deux milliards de dollars et renforcer le bilan de Bombardier, rétablir sa crédibilité auprès des investisseurs et recentrer ses activités sur les secteurs de l'aéronautique et du transport.

Le 7 avril 2003, Bombardier conclut le plus gros contrat de son histoire, relatif au métro de Londres. D'une valeur globale de 7,9 milliards de dollars, le contrat prévoit la fourniture de matériel roulant et de signalisation, ainsi que de services de maintenance et de gestion de projet en vue de la modernisation du métro de Londres.

En mai 2003, l'aéroport municipal de Belfast est vendu à la société espagnole Ferrovial pour un montant total de 77,7 millions de dollars canadiens. Cette vente d'actifs fait partie du programme d'augmentation du capital de Bombardier.

En juin 2003, Bombardier conclut la vente de son unité de services à l'aviation militaire à Spar Aerospace Limited, une filiale de L-3 Communications Corporation, basée à New York. La transaction est finalisée en novembre 2003 pour un montant de 87,4 milliards de dollars américains.

En août 2003, Bombardier annonce qu'elle a conclu une entente pour vendre la majeure partie du portefeuille de marché d'avions d'affaires de Bombardier Capital à GE Commercial Equipment Financing, pour 339 millions de dollars américains (475 millions de dollars canadiens).

Le 27 août 2003, une entente pour la vente du secteur Produits récréatifs à un groupe d'investisseurs composé de Bain Capital, des membres de la famille Bombardier ainsi que de la Caisse de dépôt et placement du Québec est conclue.

En novembre 2003, Pierre Lortie, président et chef de l'exploitation de Bombardier Transport, quitte la société.

En décembre 2003, le secteur Produits récréatifs est vendu. Cette transaction vient clore le programme d'augmentation du capital de Bombardier, qui aura généré plus de 2,5 milliards de dollars.

## Les données boursières

On vous fournit les informations boursières suivantes sur l'évolution du prix de l'action de l'entreprise Bombardier inc., de l'indice boursier de la Bourse de Toronto et du rendement des bons du Trésor. À l'aide de ces données, faites une analyse du rendement et du risque de l'action de l'entreprise Bombardier inc., en prenant soin de calculer le rendement espéré, le risque total et le risque systématique de cette action. Représentez l'équation du MÉDAF en vous fondant sur ces données et en estimant le rendement du marché par celui de l'indice boursier, et le rendement sans risque par celui des bons du Trésor.

| Bombardier inc. | | Indice du marché (TSX) | | Bons du Trésor | |
|---|---|---|---|---|---|
| Date | Prix (en dollars) | Date | Prix (en dollars) | Date | Rendement (en pourcentage) |
| 1986–06 | 23,875 | 1986–06–30 | 3 085,50 | 1986–06–30 | 8,59 |
| 1986–07 | 24,500 | 1986–07–31 | 2 935,33 | 1986–07–31 | 8,26 |
| 1986–08 | 24,625 | 1986–08–29 | 3 028,20 | 1986–08–29 | 8,33 |
| 1986–09 | 25,125 | 1986–09–30 | 2 979,30 | 1986–09–30 | 8,35 |
| 1986–10 | 24,875 | 1986–10–31 | 3 038,89 | 1986–10–31 | 8,30 |
| 1986–11 | 25,750 | 1986–11–28 | 3 046,80 | 1986–11–28 | 8,24 |
| 1986–12 | 26,000 | 1986–12–31 | 3 066,18 | 1986–12–31 | 8,24 |
| 1987–01 | 26,250 | 1987–01–30 | 3 348,85 | 1987–01–30 | 7,24 |
| 1987–02 | 26,500 | 1987–02–27 | 3 498,93 | 1987–02–27 | 7,28 |
| 1987–03 | −25,563 | 1987–03–31 | 3 739,47 | 1987–03–31 | 6,80 |
| 1987–04 | −23,188 | 1987–04–30 | 3 716,74 | 1987–04–30 | 8,08 |
| 1987–05 | 24,625 | 1987–05–29 | 3 685,24 | 1987–05–29 | 8,19 |
| 1987–06 | −24,875 | 1987–06–30 | 3 740,19 | 1987–06–30 | 8,29 |

# Questions

1. Définissez la notion de risque.
2. De quoi dépendent le risque d'exploitation et le risque financier d'une entreprise ?
3. Définissez la notion de rendement espéré.
4. Définissez la notion de coefficient de corrélation.
5. Quelle est la différence entre le risque systématique et le risque spécifique ?
6. À quoi sert la mesure de covariance des rendements ?
7. Définissez la notion de portefeuille efficient.
8. Comment un investisseur peut-il diversifier le risque de son portefeuille ?
9. Quelles sont les hypothèses du MÉDAF ?
10. Selon le MÉDAF, quel est le seul type de risque qui doit être rémunéré ? Pourquoi ?

1. On vous fournit les prévisions suivantes sur les rendements futurs d'un projet d'investissement *i* en fonction de cinq scénarios économiques *j* possibles.

| Scénario | Probabilité | Rendement (en pourcentage) |
|---|---|---|
| *j* | $p_j$ | $R_{i,j}$ |
| Forte expansion | 0,1 | 15 |
| Légère expansion | 0,2 | 13 |
| Statu quo | 0,4 | 12 |
| Légère récession | 0,2 | 11 |
| Forte récession | 0,1 | 9 |

Calculez le rendement espéré, la variance et l'écart-type des rendements du projet *i*.

2. On vous fournit les prévisions suivantes sur l'évolution future des flux monétaires de deux projets d'investissement, A et B.

| Scénario | Probabilité | Projet A Flux monétaire (en dollars) | Projet B Flux monétaire (en dollars) |
|---|---|---|---|
| *j* | $p_j$ | $FM_A$ | $FM_B$ |
| Augmentation | 0,3 | 1 000 | 1 100 |
| Stabilité | 0,4 | 800 | 900 |
| Diminution | 0,3 | 500 | 300 |

Lequel de ces projets est le plus risqué?

3. Calculez le coefficient de corrélation entre les deux projets ci-dessus.

4. Une entreprise décide d'investir respectivement des montants de 500 000 $ et de 700 000 $ dans les projets A et B ci-dessus. Quel sera le risque de son investissement total?

5. Observez la série de rendements historiques suivante de deux titres, 1 et 2, au cours des six dernières années.

| Année | 1 | 2 | 3 | 4 | 5 | 6 |
|---|---|---|---|---|---|---|
| $R_{1,t}$ (en pourcentage) | 5 | 6 | 6 | 8 | 11 | 12 |
| $R_{2,t}$ (en pourcentage) | 8 | 8 | 9 | 13 | 14 | 10 |

Lequel de ces deux titres a présenté le plus grand risque?

6. Calculez le coefficient de corrélation entre les deux titres ci-dessus.

7. L'action de Y a un bêta de 1,4. L'action de Z a un bêta de 0,4. Le rendement du marché est de 8 % et celui des bons du Trésor, de 4 %. Calculez le rendement espéré de chacun des deux titres.

8. Reprenez les données de l'exercice précédent et, sachant que la covariance entre les rendements de l'action Y et ceux du marché est de 1,36, calculez la covariance entre les rendements de l'action Y et ceux de l'action Z. Quelles sont les hypothèses sur lesquelles sont basés vos calculs?

9. Les actions de la société A se vendent 15 $ chacune et celles de la société B, 30 $. Le coefficient de corrélation entre les rendements des deux sociétés est de 0,5. Les rendements espérés et l'écart-type des rendements des deux sociétés sont les suivants :

|  | Rendement espéré | Écart-type |
|---|---|---|
| Société A | 0,10 | 0,20 |
| Société B | 0,20 | 0,30 |

Si vous achetez 50 actions de chaque société, quel sera le rendement espéré de votre portefeuille ainsi que son niveau de risque ?

10. Considérez les trois portefeuilles suivants :
   a) 50 % de bons du Trésor, 50 % d'actions de A inc.
   b) 50 % d'actions de B inc., 50 % d'actions de C inc. Le coefficient de corrélation entre les rendements de ces deux titres est de 11.
   c) 50 % d'actions de B inc., 50 % d'actions de D inc. Le coefficient de corrélation entre les rendements de ces deux titres est de 0,4.

   Dans quels cas l'effet de diversification est-il nul ?

## Problèmes

1. Vous possédez un montant de 100 000 $ à investir et vous vous intéressez particulièrement à deux titres : les actions A et les actions B. Le tableau suivant décrit le rendement espéré de chaque titre selon diverses conjonctures économiques.

| Conjoncture économique | Probabilité | Rendement de A (en pourcentage) | Rendement de B (en pourcentage) |
|---|---|---|---|
| Mauvaise | 0,30 | 8 | 10 |
| Passable | 0,40 | 12 | 10 |
| Bonne | 0,30 | 20 | 25 |

   a) Calculez le rendement espéré et l'écart-type du rendement des actions A et B.
   b) Si vous souhaitez investir votre argent dans un seul des deux titres, lequel choisirez-vous ? Pourquoi ?

2. Reprenez les données du problème précédent et en supposant que vous désirez investir dans les deux titres de façon équipondérée :
   a) calculez la covariance et le coefficient de corrélation entre les rendements des deux titres ;
   b) à combien s'élèveront le rendement espéré, l'écart-type et le coefficient de variation de votre portefeuille ?

3. On vous fournit les données suivantes quant aux trois titres A, B et C.

| | Titre A | Titre B | Titre C |
|---|---|---|---|
| Rendement espéré (en pourcentage) | 10,1000 | 10,1500 | 9,6500 |
| Écart-type du rendement (en pourcentage) | 1,5133 | 1,6132 | 2,2478 |

a) Si vous désiriez investir dans un seul de ces trois titres, lequel considéreriez-vous ? Pourquoi ?

b) Supposez que vous investissez votre argent dans un portefeuille P constitué de 69 % de titres A et de 31 % de titres B. Sachant que le coefficient de corrélation entre les rendements de ces deux titres est de 0,8336, calculez le rendement espéré et le risque de ce portefeuille, estimé par l'écart-type de ses rendements.

4. Reprenez les données du problème précédent et supposez qu'il existe un quatrième titre, D, qui possède les caractéristiques suivantes.

| | Espérance du rendement (en pourcentage) | Écart-type du rendement (en pourcentage) |
|---|---|---|
| Titre D | 10,150 | 2,6025 |
| Combinaison 50 % A + 50 % D | 10,125 | 1,1319 |

a) Quel est le coefficient de corrélation entre les rendements des titres A et D ?

b) Si vous investissez votre argent dans un portefeuille Q constitué de 67 % de titres A et de 33 % de titres D, calculez le rendement espéré et le risque de ce portefeuille, estimé par l'écart-type de ses rendements.

c) Si vous aviez à investir tout votre argent dans l'un des deux portefeuilles, P ou Q, quel serait alors votre choix ? Énumérez les raisons qui motivent votre choix.

5. Vous disposez des données historiques suivantes concernant les rendements annuels de l'action ABC ainsi que ceux du marché boursier :

| Année | Rendement de ABC (en pourcentage) | Rendement du marché (en pourcentage) |
|---|---|---|
| 2007 | 18 | 15 |
| 2006 | 13 | 18 |
| 2005 | 45 | 36 |
| 2004 | 22 | 5 |
| 2003 | 19 | 41 |
| 2002 | −4 | 17 |
| 2001 | 8 | −2 |

Si le rendement du bon du Trésor est de 5 %, quel est le rendement espéré de ABC selon le MÉDAF ?

# Le coût du capital

Montréal, le 6 octobre 2003 – Alimentation Couche-Tard inc.[1] (Couche-Tard) (TSX : ATD.A, ATD.B) a conclu une entente avec ConocoPhillips (NYSE : COP) en vue de faire l'acquisition de La Corporation Circle K (Circle K) en contrepartie d'un prix d'achat net de 830 millions de dollars américains (1,12 milliard de dollars canadiens), assujettie à des réajustements. Une fois la transaction complétée, Couche-Tard occupera le quatrième rang des plus importants dépanneurs nord-américains, avec un réseau combiné de 4 630 magasins.

Le prix de l'acquisition ainsi que le refinancement de la dette actuelle de Couche-Tard et les coûts reliés à la transaction seront financés grâce à l'émission de 223 millions de dollars canadiens d'actions à droit de vote subalterne de catégorie B, qui seront vendues par l'entremise d'un placement privé par reçus de souscription, et à un financement par emprunt qui sera organisé par la Financière Banque Nationale, la Scotia Capitaux et les Marchés mondiaux CIBC, totalisant environ 1,2 milliard de dollars canadiens. Couche-Tard obtiendra également une nouvelle facilité de crédit renouvelable de 150 millions de dollars canadiens pour le fonds de roulement.

« Ce plan de financement fournit à Couche-Tard des capitaux à long terme ainsi qu'une flexibilité financière suffisante qui lui permettra de réaliser son plan de croissance et d'intégrer les activités de Circle K, tout en minimisant le coût du capital pour ses actionnaires », a mentionné Richard Fortin, vice-président directeur et chef de la direction financière de Couche-Tard.

Dans ce chapitre, nous présenterons les différentes approches utilisées pour calculer le coût du capital d'une société.

Comme pour toutes les ressources exploitées par l'entreprise, le capital a un coût. Celui de la dette est relativement facile à calculer : la banque se charge d'en fournir une estimation, qu'il faut toutefois réajuster en fonction de l'impôt et des coûts reliés à l'obtention de prêts. Le problème se complique dès qu'il est question du coût du financement des fonds propres (que nous appellerons ici coût des fonds propres). En effet, il n'existe pas de mesure exacte de ce coût, qui joue pourtant un rôle déterminant dans le processus de création de valeur ou dans le choix des projets d'investissement.

À tout moment, l'actionnaire de Couche-Tard, qui est une entreprise en bonne santé financière, se trouve devant le choix suivant : investir dans son entreprise ou prélever des capitaux pour les investir ailleurs, dans un placement équivalent. Par exemple, s'il désire détenir des placements de même risque, il peut acheter des actions d'une entreprise du même secteur dont le taux de rendement normal (attendu) est de 20 %. S'il décide d'investir dans Couche-Tard, l'actionnaire renonce alors à un taux de rendement attendu de 20 %.

Il n'investira dans Couche-Tard que si cette entreprise lui promet un taux de rendement équivalent (si nous négligeons les considérations liées à la fiscalité,

---

1. Voir l'étude de cas pour un survol de la société Couche-Tard.

au désir de détenir sa propre entreprise et aux possibilités de prélèvements). Le taux de rendement requis par l'actionnaire de Couche-Tard sera donc de 20%, et ce taux devient le coût des fonds propres de l'entreprise. Nous pouvons tirer les leçons suivantes de cet exemple : en premier lieu, le coût des fonds propres est un coût de renonciation (on utilise également la notion équivalente de coût d'option ou de coût d'opportunité) pour les actionnaires, puisque c'est le taux de rendement auquel ils renoncent pour investir dans l'entreprise. En second lieu, les notions de taux de rendement requis sur les fonds propres (le taux de rendement exigé par le marché compte tenu du risque de l'entreprise) et de coût des fonds propres pour l'entreprise sont équivalentes, si l'on fait référence au réinvestissement total ou partiel des bénéfices réalisés par l'entreprise. Enfin, le coût des fonds propres est une fonction du risque de l'entreprise.

Pour évaluer le coût des fonds propres de l'entreprise, on doit donc disposer d'une estimation du risque et d'un modèle qui lie ce risque au taux de rendement requis par les actionnaires. Toutefois, il n'existe pas de modèle simple pour estimer sans erreur le coût des fonds propres. Nous consacrerons la première section à l'estimation des fonds propres en utilisant un modèle d'évolution des actifs financiers connu sous le nom de modèle d'équilibre des actifs financiers (MÉDAF) ou, en anglais, *Capital Asset Pricing Model (CAPM)*. Nous élargirons ensuite, dans la deuxième section, la notion de coût de financement au cas, plus général, où l'on prend en considération les diverses sources de fonds. Cet élargissement conduit à l'estimation du coût moyen pondéré du capital, qui est utilisé dans l'évaluation des projets d'investissement lorsqu'on se place du point de vue de l'ensemble des bailleurs de fonds.

## 6.1    Le coût des fonds propres

### 6.1.1    Le calcul du coût des fonds propres par le MÉDAF

Le **modèle d'équilibre des actifs financiers** décrit une relation théorique entre le rendement exigé sur un titre et le risque encouru en le détenant. Ce modèle considère que seul le risque non diversifiable d'un actif financier (ou risque systématique), mesuré par le bêta, doit être rémunéré. Le risque systématique de chaque titre est mesuré par rapport au risque de l'ensemble des titres sur le marché. Le MÉDAF établit une relation linéaire entre le taux de rendement requis sur un titre $i$ et son risque systématique, ou risque non diversifiable, noté $\beta_i$.

Taux de rendement requis = taux sans risque + bêta (prime unitaire de risque)
ou plus formellement :

$$E(R_i) = R_f + \beta_i [E(R_M) - R_f] \qquad (6.1)$$

Le taux de rendement requis par les investisseurs est noté $E(R_i)$ pour souligner qu'il s'agit d'une prévision. Cette espérance est égale au taux sans risque plus une prime de risque, égale à la prime par unité de risque $[E(R_M) - R_f]$ multipliée par la quantité de risque encouru $\beta_i$. Cette prime par unité de risque est égale à la différence entre le taux de rendement prévu pour le marché $[E(R_M)]$ et le taux de rendement sans risque ($R_f$). La quantité de risque systématique (seul considéré dans ce présent modèle) est égale au bêta de l'action de l'entreprise.

Ainsi, l'évaluation du **coût des fonds propres** nécessite que l'on estime successivement le taux sans risque, le bêta, puis la prime de risque.

### A ▪ Le taux sans risque

Le taux de base, en dessous duquel les investisseurs n'accepteront pas de financer un projet, est le taux sans risque. Ce taux est égal à la rémunération exigée par un investisseur pour un placement en actions dont le risque de marché serait nul, c'est-à-dire dont la rentabilité évoluerait indépendamment des fluctuations du marché. C'est le taux sur les bons du Trésor qui est généralement considéré comme le **taux sans risque.**

### B ▪ Le bêta

Le risque systématique d'une entreprise inscrite en Bourse peut être mesuré en fonction de ses rendements boursiers passés. Dans le cas d'une entreprise de petite taille, on doit utiliser des bêtas sectoriels ou, idéalement, ceux d'entreprises inscrites en Bourse de même taille et évoluant dans le même secteur d'activité.

Le coefficient **bêta** mesure la sensibilité relative du titre par rapport au rendement du portefeuille de marché. Il faut noter que la quantité de risque est égale au bêta de l'action de l'entreprise.

Un coefficient bêta égal à 2 signifie que, dans le cas d'une variation de 1 % du marché à la hausse ou à la baisse, le rendement du titre variera de $\pm 2\%$. Un coefficient bêta égal à 0,5 signifie que, dans le cas d'une variation de 1 % du marché à la hausse ou à la baisse, le rendement du titre variera de 0,5 %. Le bêta du portefeuille de marché est égal à 1.

### C ▪ La prime de risque

La **prime de risque** est l'écart que l'on prévoit entre le taux de l'ensemble du marché boursier et le taux sans risque attendu sur le marché des actions. À moins que l'on dispose d'une prévision de ces taux futurs, il est généralement commode d'évaluer cet écart à l'aide des données historiques.

Prenons comme exemple un titre ayant un $\beta_i = 0,6$. Sachant que $R_f = 6\%$ et $R_M = 11\%$, nous aurons :

$$K_{AO} = 6\% + 0,6(11\% - 6\%) = 9\%$$

Si nous avions supposé que le titre était plus risqué que la moyenne, c'est-à-dire que $\beta_i > 1$, soit, par exemple, $\beta_i = 1,3$, alors :

$$K_{AO} = 6\% + 1,3(11\% - 6\%) = 12,5\%$$

### 6.1.2  Les limites du MÉDAF

Le modèle du MÉDAF est un point de départ commode pour estimer le coût des fonds propres, mais on ne peut passer sous silence le fait qu'il est souvent et fortement remis en cause. De nombreux arguments théoriques et pratiques ont été évoqués pour critiquer ce modèle. En effet, on estime que la prime du risque du marché est difficile à déterminer. De plus, l'estimation du $\beta$ n'est pas chose facile, surtout dans le cas d'entreprises non cotées. Par ailleurs, plusieurs travaux, dont les plus connus sont ceux de Fama et French (1992)[2], ont mis en évidence le fait, d'une part, que le bêta et le rendement étaient faiblement liés et que, d'autre part, divers autres facteurs semblent liés de façon significative aux

---

2. Fama, E. F., et K. R. French (1992), «The Cross-section of Expected Stock Returns», *Journal of Finance,* n° 47, p. 427-465.

rendements attendus. En d'autres termes, le coût des fonds propres des entreprises ne serait pas lié seulement au risque systématique, mais également à différents facteurs non prévus par la théorie. Le MÉDAF ne serait donc pas un modèle parfait, mais on ne lui connaît pas de concurrents sérieux. Toutefois, lorsqu'on s'intéresse au cas particulier des entreprises de petite taille, il devient important de prendre en compte l'une des faiblesses importantes révélées par les travaux de différents chercheurs : il s'agit de l'effet de la taille. Alors que le modèle ne reconnaît aucun effet prévisible de cette caractéristique, les travaux empiriques ont montré que les entreprises de petite taille commandaient, toutes choses égales d'ailleurs, un taux de rendement plus élevé que les entreprises de grande taille. Cet écart peut être évalué par la différence entre le taux de rendement des titres de petite capitalisation et celui des grandes entreprises. Plusieurs auteurs recommandent de réajuster le coût des fonds propres des petites entreprises à l'aide de cette prime ; d'autres suggèrent plutôt de procéder au réajustement à cause du manque de liquidités de ces entreprises.

### 6.1.3 Le calcul du coût des fonds propres à l'aide du modèle de Gordon

Dans le cas où l'entreprise augmente son capital par une nouvelle émission d'actions, les investisseurs apportent le produit brut de l'émission. En contrepartie, ils espèrent encaisser une suite infinie de dividendes aléatoires pour lesquels ils auront à payer des impôts personnels. L'entreprise dispose, de son côté, du produit net de l'émission (produit brut diminué des frais d'émission après impôts). Elle devra, à l'avenir, assurer le paiement de dividendes non déductibles. Par ailleurs, en raison des frais d'émission, le coût des capitaux propres obtenus à l'aide d'une émission d'actions nouvelles ($k_{AO}$) est plus élevé que le taux de rentabilité exigé par le marché ($k^*_{AO}$).

En supposant une croissance stable et en appliquant le **modèle de Gordon,** nous obtenons :

$$k_{AO} = \frac{D_1}{P_0 - \text{FE}(1 - T)} + g \qquad (6.2)$$

où

$D_1$ est le dividende à l'année 1 ;

$g$ est le taux de croissance prévu des dividendes et $P_0$ est le prix d'émission ;

FE sont les frais d'émission ;

$T$ est le taux d'imposition de l'entreprise.

Si l'on suppose que la croissance des dividendes n'est pas stable, le coût de financement se calcule à l'aide de la formule suivante :

$$P_0 = \sum_{t=1}^{\infty} \frac{D_t}{(1 + k_{AO})^t}$$

L'entreprise pourrait également s'autofinancer en utilisant ses bénéfices non répartis (BNR). Dans ce cas, il n'y a pas de frais d'émission supportés par l'entreprise. Par conséquent, le coût des fonds propres autofinancés ($k_{BNR}$) est égal au taux de rentabilité exigé par le marché ($k^*_{AO}$).

En supposant une croissance stable et en appliquant le modèle de Gordon, nous obtenons alors :

$$k^*_{AO} = k_{BNR} = \frac{D_1}{P_0} + g$$

où

$k_{BNR}$ est le coût des bénéfices non répartis ;

$D_1$ est le dividende à l'année 1 ;

$g$ est le taux de croissance prévu des dividendes ;

$P_0$ est le prix d'émission.

## EXEMPLE 6.1

Supposons que le prix des actions ordinaires d'une entreprise est de 15 $, que le prochain dividende espéré est de 0,50 $ et que le taux de croissance prévu est de 13 %. Les frais d'émission déductibles représentent 4 % du prix d'émission ; le taux d'imposition est de 40 %. Il faut ici calculer a) le coût de financement interne (en supposant que l'on recourt aux bénéfices non répartis) ainsi que b) le coût de financement externe (en supposant qu'il y a une nouvelle émission d'actions).

a)  Coût de financement interne :

$$k_{BNR} = \frac{0,50}{15} + 0,13 = 16,3\%$$

b)  Coût de financement externe :

$$k_{AO} = \frac{0,50}{15 - [(15 \times 0,04)(1 - 0,4)]} + 0,13 \quad \frac{0,50}{14,64} + 0,13 = 16,4\%$$

## 6.2    Le coût moyen pondéré du capital

Jusqu'ici, nous n'avons envisagé que le point de vue de l'actionnaire. Toutefois, il est également courant d'évaluer les projets du point de vue global de l'entreprise, ce qui requiert le calcul du coût moyen pondéré par l'importance de chaque source de fonds, soit le **coût moyen pondéré du capital (CMPC).** Si l'on se place du point de vue global des bailleurs de fonds, le coût du financement est une moyenne pondérée des coûts des diverses sources de financement. On exprime généralement ce coût moyen pondéré du capital de la façon suivante :

CMPC = coût de la dette $\times$ part de la dette + coût des fonds propres $\times$ part des fonds propres + coût des actions privilégiées $\times$ part des actions privilégiées

Il faut noter que le coût de la dette doit être mesuré après impôt, puisque les intérêts sont déductibles, sur le plan fiscal. Par exemple, si le taux d'intérêt est de 6 % et le taux d'imposition est de 20 %, alors le coût net de l'emprunt est de 6 % $(1 - 0,20) = 4,8\%$.

Les proportions de dettes et de fonds propres devraient en principe être estimées suivant la valeur marchande de ces deux éléments. En pratique, on utilisera le plus souvent les valeurs comptables des éléments de financement à long terme, évaluées au niveau de l'entreprise et non du projet. En effet, même si le niveau de risque peut être ajusté pour tenir compte du fait que le projet ne se situe pas parmi les activités habituelles de l'entreprise, les pondérations des modes de financement sont généralement celles de l'entreprise.

Si l'on suppose que l'entreprise a deux projets d'investissement en tous points similaires, et qu'elle finance le premier en contractant une dette et le second en recourant à des fonds propres, cela conduirait à attribuer un coût de capital différent à deux projets pourtant identiques. On suppose donc que les projets d'investissement sont financés, en règle générale, de la même façon que l'entreprise.

Le CMPC est le coût global moyen des sources de fonds d'une entreprise. Il s'agit d'un coût marginal, représentant le coût d'obtention d'un dollar de financement supplémentaire. Il représente le taux de rentabilité minimal que les actionnaires doivent exiger des projets d'investissement de manière à ce qu'au pire, la valeur sur le marché des actions reste inchangée (que le projet permette de payer les créanciers et procure aux actionnaires le taux de rendement qu'ils exigent en tenant compte du risque qu'ils supportent). Les étapes du calcul du CMPC sont : a) l'estimation du coût des différentes sources de financement ; b) la détermination des pondérations de chaque source (dans le total des sources) et c) le calcul du coût moyen pondéré.

Formellement :

$$CMPC = \sum_{i=1}^{N} W_i K_i \qquad (6.3)$$

où

CMPC est le coût moyen pondéré du capital de la firme ;

$K_i$ est le coût de la source de financement $i$ ;

$W_i$ est le poids de la source $i$ ;

$N$ est le nombre de sources de financement.

## EXEMPLE 6.2

Supposons que Couche-Tard se finance à l'aide de trois sources de financement : des obligations, des actions privilégiées et des actions ordinaires. Les trois sources représentent respectivement 36 %, 16 % et 48 % du financement total. De plus, on sait que leurs coûts respectifs sont de 7,5 %, 9,1 % et 16,3 %. Quel est le coût moyen pondéré du capital ?

| Source | Coût (en pourcentage) | Poids (en pourcentage) | Coût × Poids (en pourcentage) |
|---|---|---|---|
| Obligations | 7,5 | 36 | 2,700 |
| Actions privilégiées | 9,1 | 16 | 1,456 |
| Actions ordinaires | 16,3 | 48 | 7,820 |
| Coût moyen pondéré du capital | | | 11,980 |

Nous allons maintenant examiner la façon d'estimer le coût de chacune des sources de financement.

### 6.2.1 Le coût des emprunts à long terme ($k_D$)

Le coût des emprunts à long terme d'une entreprise se calcule après impôt. Si les intérêts versés sur l'emprunt sont déductibles d'impôt, alors le **coût de la dette** ($k_D$) est égal au taux nominal sur la dette ($k^*_D$) multiplié par $(1 - T)$. $T$ est le taux d'imposition de l'entreprise.

$$k_D = k^*_D(1 - T) \tag{6.4}$$

Le coût du financement par dette ($k_D$) est donc inférieur au taux de rendement requis par la banque ($k^*_D$).

Il est important de préciser que le coût de la dette est calculé en fonction du taux d'intérêt appliqué aux nouvelles dettes, et non en fonction de celui relatif aux dettes déjà contractées.

**EXEMPLE 6.3**

On suppose que Couche-Tard contracte un emprunt sur 5 années au taux nominal annuel de 6,5 %. Le taux d'imposition de l'entreprise est de 20 %. Quel est le coût effectif de la dette ($k_D$) ?

La réponse est donnée par l'expression suivante :

$$k_D = 6,5\,\%(1 - 20\,\%) = 5,2\,\% < 6,5\,\% = k^*_D$$

### 6.2.2 Le coût des obligations ($k_{OB}$)

Lorsqu'une entreprise se finance par des obligations, les positions de l'investisseur et de l'émetteur sont les suivantes : l'investisseur débourse initialement le produit brut de l'émission (PBE) et encaisse les coupons semestriels après impôt personnel ainsi que le remboursement du principal (souvent égal à la valeur nominale) ; pour l'émetteur, la source de fonds initiale est égale au produit net de l'émission (PNE = produit brut de l'émission − Frais d'émission (FE) + Économie d'impôt sur les FE). Les décaissements ultérieurs sont égaux à la somme des intérêts généralement semestriels payés après l'impôt sur les sociétés majorés, éventuellement, des frais de service des coupons après impôt et du montant du remboursement du principal.

Il en découle, généralement, que le taux de rendement exigé par le marché ($k^*_{OB}$) est supérieur au **coût du financement par obligations** ($k_{OB}$).

Il faut noter que les frais d'émission désignent essentiellement les frais de vérification et les frais juridiques liés à la préparation du prospectus, ainsi que les frais de souscription (services rendus et risques encourus par les courtiers).

On a donc la relation suivante :

$$PNE = \text{coupons nets}*\left[\frac{1 - (1 + k_{OB\,sem})^{-2N}}{k_{OB\,sem}}\right] + VN \times (1 + k_{OB\,sem})^{-2N} \tag{6.5}$$

où

PNE est le produit net de l'émission, soit le produit brut de l'émission (PBE) − les frais d'émission FE$(1 - T)$ (représente ce que l'entreprise reçoit effectivement) ;

coupons nets sont les coupons $*(1 - T)$ où $T$ est le taux d'imposition de l'entreprise ;

VN est la valeur nominale ;

2 indique que les coupons sont versés semestriellement.

## EXEMPLE 6.4

Couche-Tard désire émettre des nouvelles obligations ayant une échéance de 13 années, et verser des coupons annuels. On suppose ici que la valeur nominale d'une obligation est de 1 000 $, que le taux d'imposition s'élève à 20 % et que les frais d'émission déductibles représentent 5 % du montant brut. Quel est le coût d'une nouvelle émission d'obligations, sachant que, sur le marché, il existe des obligations de la même entreprise (ou d'une entreprise comparable) qui ont encore 13 années à courir jusqu'à leur échéance, qui ont une valeur nominale et de remboursement de 1 000 $, dont le taux des coupons annuels est égal à 8 % et dont le cours en Bourse s'élève à 1 177,05 $ ?

Pour répondre à cette question, on peut, dans un premier temps, estimer, en fonction du cours coté de l'obligation, le taux de rendement exigé (TRE) par les investisseurs. Le cours de 1 177,05 $ suppose un taux de 6 %.

$$1\,177,05\$ = \frac{80 \times [1 - (1 + k^*_{OB})^{-13}]}{k^*_{OB}} + 1\,000(1 + k^*_{OB})^{-13}$$

$$k^*_{OB} = 6\%$$

Dans un deuxième temps, on détermine le coupon à payer afin que la nouvelle obligation rapporte autant aux investisseurs, soit 6 %. Si l'émission se fait au pair, la valeur de vente de l'obligation (encore égale au produit brut d'émission PBE) est de 1 000 $ par obligation. Si le remboursement se fait aussi au pair, alors le coupon annuel doit être égal à 60 $ pour que le taux de rendement s'établisse à 6 %.

On peut alors, dans un troisième temps, estimer le coût pour l'émetteur. Il faut d'abord prendre en compte le montant des frais d'émission après impôts, soit FE $(1 - T)$ = prix d'émission × 5 % $(1 - 20\%)$ = 1 000 × 5 % × 80 % = 40 $. Le produit net d'émission s'élève donc à 960 $ par obligation, et le montant net du coupon par titre est : coupon net = 60 × $(1 - 20\%)$ = 60 × 80 % = 48 $.

Le coût pour l'émetteur peut alors être estimé à l'aide de l'équation suivante :

$$\text{PNE} = \frac{C(1 - T) \times [1 - (1 + k_{OB})^{-13}]}{k_{OB}} + 1\,000(1 + k_{OB})^{-13}$$

$$960 = \frac{48 \times [1 - (1 + k_{OB})^{-13}]}{k_{OB}} + 100(1 + k_{OB})^{-13}$$

On obtient donc $k_{OB} = 5,2\%$ (à l'aide de la calculatrice financière).

## 6.2.3 Le coût des actions privilégiées ($k_{AP}$)

Si une entreprise se finance par des actions privilégiées (AP), les positions de l'investisseur et de l'émetteur sont les suivantes : l'investisseur débourse initialement le produit brut de l'émission pour recevoir des dividendes fixes après impôt personnel, jusqu'à l'infini. Quant à l'émetteur, il reçoit le produit net de l'émission (produit brut de l'émission, moins les frais d'émission, plus l'économie d'impôt) et doit débourser les dividendes fixes périodiquement, jusqu'à l'infini.

Comme les dividendes ne sont pas déductibles, seuls les frais d'émission amènent une différence entre le taux de rendement exigé par le marché ($k^*_{AP}$) et le **coût du financement par actions privilégiées** ($k_{AP}$). Donc, on a $k^*_{AP} < k_{AP}$.

Calculons $k^*_{AP}$ à l'aide de la formule déjà vue dans le chapitre 4 :

$$P_{AP} = \frac{D_P}{k_{AP}}$$

$$k_{AP} = \frac{D_P}{P_{AP}} \qquad\qquad\qquad (6.6)$$

où

$P_{AP}$ est le prix d'émission de l'action privilégiée ;

$D_P$ est le dividende privilégié.

On doit noter que, si l'entreprise doit assumer des frais d'émission (FE), on aura alors la relation suivante :

$$k_{AP} = \frac{D_P}{P_{AP} - \text{FE}(1 - T)}$$

où

$T$ est le taux d'imposition de l'entreprise.

## EXEMPLE 6.5

On peut supposer que le prix des actions privilégiées de Couche-Tard est de 25 $ et que le taux de dividende annuel est de 10 % de la valeur nominale (22,50 $). Les frais d'émission sont de 0,40 $ par nouvelle action, et ces frais sont déductibles ; le taux d'imposition est de 40 %. Quel est le coût de financement par action privilégiée ?

La réponse est la suivante : le dividende annuel est 10 % de 22,50 $, soit 2,25 $.

$$k_{AP} = \frac{2,25}{25 - 0,40(1 - 0,4)} = \frac{2,25}{24,76} = 9,1\,\%$$

### 6.2.4 La détermination des pondérations de chaque source

Pour déterminer les pondérations de chaque source de financement, nous pouvons nous baser sur la valeur comptable ou sur la valeur marchande. Nous examinons ci-dessous chacune de ces possibilités.

#### A ■ Les pondérations selon la valeur comptable

Ces pondérations sont calculées en fonction des états financiers de l'entreprise. Elles sont fondées, essentiellement, sur des montants historiques. Dans le cas des actions ordinaires, le résultat peut être très différent de celui obtenu en se basant sur la valeur marchande.

## EXEMPLE 6.6

Si le total d'un investissement dans Couche-Tard est de 20 000 $, et que le financement se fait par émission d'actions ordinaires et d'obligations selon les valeurs suivantes :
- actions ordinaires : 14 000 $ ;
- obligations : 6 000 $ ;

les pondérations selon la valeur comptable sont alors les suivantes :
- actions ordinaires : 14 000 $ / 20 000 $ = 70 % ;
- obligations : 6 000 $ / 20 000 $ = 30 %.

## B ■ Les pondérations selon la valeur marchande

Ces pondérations sont plus intéressantes, car elles sont liées à la véritable valeur de l'entreprise, mais elles sont sujettes aux fluctuations temporaires du marché financier.

### EXEMPLE 6.7

Supposons qu'il y ait 1 000 actions en circulation, valant chacune 10 $ sur le marché. La valeur marchande de ces actions est alors de 1 000 × 10 = 10 000 $.

Si, en plus, les obligations en circulation sont au nombre de 500 et que leur prix est de 60 $, alors leur valeur marchande est de 500 × 60 $ = 30 000 $.

Par conséquent, les pondérations sont les suivantes :
- actions ordinaires : 10 000 $ / 10 000 $ + 30 000 $ = 25 % ;
- obligations :          30 000 $ / 40 000 $ = 75 %.

En règle générale, il est préférable d'utiliser les valeurs marchandes si elles sont disponibles, car elles reflètent mieux les prévisions des investisseurs.

### 6.2.5 Les conditions d'utilisation du CMPC

Premièrement, le risque d'exploitation du projet doit être identique à celui de l'entreprise. Si le risque d'exploitation du projet est plus faible que celui de l'entreprise, on risque de refuser le projet si on l'actualise au CMPC. Il faut donc l'actualiser à un taux plus faible. À l'inverse, si le risque d'exploitation du projet est plus élevé que celui de l'entreprise, on risque d'accepter le projet si on l'actualise au CMPC. Il faut donc l'actualiser à un taux plus élevé. Ceci est souvent le cas d'entreprises qui possèdent plusieurs types d'activités dans différentes filiales. Si elles utilisent aveuglément le CMPC, elles favorisent les activités les plus risquées au détriment des activités les moins risquées. Deuxièmement, le rapport des composantes de la structure du capital évaluées à leur valeur marchande doit demeurer constant.

### 6.2.6 Le calcul du CMPC : le cas de la société Couche-Tard

Nous verrons maintenant comment calculer le CMPC de la société Couche-Tard. On peut d'abord déterminer le coût des fonds propres en faisant la moyenne des valeurs du taux de rendement requis calculées à l'aide de deux modèles. Le premier est le modèle d'évaluation des actifs financiers (MÉDAF), qui permet de mesurer le rapport entre le risque d'un placement en actions et le rendement qu'offre ce placement en raison de ce risque. Nous présentons ci-dessous les calculs pertinents pour trouver le coût des fonds propres de Couche-Tard.

Supposons que $R_f = 3,50\%$, $\beta_{\text{Couche-Tard}} = 1,45$, $R_M = 9,92\%$. Nous avons alors :

$$k_{AO} = 0,0350 + 1,45 \times (0,0992 - 0,0350) = 0,0350 + 0,0931 = 0,1281$$

$$k_{AO} = 12,81\%$$

Nous pouvons aussi calculer le taux de rendement requis des fonds propres à l'aide du modèle de Gordon, dont il a été question précédemment. Selon ce modèle, le taux de rendement est fonction de la croissance des rentrées nettes de fonds attribuables aux dividendes dans le futur. On calcule le taux de rendement requis suivant le modèle de Gordon à l'aide de la formule suivante :

$$k_{AO} = \frac{D_1}{P_0} + g = \frac{D_0(1 + g)}{P_0} + g$$

où

$D_0$ est le dividende versé dans l'année courante ;

$P_0$ est le prix courant de l'action ;

$g$ est le taux de croissance attendu des dividendes.

Appliquons maintenant la formule ci-dessus au cas de Couche-Tard.

Si $D_0 = 1,96$ \$, $P_0 = 29,75$ \$ et $g = 3,00\%$, alors :

$$k_{AO} = (1,96/29,75) \times (1 + 0,0300) + 0,0300 = 0,0979 = 9,79\%$$

En faisant la moyenne arithmétique des taux de rendement requis calculés à l'aide de chacun des modèles, nous obtenons 11,30 % comme coût des fonds propres.

Supposons maintenant que Couche-Tard contracte un emprunt sur 5 années au taux nominal annuel de 6,5 %. Le taux d'imposition de l'entreprise est de 20 %.

Le coût effectif de la dette ($k_D$) équivaut à 6,5 %(1 − 20 %) = 5,2 %.

À l'étape précédente, nous avons déterminé le coût de chacune des composantes de la structure du capital de Couche-Tard. À cette étape-ci, nous pondérons ces coûts selon les proportions respectives de chaque moyen de financement dans le financement global de l'entreprise pour trouver le coût moyen pondéré du capital.

| Coût | Poids (en pourcentage) | Taux (en pourcentage) | Poids × Taux (en pourcentage) |
|------|------------------------|------------------------|-------------------------------|
| Dette | 20 | 5,2 | 1,04 |
| Capitaux propres | 80 | 11,3 | 9,04 |
| CMPC | 100 | | 10,08 |

**CHAPITRE 06**

## Conclusion

Dans le présent chapitre, nous avons présenté les méthodes de calcul du coût des fonds propres en utilisant le MÉDAF. Ce calcul nécessite que l'on détermine le taux sans risque, et que l'on estime le bêta et le rendement espéré du marché pour calculer la prime de risque.

Nous avons ensuite présenté les méthodes de calcul du coût moyen pondéré des sources de fonds de l'entreprise.

Les étapes du calcul du CMPC sont, premièrement, l'estimation du coût de chacune des sources de financement, deuxièmement, la détermination des pondérations de chaque source par rapport au total des sources et, troisièmement, le calcul du coût moyen pondéré du capital.

# À retenir

1. Idéalement, tout projet doit être financé de façon à préserver la structure de capital optimale de l'entreprise (le risque financier étant le même, les taux exigés par le marché ne changeront pas à cause de la structure financière).

2. Les pondérations des sources de financement dans une structure de capital donnée peuvent être évaluées en fonction d'une base comptable ou financière. Il est préférable, toutefois, d'utiliser les valeurs marchandes si elles sont disponibles.

3. Les sources de financement opérationnelles comme les comptes fournisseurs, l'impôt à payer et les autres passifs à court terme non négociés ne sont habituellement pas inclus dans le calcul du CMPC.

4. La marge de crédit, qui est souvent utilisée à différents moments de l'année, fait généralement partie du calcul du CMPC.

5. Les pondérations sont multipliées par les différents coûts de financement de façon à obtenir le CMPC.

6. Les coûts de chaque source de financement peuvent être difficiles à déterminer et ne sont, dans bien des cas, que des approximations. Il faut alors penser à l'analyse de sensibilité.

## Mots-clés

**Le taux de rendement requis sur un titre**

$$E(R_i) = R_f + \beta i \, [E(R_M) - R_f] \tag{6.1}$$

**Le coût des actions ordinaires avec frais d'émission**

$$k_{AO} = \frac{D_1}{P_0 - FE(1 - T)} + g \tag{6.2}$$

**Le coût moyen pondéré du capital (CMPC)**

$$CMPC = \sum_{i=1}^{N} W_i K_i \tag{6.3}$$

**Le coût des emprunts à long terme**

$$k_D = k^*_D (1 - T) \tag{6.4}$$

**Le coût des obligations**

$$PNE = \text{coupons nets}^* \left[ \frac{1 - (1 + k_{OB\,sem})^{-2N}}{k_{OB\,sem}} \right] + VN \times (1 + k_{OB\,sem})^{-2N} \tag{6.5}$$

**Le coût des actions privilégiées**

$$k_{AP} = \frac{D_P}{P_{AP}} \tag{6.6}$$

## Étude de cas

### COUCHE-TARD : UN SURVOL[3]

Alimentation Couche-Tard inc. est le chef de file de l'industrie canadienne du commerce de dépannage. En Amérique du Nord, Couche-Tard se situe au deuxième rang des chaînes de magasins de dépannage (intégrées ou non à une société pétrolière) en fonction du nombre de magasins. Le réseau Couche-Tard compte actuellement 5 615 magasins, dont 3 444 dotés d'un site de distribution de carburant. Ces commerces sont répartis entre 9 grands marchés géographiques, dont 6 aux États-Unis, couvrant 29 États, et 3 au Canada, dans 6 provinces. Plus de 45 000 personnes travaillent dans l'ensemble du réseau de magasins et les centres de services.

Au réseau Couche-Tard nord-américain s'ajoutent environ 3 500 magasins sous licence Circle K répartis dans 7 autres régions du monde (Japon, Hong Kong, Chine, Indonésie, Guam, Macao et Mexique).

Alimentation Couche-Tard inc. a poursuivi sa solide performance au cours du premier trimestre de l'exercice 2008 avec un chiffre d'affaires de 3,6 milliards $, en hausse de 716,4 millions $ ou de 25,1 %. Le bénéfice net pour la période de 12 semaines terminée le 22 juillet 2007 a connu une hausse de 54,9 % pour s'établir à 69,1 millions $, soit 0,34 $ par action, ou 0,33 $ sur une base diluée. Le bénéfice net du premier trimestre de 2007 incluait une dépense d'impôts non récurrente de 9,9 millions $. En excluant ce facteur, le bénéfice net est en hausse de 26,8 %.

---

3. Site Web : www.couchetard.com.

| Bilans consolidés (en millions de dollars américains) | Au 22 juillet 2007 (non vérifié) | Au 29 avril 2007 (vérifié) |
|---|---|---|
| Actif | | |
| Actif à court terme | | |
| Trésorerie et équivalents de trésorerie | 171,3 | 141,7 |
| Débiteurs | 216,8 | 199,0 |
| Stocks | 417,1 | 382,1 |
| Frais payés d'avance | 13,6 | 13,5 |
| Impôts futurs | 21,2 | 22,7 |
| | 840,0 | 759,0 |
| Immobilisations | 1 729,4 | 1 671,6 |
| Écarts d'acquisition | 387,2 | 373,8 |
| Marques de commerce et licences | 168,7 | 168,7 |
| Frais reportés | 14,1 | 25,8 |
| Autres actifs | 41,6 | 43,4 |
| Impôts futurs | 0,6 | 0,9 |
| | 3 181,6 | 3 043,2 |
| | | |
| Passif | | |
| Passif à court terme | | |
| Créditeurs et charges à payer | 752,3 | 740,3 |
| Impôts sur les bénéfices à payer | 63,4 | 46,6 |
| Portion à court terme de la dette à long terme | 0,5 | 0,5 |
| Impôts futurs | 0,1 | 0,1 |
| | 816,3 | 787,5 |
| Dette à long terme | 846,8 | 869,5 |
| Crédits reportés et autres éléments de passif | 185,5 | 161,9 |
| Impôts futurs | 77,4 | 78,9 |
| | 1 926,0 | 1 897,8 |
| | | |
| Capitaux propres | | |
| Capital-actions | 357,9 | 352,3 |
| Surplus d'apport | 13,0 | 13,4 |
| Bénéfices non répartis (note 2) | 746,1 | 681,9 |
| Cumul des autres éléments du résultat étendu (note 2) | 138,6 | 97,8 |
| | 1 255,6 | 1 145,4 |
| | 3 181,6 | 3 043,2 |

En juin 1995, les actions ordinaires en circulation de la compagnie ont été transformées en actions à vote multiple de catégorie A et en actions à vote subalterne de catégorie B. Ces deux types d'actions ont été négociés à la Bourse de Montréal jusqu'au 3 décembre 1999. Leur négociation à la Bourse de Toronto a débuté le 6 décembre 1999 sous les symboles ATD.A et ATD.B.

Le tableau ci-dessous compare le rendement total cumulatif pour l'actionnaire d'une somme de 100 $ investie à la fin d'avril 2001 dans les actions à vote multiple et les actions à vote subalterne de la compagnie, et le rendement total cumulatif de l'indice composé S&P/TSX.

(en dollars)

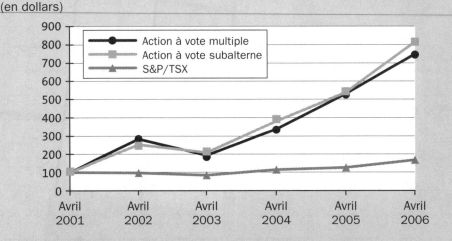

| | Avril 2001 | Avril 2002 | Avril 2003 | Avril 2004 | Avril 2005 | Avril 2006 |
|---|---|---|---|---|---|---|
| Actions à vote multiple (en dollars) | 100,00 | 282,76 | 193,10 | 337,10 | 531,03 | 748,97 |
| Actions à vote subalterne (en dollars) | 100,00 | 251,91 | 208,28 | 380,57 | 538,85 | 815,61 |
| Indice composé S&P/TSX (en dollars) | 100,00 | 97,32 | 84,65 | 114,78 | 126,31 | 167,70 |

## Questions

1. Que signifie un coût du capital d'une société de 15 % ?
2. Comment calcule-t-on le coût des fonds propres ?
3. Comment calcule-t-on le coût de la dette ?
4. Comment calcule-t-on le coût des actions privilégiées ?
5. Comment calcule-t-on le CMPC ?
6. Quelle est la différence entre le coût des fonds propres et le CMPC ?
7. Dans quel cas le coût des fonds propres est-il égal au CMPC ?

1. Couche-Tard vient tout juste d'émettre un dividende de 3$ par action sur ses actions ordinaires. L'entreprise s'attend à maintenir un taux de croissance constant de 5 % quant à ses dividendes, indéfiniment. Si les actions se négocient à 60 $ chacune, quel est le coût des fonds propres de Couche-Tard ?

2. Le ratio dette-fonds propres visé par Couche-Tard est de 1,50. Le CMPC est de 10,52 % et le taux d'imposition est de 35 %.
   a) Si le coût des fonds propres de Couche-Tard est de 18 %, quel est le coût de la dette avant impôt ?
   b) Si l'on sait que le coût de la dette après impôt est de 7,5 %, quel est alors le coût des fonds propres ?

3. Couche-Tard utilise les trois sources de financement à long terme suivantes : les actions ordinaires à concurrence de 10 %, les actions privilégiées à concurrence de 35 % et la dette à concurrence de 55 %. Le tableau suivant donne le coût de financement de chacune de ces sources de financement.

| Sources de financement | Poids (en pourcentage) | Coût (en dollars) |
|---|---|---|
| Actions privilégiées | 35 | 8 |
| Actions ordinaires | 10 | 15 |
| Dette | 55 | 6 |

Quel est alors le CMPC de Couche-Tard ?

4. Couche-Tard veut émettre des obligations dont la valeur nominale est de 1 000 $ chacune. Le prix des obligations sur le marché est aussi de 1 000 $, donc l'obligation se vend au pair. Si l'on suppose que l'échéance est de 20 ans, que le coupon est semestriel et que le taux de coupon est de 10 %, quel est le taux de rendement sur l'obligation ($T = 30 \%$) ?

5. Le prix de l'action privilégiée de Couche-Tard, qui paie un dividende de 10 $ par action privilégiée, est de 80 $. L'entreprise envisage d'émettre de nouvelles actions privilégiées, qui lui coûterait 2 % du prix actuel.
   Quel est, dans ce cas, le coût des actions privilégiées ?

6. Couche-Tard contracte un emprunt sur 5 ans au taux nominal annuel de 12 %. Le taux d'imposition de l'entreprise est de 37,5 %. Quel est le coût effectif de la dette ($k_D$) ?

7. Le prix actuel de l'action de Couche-Tard est de 25 $, le dividende prévu dans 1 année est nul, celui dans 2 années sera de 0,50 $, celui dans 3 années sera de 0,75 $ et celui dans 4 années sera de 1,00 $. On prévoit que, par la suite, le taux de croissance des dividendes sera stable à 10 %. Compte tenu que le taux d'imposition de l'entreprise est de 10 %, quel est le coût du financement interne (il y a recours aux bénéfices non répartis) et du financement externe (il y a une nouvelle émission d'actions) de Couche-Tard ?

8. Couche-Tard est actuellement financée par des obligations et par des actions ordinaires, les deux ayant la même proportion dans la structure de capital. Les obligations, dont l'échéance est de 7 années et qui offrent un coupon de 8 % versé semestriellement, se vendent actuellement 800 $. Les actions ordinaires sont cotées à 30 $ sur le marché. Le dividende sur les actions ordinaires est versé annuellement. Le dernier dividende versé fut de 0,12 $, et le taux de croissance futur devrait être le même que celui observé par le passé. Les dividendes passés sont présentés dans le tableau suivant.

| Année | 2002 | 2001 | 2000 | 1999 | 1998 |
|---|---|---|---|---|---|
| Dividende (en dollars) | 0,13 | 0,09 | 0,09 | 0,08 | 0,07 |

Le taux d'imposition de Couche-Tard est de 38 %.

Si des frais d'émission (après impôt) de 3 % pour les obligations et de 4 % pour les actions ordinaires sont exigés, quel est le coût moyen pondéré du capital de Couche-Tard ?

9. Couche-Tard a déjà des obligations de série A à son bilan, émises il y a 2 années au pair. Le taux du coupon est de 11,5 % (coupon semestriel), le prix de l'obligation ($P_0$) est de 936,54 $, l'échéance est de 13 années et le taux d'imposition de l'entreprise est de 40 %. La société désire émettre une nouvelle série d'obligations (série B) dont l'échéance est de 15 années. Le taux de rendement à l'échéance ($TRE_B$) égalera le taux de rendement à l'échéance ($TRE_A$) + 0,5 %. Les frais d'émission sont de 4 %.

Quel est le taux de rendement sur l'obligation B ?

Miller

Modigliani

# Les politiques financières de l'entreprise

7.1  La structure du capital

7.2  La politique de dividende

# CHAPITRE 07

## Mise en contexte

Au chapitre 2, nous avons décrit les différents moyens de l'entreprise pour financer ses projets d'investissement. Au chapitre 6, nous avons étudié les coûts de chaque source de financement ainsi que le coût global de financement de l'entreprise, appelé coût moyen pondéré du capital. L'objectif de chaque entreprise est de réduire ses coûts de financement pour s'assurer d'une rentabilité maximale sur ses investissements. Cette dernière correspond en réalité à la différence entre le taux de rendement interne et le coût du capital de chaque dollar investi dans les actifs de la firme.

Pour assurer cette rentabilité, les gestionnaires financiers sont appelés à se prononcer sur une décision cruciale pour l'entreprise en ce qui concerne la structure du capital. Parmi toutes les sources de financement disponibles, les gestionnaires doivent sélectionner les moins coûteuses. De plus, ils doivent déterminer dans quelle proportion ils établiront le financement parmi les sources les plus avantageuses. Les sources de financement de l'entreprise comprennent, entre autres, les bénéfices réalisés. Ces derniers constituent une source de financement non négligeable, notamment pour ce qui est de la disponibilité des fonds. La portion des bénéfices à garder sous forme d'autofinancement et celle qu'il faut distribuer aux actionnaires sous forme de dividendes sont d'autres décisions financières importantes.

Dans ce chapitre, nous verrons les deux principales politiques financières de l'entreprise (à part celle de l'investissement déjà abordée au chapitre 3), à savoir celle sur la structure du capital et celle sur les dividendes.

## 7.1 La structure du capital

Parmi les décisions financières les plus importantes de la firme, on trouve le choix du mode de financement. En d'autres termes, comment une entreprise finance-t-elle sa croissance ? Dans quelle proportion doit-elle s'endetter ? Dans quelle proportion doit-elle (et peut-elle) émettre du capital-actions ? Le choix d'une **structure du capital** est donc un problème de choix de financement. Ainsi, on définit la structure du capital d'une entreprise comme le rapport entre la dette à long terme de l'entreprise et ses capitaux propres. Plusieurs questions se posent dans le contexte du choix de financement. Comment les gestionnaires déterminent-ils la structure du capital ? Quel est le lien entre la structure du capital et la valeur de l'entreprise ? Nous allons essayer de répondre à toutes ces questions. Toutefois, pour commencer, nous étudierons le lien conceptuel entre la structure du capital et la valeur de l'entreprise.

### 7.1.1 La structure du capital et la valeur de l'entreprise

La relation entre la structure du capital et la valeur de l'entreprise a été formalisée pour la première fois par Modigliani et Miller en 1958. Selon ces deux auteurs et dans un monde parfait où il n'y a ni coûts de faillite, ni asymétrie d'information entre les investisseurs, ni fiscalité, la valeur de l'entreprise est indépendante de la structure du capital. En d'autres mots, l'entreprise pourrait s'endetter à 100% s'il le fallait. Cela n'aurait pas d'effet sur sa valeur.

On peut simplifier cet argument, apparemment peu intuitif, de la manière suivante : la valeur de l'entreprise est souvent schématisée par un diagramme circulaire (camembert). En supposant que ce diagramme représente la valeur de l'entreprise et qu'il se subdivise en dette et en fonds propres, on peut écrire l'équation suivante :

$$V = D + \text{FP} \tag{7.1}$$

où

$D$ est la valeur marchande de la dette ;

FP est la valeur marchande des fonds propres.

Il est clair que les proportions de dette et de fonds propres ne changent en rien la valeur de l'entreprise. En effet, que l'entreprise soit endettée à 70%, à 30% ou encore à 50%, la valeur totale de l'entreprise (la grandeur du diagramme) ne changera pas.

La formalisation de la proposition 1 de Modigliani et Miller (1958)[1] se fait donc de la manière suivante. La valeur totale d'une entreprise endettée est égale à la valeur d'une entreprise non endettée en l'absence d'impôts :

$$V_E = \text{FP} + D = V_{NE} \tag{7.2}$$

où

$V_E$ est la valeur marchande totale de la firme endettée ;

FP est la valeur marchande des fonds propres de la firme endettée ;

$D$ est la valeur marchande de la dette ;

$V_{NE}$ est la valeur marchande de l'entreprise non endettée.

Si l'on examine cette proposition, on note qu'il ne peut y avoir de structure optimale du capital particulière qui maximise la richesse des actionnaires. Toute structure du capital ou niveau d'endettement permet d'atteindre cet objectif.

Modigliani et Miller font aussi une proposition sur le taux de rendement exigé par les actionnaires (ou **coût des fonds propres**) ou coût du capital $k$ de l'entreprise endettée et non endettée. Cette proposition sur le **coût du capital** encore appelée proposition 2 de Modigliani et Miller s'énonce comme suit :

$$k_E = k_{NE} + (k_{NE} - k_D)\frac{D}{\text{FP}_E} \tag{7.3}$$

où

$k_E$ est le coût du capital de l'entreprise endettée ;

$k_{NE}$ est le coût du capital de l'entreprise non endettée ;

$k_D$ est le coût de la dette.

---

1. Modigliani, F., et M. H. Miller, «The Cost of Capital, Corporate Finance and the Theory of Investment», *American Economic Review,* juin 1958, p. 261-297.

Selon cette proposition, le taux de rendement exigé sur les fonds propres, soit le coût des fonds propres d'une entreprise endettée ($k_E$), est égal au taux de rendement d'une entreprise non endettée $k_{NE}$ auquel s'ajoute une prime de risque qui correspond au terme suivant :

$$(k_{NE} - k_D)\frac{D}{\text{FP}_E}$$

Selon la proposition 2 [équation (7.3)], plus le niveau d'endettement est élevé, plus la différence entre $k_E$ et $k_{NE}$ s'accroît. En effet, le terme $(k_{NE} - k_D)D/\text{FP}_E$, qui correspond à la **prime de risque,** augmente aussi.

### 7.1.2  Les imperfections du marché

Comme nous l'avons mentionné plus haut, la non-pertinence de l'endettement pour la valeur de l'entreprise, telle que l'ont énoncée Modigliani et Miller, repose sur une hypothèse de marchés parfaits. Ces marchés sont caractérisés, entre autres, par l'inexistence de la fiscalité, par de l'asymétrie d'information entre les investisseurs et les gestionnaires, et par l'inexistence de coûts de faillite. Dans ce qui suit, nous allons évaluer une à une ces hypothèses afin de déterminer si la dette reste non pertinente pour la valeur de l'entreprise.

### A ▪ La fiscalité et les économies d'impôts

**La fiscalité d'entreprise** Si l'on tient compte des impôts sur les sociétés, les propositions énoncées plus haut sont-elles encore valables ? En d'autres termes, devrait-on s'attendre à l'existence d'un lien entre la structure du capital et la valeur de l'entreprise ? Nous allons démontrer que de non pertinente en l'absence d'impôts, la dette devient avantageuse en leur présence. En fait, l'entreprise aurait tout avantage à s'endetter au maximum pour bénéficier d'économies d'impôts substantielles, ce qui à son tour aurait pour conséquence d'augmenter la valeur de la firme. Cette idée se trouve formalisée dans la proposition 1 de Modigliani et Miller (1963)[2]. Si l'on tient compte des impôts, la valeur d'une entreprise endettée est égale à la valeur d'une entreprise non endettée à laquelle s'ajoute l'avantage fiscal de la dette. Ce dernier est constitué par la déductibilité des intérêts versés sur la dette.

$$V_E = V_{NE} + T_C \times D \tag{7.4}$$

où

$V_E$ est la valeur de l'entreprise endettée ;

$V_{NE}$ est la valeur de l'entreprise non endettée ;

$T_C$ est le taux d'imposition de l'entreprise ;

$D$ est la valeur marchande de la dette.

De plus :

$$V_{NE} = \text{BAII} \times (1 - T_C)/k_{NE}$$

où

BAII est le bénéfice avant intérêts et impôts.

---

2. Modigliani, F., et M. H. Miller, « Corporate Income Taxes and the Cost of Capital », *American Economic Review,* juin 1963, p. 433-443.

## EXEMPLE 7.1

Prenons l'exemple d'une entreprise non endettée. Supposons que le taux d'imposition est de 20 % et que le taux de rendement requis sur les fonds propres est de 5 %. On doit calculer la valeur de l'entreprise si elle contracte un endettement de 10 000 $ (au taux de 2 %). On suppose aussi que cet endettement permettra de réaliser un bénéfice avant intérêts et impôts de 4 000 $.

Ainsi, d'après Modigliani et Miller, on a :

$$V_E = V_{NE} + T_C \times D$$

où

$$V_{NE} = \text{BAII} \times (1 - T_C)/k_{NE}$$

Donc :

$$V_E = \frac{4\,000(1 - 0,20)}{0,05} + 0,02 \times 10\,000 = 64\,200\ \$$$

Ayant obtenu la valeur de l'entreprise une fois qu'elle s'est endettée, on peut en déduire la valeur de l'entreprise non endettée. Cette valeur correspond à la valeur des fonds propres que l'on obtient comme suit :

$$\text{FP} = V_E - D = 64\,200\ \$ - 10\,000\ \$ = 54\,200\ \$$$

Modigliani et Miller offrent aussi une deuxième proposition au sujet du lien entre la structure de propriété et le coût du capital. Cette proposition soutient que le coût des fonds propres de l'entreprise endettée est égal au coût des fonds propres d'une entreprise non endettée en plus d'une prime de risque. On calcule cette prime en établissant la différence entre $k_{NE}$ et $k_D$ multipliée par le ratio du niveau d'endettement sur les fonds propres et 1 moins le taux d'imposition de l'entreprise.

Ainsi, le coût des fonds propres pour l'entreprise endettée s'écrit comme suit :

$$k_E = k_{NE} + D/\text{FP} \times (1 - T_C) \times (k_{NE} - k_D) \tag{7.5}$$

Par la même occasion, il faut noter que le coût moyen pondéré du capital s'écrit de la manière suivante :

$$\text{CMPC} = [\text{FP}/(\text{FP} + D)] \times k_E + [D/(\text{FP} + D)] \times k_D \times (1 - T_C) \tag{7.6}$$

Ainsi, l'avantage de la dette est que celle-ci augmente la valeur de l'entreprise (selon la proposition 1 de Modigliani et Miller). Cependant, lorsque l'on tient compte de la fiscalité d'entreprise, on remarque que l'avantage de la dette est diminué du montant des impôts qui vont être prélevés sur le revenu de l'entreprise, ce qui constitue la proposition 2 de Modigliani et Miller.

**La fiscalité personnelle** En 1977, Miller reprend le modèle de Modigliani et Miller avec impôts d'entreprise et y ajoute l'effet de la fiscalité personnelle. Ainsi, il tient compte de l'effet que pourrait avoir le niveau d'imposition des investisseurs sur la relation entre la structure du capital et la valeur de l'entreprise.

Miller prend donc comme point de départ le modèle avec impôts d'entreprise de Modigliani et Miller, soit :

$$V_E = V_{NE} + T_C \times D$$

Miller exprime ensuite la relation entre la valeur de l'entreprise endettée et la valeur de l'entreprise non endettée de la manière suivante :

$$V_E = V_{NE} + \left[1 - \frac{(1 - T_C) \times (1 - T_S)}{(1 - T_D)}\right] \times D \qquad (7.7)$$

où

$T_D$ est le taux d'imposition personnel sur les revenus en intérêts ;

$T_S$ est le taux d'imposition personnel sur les dividendes et les gains en capital ;

$T_C$ est le taux d'imposition de l'entreprise.

On constate que la valeur d'une entreprise endettée est plus grande que la valeur d'une entreprise non endettée, en fonction du terme entre crochets (souvent appelé B) que multiplie le niveau de la dette. Ce terme représente le **gain lié à l'endettement.** On en déduit que la dette peut garder son aspect avantageux malgré l'existence de la fiscalité d'entreprise et personnelle. En effet, le gain peut être positif, négatif ou nul, selon le niveau de $T_D$, de $T_C$ et de $T_S$. Par exemple, si $T_S$ est nul et si l'entreprise et le particulier sont imposés au même niveau (donc $T_C = T_D$), alors $V_E$ est égale à $V_{NE}$ puisque la valeur entre crochets est nulle ou $B = 0$.

De même, si on a $T_D = T_S$, alors on obtient la relation de base de Modigliani et Miller qui est $V_E = V_{NE} + T_C \times D$.

## EXEMPLE 7.2

> Supposons que l'entreprise Piaffe est imposée à un taux égal à 20 %. Les activités de cette entreprise engendrent un bénéfice brut de 10 000 $. D'un autre côté, les investisseurs sont imposés au taux de 30 % pour les dividendes et de 35 % pour les revenus d'intérêts. Sachant que le taux d'actualisation est de 10 %, on calcule la valeur de cette entreprise ainsi :
>
> $$V_{\text{Piaffe}} = 10\ 000\ \$ \times (1 - 0{,}20)/0{,}10$$

On peut récapituler la théorie de la structure du capital dans le schéma suivant. Cette illustration présente les avantages de l'endettement en l'absence de fiscalité, en présence d'impôts d'entreprise et en présence d'impôts personnels et d'entreprise (Miller, 1977)[3].

## Figure 7.1 Les avantages de l'endettement : fiscalité d'entreprise et personnelle

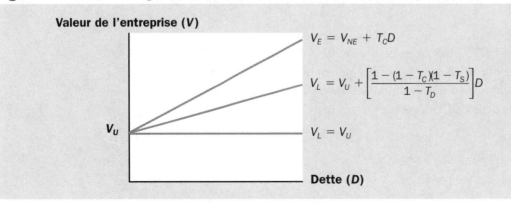

---

3. Miller, M. H., « Debt and Taxes », *Journal of Finance*, mai 1977, p. 261-275.

Jusqu'à présent, on a considéré l'hypothèse qui tient compte de la fiscalité d'entreprise ou personnelle, et on a démontré que la dette est bénéfique, puisqu'elle augmente la valeur de l'entreprise. Dans ce qui suit, on considérera les **coûts de la faillite** et les **coûts de mandat** liés à l'endettement, ce qui va nous amener à nuancer les bienfaits de la dette. En d'autres termes, après avoir décrit les avantages de la dette, on va maintenant tenir compte de ses coûts.

## B ■ Les coûts associés à l'endettement

**Les coûts de la faillite** Précédemment, nous avons vu que dans le cadre d'un marché parfait, la valeur de l'entreprise est indépendante du niveau d'endettement (propositions 1 et 2 de Modigliani et Miller). On a établi, d'une part, que l'entreprise pouvait bénéficier d'une réduction d'impôts, ce qui augmente l'attrait de la dette et, d'autre part, que cet avantage ne disparaît pas si l'on tient aussi compte de l'imposition personnelle.

Si tel était le cas, on observerait des taux d'endettement très élevés dans la réalité. Il n'y aurait aucune raison de limiter l'endettement s'il ne présentait que des avantages. Voyons maintenant pourquoi ce n'est pas le cas. Jusqu'à présent, notre analyse a fait abstraction des problèmes liés aux difficultés financières. Cependant, on ne peut pas ignorer le fait qu'un endettement qui augmente engendre un risque financier plus élevé. Avec un risque financier de plus en plus élevé, l'entreprise risque d'éprouver des difficultés financières et, le cas échéant, elle peut faire faillite. C'est pour cette raison que les entreprises ne peuvent s'endetter à outrance. De ce fait, il en découle que les entreprises choisissent leur niveau d'endettement selon les bienfaits qu'elles retirent de la déductibilité des intérêts, mais aussi selon leur niveau de risque financier. Ainsi, si le risque financier est élevé, le fait que le bénéfice imposable diminue si l'on augmente son niveau d'endettement ne conduira pas nécessairement l'entreprise à contracter une dette additionnelle. Selon ce point de vue, il existe un niveau de **dette optimale** qui permet d'équilibrer les avantages issus de l'endettement et les coûts liés aux difficultés financières qui peuvent en résulter. Dans ce cas, l'endettement n'est plus neutre ; il influe sur la valeur. Les entreprises, selon cette théorie, vont faire en sorte de converger vers cette **structure optimale du capital** où les avantages de la dette compensent ses coûts.

À partir du modèle de Miller et si l'on tient compte à la fois de la fiscalité et des coûts liés aux difficultés financières, on peut obtenir la figure suivante.

## Figure 7.2  Les coûts de la dette : détresse financière

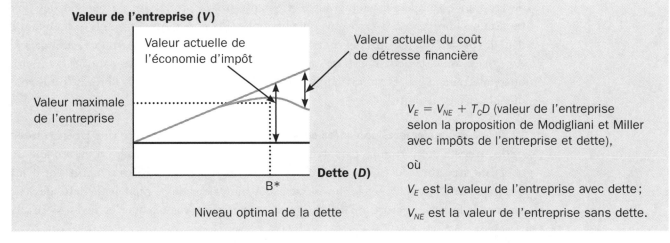

$V_E = V_{NE} + T_C D$ (valeur de l'entreprise selon la proposition de Modigliani et Miller avec impôts de l'entreprise et dette),

où

$V_E$ est la valeur de l'entreprise avec dette ;

$V_{NE}$ est la valeur de l'entreprise sans dette.

Selon la figure 7.2, lorsque l'on tient compte de ces deux éléments, la valeur de l'entreprise s'accroît au début et décroît ensuite (courbe en U inversé ou en cloche). La courbe est croissante à mesure que l'on s'endette, quand l'avantage fiscal l'emporte sur les coûts liés aux difficultés financières. En d'autres termes, dans cette portion de la courbe, le risque financier de l'entreprise n'est pas très élevé. Toutefois, si l'on continue à s'endetter, le risque financier augmente aussi, et l'entreprise risque d'éprouver des difficultés financières. La dette devient moins avantageuse et influe négativement sur la croissance.

**Les coûts de mandat** Les coûts de mandat (appelés aussi coûts d'agence) sont les coûts engendrés par l'entreprise et qui résultent des relations conflictuelles pouvant exister entre ses principaux agents, par exemple les actionnaires et les gestionnaires ou les créanciers et les actionnaires. En effet, la politique d'endettement de l'entreprise peut provoquer des conflits d'intérêts particuliers entre ces différentes parties, notamment en cas de difficultés financières.

Ces problèmes découlent du fait que, dans le contexte d'une entreprise endettée, les actionnaires peuvent s'engager dans des actions qui font en sorte d'exproprier les créanciers. De telles actions sont appelées des problèmes de substitution d'actifs. Ainsi, les actionnaires peuvent investir dans des projets hautement risqués en utilisant l'argent que les créanciers leur prêtent pour investir dans des projets à risque modéré. Les actionnaires ont intérêt à substituer des projets hautement risqués à des projets à risque modéré afin de maximiser leur richesse. Il s'ensuit donc une expropriation des créanciers, surtout lorsque l'entreprise est fortement endettée. Dans ce cas particulier, les actionnaires sont les seuls bénéficiaires, et ce, au détriment des obligataires. Par ailleurs, les actionnaires peuvent se faire verser des dividendes importants, ce qui exproprie les obligataires qui, on le sait, sont prioritaires par rapport aux actionnaires dans le cas d'une faillite.

Un autre coût de mandat qui découle du comportement des actionnaires peut être le problème de sous-investissement. En effet, les actionnaires peuvent laisser passer des occasions de croissance positives, en l'occurrence des projets à VAN positive, s'ils pensent que les créanciers vont davantage bénéficier de ces investissements.

Dans le but de limiter ce genre de comportements, les créanciers peuvent exiger des clauses protectrices qui limitent la marge décisionnelle des dirigeants et des actionnaires afin d'éviter d'être expropriés.

Un autre conflit de mandat peut survenir entre les dirigeants et les actionnaires. En effet, dans les industries en pleine maturité ayant atteint un stade de croissance élevé, les occasions de croissance sont moins nombreuses. Ces entreprises produisent en général des flux monétaires libres très élevés, ce qui pourrait donner l'occasion aux dirigeants de les investir dans des projets qui les enrichissent personnellement, et ce, au détriment des actionnaires. À cette occasion, la dette constitue une solution aux problèmes de mandat dans la mesure où l'endettement représentera un usage optimal de ces flux monétaires libres. C'est le rôle disciplinaire de la dette.

**La théorie des préférences ordonnées ou la théorie du signal** La **théorie des préférences ordonnées** a été formulée par Myers et Majluf (1984)[4] dans le cadre d'un modèle de choix de structure du capital lorsqu'il y a une **asymétrie d'information** entre les dirigeants de l'entreprise et les investisseurs. À l'intérieur de ce modèle, la dette devient un signal. Dans la mesure où les dirigeants connaissent mieux que les investisseurs la

---

4. Miller, M. H., «Debt and Taxes», *Journal of Finance,* mai 1977, p. 261-275.

valeur intrinsèque de l'entreprise, ils vont choisir de financer les investissements requis à l'aide des fonds internes ou encore de la dette et, en tout dernier recours, d'une émission d'actions. Ils ne choisiront l'émission d'actions que si celles-ci sont surévaluées par le marché. Dans ce contexte, les dirigeants pensent que les investisseurs vont acheter les titres de l'entreprise parce qu'ils sont optimistes au sujet de ses perspectives futures. Or, les investisseurs étant rationnels, ils vont réagir de manière négative à l'annonce d'une émission d'actions, car ils savent que le recours au marché boursier signifie que l'entreprise ne peut pas se permettre de s'endetter.

Dans la pratique, le choix de la structure financière cible n'obéit pas à une théorie. En fait, les entreprises choisissent leur niveau d'endettement selon les flux monétaires produits par l'exploitation, le niveau de risque établi par l'entreprise et la conjoncture économique. La plupart des dirigeants d'entreprise déterminent le ratio cible de structure du capital en prenant pour donnée de référence le ratio d'endettement moyen dans le secteur.

**La structure du capital dans la littérature empirique** Plusieurs études empiriques se sont spécialisées dans l'examen des déterminants de la structure optimale du capital des entreprises. Ainsi, elles ont déterminé plusieurs facteurs en relation directe avec le niveau d'endettement choisi. On trouve des variables liées à la fiscalité, telles qu'elles ont été décrites dans le modèle de Modigliani et Miller. On trouve aussi des variables liées à la taille de l'entreprise et à son secteur d'activité. D'autres déterminants possibles de la structure du capital sont le niveau de risque de l'entreprise et la conjoncture économique.

Ainsi, par exemple, la structure de coûts de l'entreprise, en l'occurrence son risque d'exploitation, est un déterminant important de la structure du capital dans la mesure où la variabilité élevée du chiffre d'affaires (risque d'exploitation élevé) devrait être associée à (ou compensée par) un risque financier faible. Dans ce cas, les entreprises n'ont pas intérêt à trop s'endetter pour ne pas augmenter leurs frais fixes avec les intérêts à payer, ce qui les mettrait en difficulté financière.

De même, il semble que les perspectives de croissance jouent un rôle dans la détermination de la structure du capital, puisque les jeunes entreprises ayant des actifs intangibles ont plus tendance à se financer à l'aide de fonds propres, alors que les entreprises en pleine maturité dont les actifs sont tangibles et qui produisent des flux monétaires élevés ont plus tendance à s'endetter.

## 7.2 La politique de dividende

### 7.2.1 Une introduction

Une des plus importantes décisions financières prise par une entreprise et qui risque de l'engager pour une longue période consiste à déterminer sa politique de dividende. En effet, l'entreprise doit déterminer la part des bénéfices de fin d'année à distribuer aux actionnaires et, par là même, la partie résiduelle de ces bénéfices qu'elle gardera en vue d'un réinvestissement.

Ainsi, on peut se demander s'il existe une **politique optimale de dividende,** c'est-à-dire une proportion particulière des bénéfices à verser aux actionnaires qui maximiserait leur richesse, ou bien si la politique de dividende est non pertinente, ce qui revient à dire que l'entreprise n'a pas à se préoccuper d'établir des proportions optimales.

Afin de répondre à cette interrogation, il convient de rappeler certaines définitions importantes :

- le dividende est la fraction du bénéfice net qu'une entreprise distribue à ses actionnaires en proportion des actions qu'ils détiennent ;
- le bénéfice net est l'excédent du total des produits et des gains d'un exercice sur le total des charges et des pertes de cet exercice ;
- les flux monétaires sont les revenus provenant de l'exploitation et correspondant au bénéfice net redressé en fonction des amortissements.

**Figure 7.3** Les dividendes

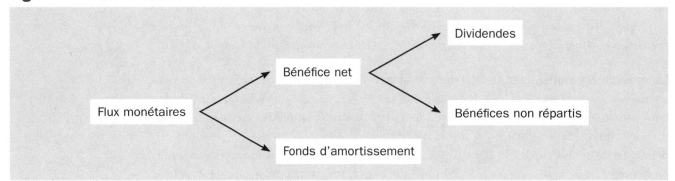

La figure 7.3 illustre les notions importantes qui suivent :

- Les flux monétaires ne sont pas considérés directement dans le calcul du rendement attribué aux actionnaires, car les fonds d'amortissement permettent à l'entreprise de poursuivre son exploitation et, par conséquent, de produire d'autres bénéfices, flux monétaires et dividendes.

- Les bénéfices nets donnent lieu à une distribution aux actionnaires et à un réinvestissement interne sous forme de bénéfices non répartis. Si ces bénéfices non répartis sont bien investis, c'est-à-dire à un taux de rendement supérieur au coût du capital, le prix de l'action devrait s'apprécier. Ainsi, le rendement des actionnaires, comme on l'a déjà vu, est constitué de deux éléments : le rendement en dividendes et le rendement lié à la croissance (ou gain en capital) :

$$R = \frac{D_{t+1}}{P_t} + \frac{P_{t+1} - P_t}{P_t}$$

où

$R$ est le taux de rendement sur l'action ;

$D$ est le dividende ;

$P$ est le prix de l'action ;

$t$ est l'indice de temps.

En conséquence, il ne faut pas perdre de vue que l'alternative au rendement en dividende est le gain ou la perte en capital.

Pour une entreprise, fixer sa politique de dividende revient à déterminer la fraction des bénéfices répartie. Cette variable est communément appelée **ratio de distribution des dividendes.** La question est alors la suivante : cette variable influe-t-elle sur la richesse des actionnaires ?

## 7.2.2 Les conséquences de la politique de dividende

### A ■ Les dividendes et la valeur des actions

Les modèles proposés afin de déterminer si le dividende influe sur la richesse des actionnaires ont été formulés dans l'hypothèse de marchés de capitaux parfaits. Ces marchés se caractérisent par une information accessible à tous, l'absence de frais de transaction, aucun impôt et des investisseurs rationnels qui cherchent à maximiser leurs revenus. Nous analysons ci-dessous deux de ces modèles : le **modèle de Gordon** et le modèle de Modigliani et Miller.

**Le modèle de Gordon – un plaidoyer pour le dividende** Selon Gordon, l'incertitude et l'aversion de l'investisseur à l'égard du risque sont les principaux paramètres qui déterminent le prix d'une action. Dans ce contexte, l'investisseur apprécierait davantage les versements réguliers de dividendes que des gains en capital hypothétiques liés aux bénéfices non répartis.

Pour illustrer ce modèle, prenons le cas d'une entreprise qui distribue 100 % de ses bénéfices sous forme de dividendes et qui ne recourt pas au financement externe. Cette entreprise ne fait donc aucun autre investissement que ceux qu'elle possède déjà et ne réalise ainsi aucune croissance. Par conséquent, ses bénéfices sont constants d'une année à l'autre. Dans ce cas, le prix des actions de cette entreprise serait de :

$$P_0 = \frac{X_0}{(1 + R_0)} + \frac{X_0}{(1 + R_0)^2} \cdots \tag{7.8}$$

où

$R_0$ est le taux de rendement exigé par les actionnaires ;

$X_0$ est le bénéfice de l'année zéro.

Supposons maintenant que cette entreprise décide de ne pas verser de dividendes la première année et de réinvestir tout son bénéfice de cette année au taux de rendement $R_0$. Par la suite, l'entreprise commence à distribuer tous ses bénéfices aux actionnaires. Le prix de ses actions sera alors de :

$$P_0 = \frac{0}{(1 + R_0)} + \frac{X_0 + R_0 X_0}{(1 + R_0)^2} + \frac{X_0 + R_0 X_0}{(1 + R_0)^3} \cdots$$

où

$R_0 X_0$ est l'augmentation du bénéfice provenant de l'investissement supplémentaire effectué à l'année zéro.

Ainsi, l'investisseur ayant renoncé à un dividende égal à $X_0$ à la fin de la première année recevra par la suite un dividende additionnel de $R_0 X_0$ à perpétuité. Ce revenu additionnel et perpétuel, une fois actualisé au taux de $R_0$, vaut $X_0$, soit le dividende sacrifié au départ. Le prix de l'action est donc le même, quelle que soit la stratégie adoptée par l'entreprise. On en conclurait donc que le dividende n'a pas d'effet sur la richesse des actionnaires.

Cependant, selon Gordon, en raison de l'incertitude sans cesse croissante concernant les éventuels dividendes futurs, les investisseurs appliquent un taux d'actualisation croissant dans le temps. Le prix de l'action est donc de :

$$P_0' = \frac{0}{(1 + R_1)} + \frac{X_0 + R_0 X_0}{(1 + R_2)^2} + \frac{X_0 + R_0 X_0}{(1 + R_3)^3} \cdots \tag{7.9}$$

où

$R_1 < R_2 < R_3 \cdots$

Ainsi, la valeur du dividende supplémentaire perpétuel de $R_0X_0$ à perpétuité actualisé à un taux croissant sera inférieure au dividende sacrifié de $X_0$ et, par conséquent, $P_0'$ sera inférieur à $P_0$. La politique de dividende influe donc, selon Gordon, sur le prix de l'action, et ce prix sera d'autant plus élevé que la firme verse dans l'immédiat de généreux dividendes.

**Modigliani et Miller: la non-pertinence des dividendes** Modigliani et Miller critiquent le modèle de Gordon en avançant que la question n'est pas d'échanger des dividendes sûrs dans l'immédiat contre des dividendes futurs incertains, mais plutôt d'échanger des dividendes sûrs dans l'immédiat contre un gain en capital sûr dans l'immédiat.

Selon ces auteurs, la politique de dividende n'a aucun effet sur la valeur des actions. Ce sont plutôt les flux monétaires futurs provenant des investissements réalisés par l'entreprise qui détermineront le prix de ses actions. Une fois la politique d'investissement fixée, la politique de dividende est réduite à une simple décision de financement.

Pour illustrer le modèle de Modigliani et Miller, considérons le cas d'une entreprise qui ne se finance que par du capital-actions. Le prix de l'action est ainsi égal à :

$$P_t = \frac{1}{1 + R_0}(d_{t+1} + P_{t+1})$$

où

$P_t$ est le prix de l'action à l'année $t$ ;

$d_{t+1}$ est le dividende par action à l'année $t + 1$ ;

$R_0$ est le taux de rendement exigé par les actionnaires.

Supposons que l'entreprise possède $n$ actions en circulation. Le total des dividendes distribués par l'entreprise est donc de $D_{t+1} = n \times d_{t+1}$. La valeur de l'entreprise à l'année $t + 1$ est de $V_{t+1} = n \times P_{t+1}$. L'équation précédente devient alors :

$$V_t = \frac{1}{1 + R_0}(D_{t+1} + V_{t+1})$$

Après le versement des dividendes à $t + 1$, si l'entreprise décide d'obtenir du financement supplémentaire auprès de nouveaux actionnaires en émettant $m$ nouvelles actions au prix de $P_{t+1}$, le nouveau financement sera de $m \times P_{t+1}$. La part des anciens actionnaires dans la valeur de l'entreprise à cette date est alors égale à $V_{t+1} - m \times P_{t+1}$.

L'équation précédente devient alors :

$$V_t = \frac{1}{1 + R_0}(D_{t+1} + V_{t+1} - mP_{t+1})$$

Or, par une simple égalité entre les emplois et les ressources de l'entreprise, le financement compensateur est égal au montant d'investissement ($I_{t+1}$) et de dividendes ($D_{t+1}$), qui ne sont pas couverts par les bénéfices de l'entreprise ($B_{t+1}$) :

$$mP_{t+1} = I_{t+1} + D_{t+1} - B_{t+1}$$

En insérant cette dernière expression dans l'équation précédente, on a :

$$V_t = \frac{1}{1 + R_0}(D_{t+1} + V_{t+1} - I_{t+1} - D_{t+1} + B_{t+1})$$

ou encore

$$V_t = \frac{1}{1 + R_0}(V_{t+1} - I_{t+1} + B_{t+1}) \tag{7.10}$$

Dans l'équation (7.10), les dividendes n'apparaissent plus. Par un raisonnement récursif, on peut aussi montrer que $V_{t+1}$ ne serait pas touchée par $D_{t+2}$, etc.

Modigliani et Miller concluent qu'une fois la politique d'investissement de l'entreprise déterminée, sa politique de dividende n'influera pas sur la valeur de ses actions ni sur le rendement qu'obtiendraient ses actionnaires.

## B ■ Pourquoi les entreprises distribuent-elles des dividendes?

Plusieurs études empiriques montrent que les entreprises en Amérique du Nord en général et au Canada en particulier continuent de verser un dividende qui se caractérise par sa grande stabilité (*voir par exemple Adjaoud, 1984*[5]). Le dividende par action varie beaucoup moins que le bénéfice par action. Les dirigeants des entreprises n'augmentent le dividende par action que lorsqu'ils ont la certitude de maintenir le dividende par action à l'avenir. Par ailleurs, ces études montrent qu'en général, le prix des actions sur les marchés boursiers réagit très positivement (négativement) à une hausse (baisse) du dividende.

Si, tel que le préconisent Modigliani et Miller dans leur modèle, le dividende n'intervient pas dans le calcul du prix de l'action, qu'est-ce qui justifie cette réaction des marchés boursiers et, par conséquent, le comportement des gestionnaires d'entreprise?

Modigliani et Miller, comme de nombreux observateurs sur les marchés financiers, reconnaissent que les prix des actions subissent l'influence de la valeur informative des dividendes. En effet, dans un monde caractérisé par une asymétrie de l'information entre les dirigeants de l'entreprise, d'une part, et ses actionnaires, de l'autre, une annonce de dividende constitue un message pour les investisseurs qui interprètent une hausse (une baisse) comme un signal que les gestionnaires anticipent de plus grands (de plus faibles) bénéfices dans le futur. Les actionnaires réagissent alors à ce message, et le prix des actions est révisé à la hausse (à la baisse). Cette théorie est connue sous le nom de la **théorie du signal.**

Une autre théorie susceptible d'expliquer pourquoi les entreprises distribuent des dividendes est la théorie des coûts de mandat. Ces coûts résultent du conflit d'intérêts entre les dirigeants et les actionnaires de l'entreprise. En effet, après avoir financé leur budget d'investissement optimal en entreprenant tous les projets rentables, les gestionnaires pourraient utiliser les flux monétaires résiduels pour les gaspiller dans des projets non rentables ou les distribuer aux investisseurs sous forme de dividendes. En recourant à cette dernière éventualité, ils signaleraient au marché qu'ils gèrent bien les ressources de l'entreprise, ce qui entraînerait une réaction positive des cours boursiers des titres visés. Évidemment, une telle réaction du marché n'aurait pas de lien avec la rentabilité future de l'entreprise, mais elle signifierait plutôt que le gestionnaire utilise les flux monétaires libres dans le meilleur intérêt des investisseurs.

## C ■ Les déterminants de la politique de dividende

Il convient de considérer plusieurs facteurs lorsque l'entreprise décide de fixer sa politique de dividende. Nous analysons à la page suivante les principaux facteurs en jeu.

---

5. Adjaoud, S. F., «The information content of dividends: A Canadian Test», *Canadian Journal of Administrative Sciences*, 16, 1984, p. 338-351.

**Les possibilités d'investissement de l'entreprise** L'entreprise doit réaliser tous les investissements rentables qui s'offrent à elle et les financer d'abord à partir de ses bénéfices avant de décider si elle va distribuer des dividendes et dans quelle mesure elle le fera. Dès lors que l'entreprise est généralement capable d'obtenir un rendement sur son investissement supérieur à celui que l'actionnaire pourrait obtenir sur d'autres placements, l'actionnaire sera favorable à une politique de réinvestissement des bénéfices. L'entreprise adopterait ainsi une politique de dividende dite résiduelle, c'est-à-dire qu'elle ne verserait que le résidu de ses bénéfices, une fois qu'elle a financé ses projets rentables.

**Le contrôle de l'entreprise** L'entreprise veut-elle restreindre la vente d'actions aux actionnaires actuels ou l'étendre à des actionnaires potentiels? Si l'entreprise est contrôlée par un petit nombre d'actionnaires, ce qui est le cas de nombreuses entreprises canadiennes, elle recourra davantage à l'autofinancement, c'est-à-dire qu'elle se financera à partir de son propre bénéfice, ce qui limitera son taux de distribution de dividendes.

**Les effets des impôts** Un taux d'imposition s'applique au revenu en dividendes et à celui sur les gains en capital. Les dividendes et les gains en capital ne sont pas taxés de la même façon. Pour ce qui est du gain en capital, le taux marginal ne s'applique que sur 50 % du gain, et il n'est payable qu'une fois le gain réalisé. Les actionnaires fortement imposés préféreront recevoir moins de dividendes et laisser les bénéfices accroître la valeur de leur capital-actions. Il faut noter que, lorsque l'entreprise appartient à plusieurs actionnaires, il est difficile de tenir compte de ce facteur. Une politique de dividende donnée attirera ainsi une catégorie fiscale particulière d'actionnaires. C'est la notion de l'effet de clientèle fiscale. Ainsi, si l'entreprise décide de distribuer un dividende généreux, elle attirera des actionnaires peu imposés et qui comptent sur les dividendes comme source de revenu. Les actionnaires appartenant à une classe d'imposition plus élevée investiront plutôt dans les titres des entreprises qui versent peu ou pas de dividende.

**La nature du dividende** Comment le dividende sera-t-il payé? Le plus souvent, les dividendes sont payés en argent, mais ils peuvent aussi être payés en actions. Dans ce dernier cas, les actions sont distribuées au prorata du capital-actions déjà détenu par les actionnaires, ce qui ne modifie pas la participation relative de chacun des actionnaires.

**Le besoin des investisseurs** Dans quelle mesure les actionnaires comptent-ils sur les dividendes versés afin de combler tous leurs besoins en liquidités? Pour les actionnaires qui vivent en partie ou en totalité de leurs dividendes, la stabilité de ceux-ci est importante. Même si ces actionnaires pouvaient vendre une partie de leurs actions et encaisser le gain en capital si leurs revenus en dividendes baissaient, ils pourraient refuser de le faire pour diverses raisons:

- Les actionnaires peuvent ne pas vouloir influer sur leur capital investi et, par conséquent, sur leur contrôle de l'entreprise.

- La vente d'actions entraîne des frais de transaction non négligeables.

- La valeur des actions peut fortement chuter à la suite d'une vente importante, ce qui entraîne une perte en capital.

## Conclusion

Dans la première section portant sur la structure du capital, nous avons passé en revue les différentes théories sur la structure du capital. En partant du modèle de base de Modigliani et Miller, nous avons découvert que, dans un monde parfait, la structure du capital n'a pas d'effet sur la valeur de l'entreprise : c'est la proposition de non-pertinence. En introduisant les imperfections du marché, d'abord la fiscalité d'entreprise puis la fiscalité personnelle, nous avons vu que le niveau d'endettement procurait des avantages à l'entreprise en augmentant sa valeur. Par la suite, en tenant compte des coûts de difficultés financières, nous avons réalisé que le choix d'une structure optimale devait nécessairement contrebalancer les coûts de la dette avec les avantages de la dette. Finalement, nous avons vu que la dette pouvait constituer un signal et une solution aux problèmes liés aux coûts de mandat.

Pour ce qui est de la politique de dividende, en résumé, avant de décider de l'utilisation de ses bénéfices, l'entreprise doit étudier ses possibilités d'investissement. Elle ne devrait décider de son dividende qu'après avoir choisi ses investissements, c'est-à-dire après avoir adopté tous les projets dont le rendement est au moins égal au coût du capital. Ainsi, la politique de dividende ne doit pas déterminer la politique d'investissement. La politique de dividende déterminera par contre la politique de financement. En effet, plus le ratio de distribution des dividendes est élevé, plus il faudra recourir au financement externe.

## À retenir

1. Dans un monde parfait où il n'y a ni coûts de faillite, ni asymétrie d'information entre les investisseurs, ni fiscalité, la valeur de l'entreprise est indépendante de la structure du capital.

2. En tenant compte des impôts, la valeur d'une entreprise endettée est égale à la valeur d'une entreprise non endettée à laquelle s'ajoute l'avantage fiscal de la dette.

3. Le coût des fonds propres de l'entreprise endettée est égal au coût des fonds propres d'une entreprise non endettée, auquel s'ajoute une prime de risque. Celle-ci correspond à la différence entre $k_{NE}$ et $k_D$, multipliée par le niveau d'endettement et le taux d'imposition de l'entreprise.

4. Il existe un niveau de dette optimale qui permet d'équilibrer les avantages issus de l'endettement et les coûts liés aux difficultés financières qui peuvent en résulter. Dans ce cas, l'endettement n'est plus neutre, et il exerce un effet sur la valeur. Les entreprises, selon cette théorie, vont faire en sorte de converger vers cette structure optimale du capital où les avantages de la dette compensent ses coûts.

5. On définit les coûts ou les problèmes de mandat comme étant les relations conflictuelles qui peuvent exister, par exemple, entre les actionnaires et les gestionnaires ou entre les créanciers et les actionnaires.

6. La théorie des préférences ordonnées a été formalisée par Myers et Majluf (1984) dans le cadre d'un modèle de choix de structure du capital où il y a une asymétrie d'information entre les dirigeants de l'entreprise et les investisseurs.

7. La structure des coûts de l'entreprise, en l'occurrence son risque d'exploitation, est un déterminant important de la structure du capital dans la mesure où la variabilité élevée du chiffre d'affaires (risque d'exploitation élevé) devrait être associée à (ou compensée par) un risque financier faible. Dans ce cas, les entreprises n'ont pas intérêt à trop s'endetter pour ne pas augmenter leurs frais fixes avec les intérêts à payer, ce qui mettrait l'entreprise en situation de difficulté financière.

8. Le rendement des actionnaires est constitué de deux éléments : le rendement en dividendes et le rendement lié à la croissance (ou gain en capital).

9. Pour une entreprise, fixer sa politique de dividende revient à déterminer la fraction des bénéfices versée aux actionnaires. Cette variable est communément appelée le ratio de distribution des dividendes.

10. Selon Gordon, l'incertitude et l'aversion de l'investisseur à l'égard du risque sont les principaux paramètres qui déterminent le prix d'une action. Dans ce contexte, l'investisseur apprécierait davantage les versements réguliers de dividendes que des gains en capital hypothétiques liés aux bénéfices non répartis.

11. Selon Modigliani et Miller, la politique de dividende n'a aucun effet sur la valeur des actions. Ce sont plutôt les flux monétaires futurs provenant des investissements réalisés par l'entreprise qui détermineront le prix de ses actions.

12. Le prix des actions subit l'influence de la valeur informative liée aux dividendes.

13. La politique de dividende d'une entreprise ne doit pas déterminer sa politique d'investissement. Par contre, elle déterminera sa politique de financement.

## Mots-clés

## Sommaire des formules

**La structure du capital**

La valeur de l'entreprise :

$$V = D + FP \tag{7.1}$$

La valeur totale d'une entreprise endettée :

$$V_E = FP + D = V_{NE} \tag{7.2}$$

Le coût du capital d'une entreprise endettée :

$$k_E = k_{NE} + (k_{NE} - k_D)\frac{D}{FP_E} \tag{7.3}$$

La valeur d'une entreprise endettée compte tenu des impôts :

$$V_E = V_{NE} + T_C \times D \tag{7.4}$$

Le coût des fonds propres d'une entreprise endettée :

$$k_E = k_{NE} + D/FP \times (1 - T_C) \times (k_{NE} - k_D) \tag{7.5}$$

Le coût moyen pondéré du capital :

$$CMPC = [FP/(FP + D)] \times k_E + [D/(FP + D)] \times k_D \times (1 - T_C) \tag{7.6}$$

La relation entre la valeur de l'entreprise endettée
et la valeur de l'entreprise non endettée :

$$V_E = V_{NE} + \left[1 - \frac{(1 - T_C) \times (1 - T_S)}{(1 - T_D)}\right] \times D \tag{7.7}$$

**La politique de dividende**

Le modèle de Gordon :

$$P_0 = \frac{X_0}{(1 + R_0)} + \frac{X_0}{(1 + R_0)^2} \cdots \tag{7.8}$$

$$P_0' = \frac{0}{(1 + R_1)} + \frac{X_0 + R_0 X_0}{(1 + R_2)^2} + \frac{X_0 + R_0 X_0}{(1 + R_3)^3} \cdots \tag{7.9}$$

Le modèle de Modigliani et Miller :

$$V_t = \frac{1}{1 + R_0}(V_{t+1} - I_{t+1} + B_{t+1}) \tag{7.10}$$

# Questions

1. Pourquoi l'endettement est-il avantageux ?
2. Existe-t-il un ratio cible ou une structure optimale du capital ?
3. Comment les coûts de la faillite sont-ils conciliables avec la structure optimale du capital ?
4. Comment la dette peut-elle agir comme solution aux problèmes de mandat ?
5. Qu'est-ce que le problème posé par la substitution d'actifs ?
6. Quel est le lien entre le risque d'exploitation et le recours à l'endettement ?
7. Quelles critiques peut-on formuler au sujet du modèle de Gordon et de ses recommandations en matière de versement de dividendes ?
8. Quels sont, selon Modigliani et Miller, les facteurs qui déterminent la valeur d'une entreprise ?
9. Par quoi se caractérise la politique de dividende des entreprises canadiennes ?
10. Pourquoi les dirigeants des entreprises tiennent-ils à verser des dividendes et à ne pas avoir à diminuer ces dividendes dans le temps ?
11. Quels sont les facteurs dont les dirigeants d'une entreprise doivent tenir compte lors de l'élaboration de leur politique de dividende ?
12. Qu'entend-on par la notion de l'effet de clientèle fiscale ?

# Exercices

1. Une entreprise qui a toujours pratiqué une politique de dividende de type résiduel veut choisir sa politique d'investissement de l'année prochaine. Quatre projets s'offrent à elle :

| Projet | Investissement (en dollars) | TRI (en pourcentage) |
|--------|------------------------------|----------------------|
| A | 200 000 | 12 |
| B | 100 000 | 9 |
| C | 300 000 | 15 |
| D | 400 000 | 13 |

Sachant que le bénéfice disponible est de 1 million de dollars et que le coût du capital de l'entreprise est de 10 %, déterminez le montant de dividendes à distribuer si les dirigeants ne veulent pas émettre de nouveaux titres financiers.

2. Une entreprise possède 200 000 actions en circulation et se finance uniquement par des fonds propres. Ses dirigeants sont en train d'évaluer deux politiques différentes de distribution des dividendes. La première politique consiste à continuer la distribution,

comme ce fut toujours le cas, de 2 $ de dividende annuel par action. Le rendement exigé par ses actionnaires demeurera dans ce cas à son niveau habituel de 10 %. La deuxième politique consiste à ne pas verser de dividendes les deux prochaines années, ce qui lui permettra, dans trois ans à partir d'aujourd'hui, de distribuer un dividende annuel perpétuel de 2,40 $ par action. Dans ce cas, les dirigeants pensent que le rendement exigé par les actionnaires augmentera à 15 %.

a) À quel modèle de politique de dividende les dirigeants adhèrent-ils ?

b) Dans ce cas, quel choix les dirigeants doivent-ils faire ?

3. L'entreprise ABC a toujours adopté un ratio de distribution des dividendes de 100 %. C'est ainsi que ses 500 000 actions en circulation, qui se négocient actuellement à 50 $ l'action, permettaient toutes l'obtention d'un dividende de 10 $ l'année dernière. Ce dividende n'a pas changé depuis les 10 dernières années.

Pour l'année en cours, les dirigeants de l'entreprise prévoient réaliser le même bénéfice que celui des années antérieures. Ils envisagent cependant ne pas distribuer de dividendes et plutôt investir la totalité de ce bénéfice dans un nouveau projet qui rapportera un bénéfice supplémentaire annuel et perpétuel de 12 % du montant investi. Par la suite, les dirigeants reviendraient à leur politique de dividende habituelle qui consiste à distribuer la totalité du bénéfice sous forme de dividendes.

a) Quel est le taux de rendement exigé par les actionnaires de l'entreprise ABC ?

b) Si les actionnaires d'ABC sont bien informés au sujet de la politique d'investissement de leur entreprise et qu'ils continuent à exiger le même taux de rendement sur leurs actions, quel sera l'effet du changement de la politique du dividende sur le prix de l'action de la société ?

c) Dans un contexte d'asymétrie d'information entre les dirigeants et les actionnaires de cette entreprise, quel serait l'effet du changement de la politique du dividende sur le prix de l'action de la société ?

4. L'entreprise XYZ, qui se finance à 20 % grâce aux dettes et à 80 % grâce aux fonds propres, a un coût du capital de 15 %. Ses dirigeants estiment que leur structure du capital actuelle est optimale et désirent la maintenir dans le futur. Sachant que l'entreprise vient de réaliser un bénéfice net de 500 000 $, les dirigeants veulent décider de l'utilisation de ce bénéfice en fixant leur politique d'investissement ainsi que leur politique de dividende.

Quatre projets d'investissement s'offrent à l'entreprise :

| Projet | Investissement (en dollars) | TRI (en pourcentage) |
|--------|------------------------------|----------------------|
| A | 100 000 | 17 |
| B | 70 000 | 12 |
| C | 150 000 | 16 |
| D | 175 000 | 19 |

Sachant que l'entreprise possède 100 000 actions en circulation, quel sera le montant du dividende par action ?

# L'analyse financière par les ratios

## Mise en contexte

Investisseurs, gestionnaires ou salariés, tous ont besoin d'**information** pour prendre des décisions éclairées. Certes, les sources d'information sont souvent nombreuses et difficiles à examiner en profondeur, mais l'une d'elles, facilement accessible, est utilisée par les entreprises pour transmettre des renseignements sur leurs opérations et activités. Il s'agit des états financiers.

La comptabilité décrit la situation financière de l'entreprise, et on peut y déceler ses forces et ses faiblesses. Les états financiers aident les utilisateurs dans leur prise de décision en leur fournissant de l'information sur différents aspects de l'entreprise, notamment ce qu'elle possède et doit à une date donnée, de même que sur sa performance durant une période définie, appelée exercice comptable.

La comptabilité peut être définie différemment selon qu'on adopte le point de vue des rédacteurs des états financiers ou celui des utilisateurs. Les premiers s'assurent que les états financiers reflètent de façon fiable les données qui s'y trouvent. Par exemple, ils doivent veiller à ce que ces états traduisent correctement la situation financière et que les données y soient enregistrées selon les principes comptables généralement reconnus (PCGR). Les utilisateurs, quant à eux, désirent que les états financiers contiennent de l'information utile pour les aider à prendre la «bonne» **décision.** Durant les dernières années, la comptabilité a été beaucoup critiquée. En effet, on lui reproche de ne pas refléter fidèlement et correctement la situation de l'entreprise. De plus, certains tiennent la comptabilité pour responsable des désastres financiers des marchés nord-américains et mondiaux, et des pertes faramineuses des investisseurs. Les différents gouvernements ont voté des lois très sévères pour punir les gestionnaires qui manipulent les données comptables et ce, afin de redonner aux états financiers la crédibilité qu'ils méritent.

Dans ce chapitre, nous allons découvrir les outils (appelés ratios) utilisables pour étudier les états financiers. Nous les décrirons brièvement tout en détaillant les façons de les calculer et de les interpréter adéquatement. Pour bien illustrer nos propos, nous utilisons les états financiers de la Quincaillerie Richelieu. Les principales données sur cette entreprise se trouvent dans l'étude de cas, en fin de chapitre. Nous verrons que les outils envisagés sont faciles à utiliser. Toutefois, le lecteur doit être conscient des précautions à prendre pour rationaliser sa prise de décision.

## 8.1 Les utilisateurs des états financiers

La comptabilité est une source d'information, par exemple, pour les investisseurs actuels ou potentiels, les créanciers, les banques, les gouvernements provinciaux et fédéral, les gestionnaires, les syndicats, les clients, etc. Ces **utilisateurs** forment deux groupes : les utilisateurs externes et les utilisateurs internes. Les besoins sont différents d'un groupe à l'autre. Ainsi, les investisseurs cherchent dans les états financiers les données susceptibles de les aider à cerner le risque et le rendement de leur investissement dans l'entreprise. Ils ont ainsi besoin de connaître la performance de l'entreprise, notamment le montant de son bénéfice par action, sa stabilité ou sa fluctuation, son niveau d'endettement et les bénéfices accumulés. Les syndicats, par exemple, peuvent utiliser les états financiers pour leur stratégie de négociation avec l'employeur, tandis que les banques peuvent y trouver une réponse concernant la solvabilité de l'entreprise et le risque encouru.

Les gestionnaires ont également besoin de ces renseignements pour élaborer leur stratégie à court ou à long terme, mieux déterminer les secteurs ou les clients les plus rentables, pour décider de fermer des secteurs d'activité non rentables ou, au contraire, ouvrir de nouveaux marchés. Un gestionnaire ne peut pas gérer son entreprise sans l'information adéquate pour guider ses décisions.

La comptabilité présente, entre autres, un ensemble de documents importants, les états financiers, que nous allons décrire brièvement.

## 8.2 Les différents documents comptables

Les états financiers se composent du bilan, de l'état des résultats et de l'état des flux de trésorerie. Chacun a des objectifs précis et répond aux différents besoins en information des utilisateurs.

### 8.2.1 Le bilan

Le **bilan** est un document qui présente la situation patrimoniale de l'entreprise à une date donnée, généralement le 31 décembre. Il contient, d'un côté, ce que possède l'entreprise (l'actif) et de l'autre, ce qu'elle doit (les dettes ou le passif) et ce que les propriétaires ont investi dans l'entreprise (les capitaux propres). Les comptables résument ces notions dans ce qu'on appelle l'équation comptable, soit :

ACTIF = PASSIF + CAPITAUX PROPRES

Les actifs peuvent être à court ou à long terme. Dans la première catégorie, on trouve l'encaisse, les clients et les stocks de marchandises. Dans la catégorie des actifs à long terme, on trouve les immobilisations corporelles (le matériel, l'équipement, les terrains) ou incorporelles (les brevets et le fonds commercial).

Les dettes de l'entreprise peuvent être à court terme ou à long terme. Dans la première catégorie, on trouve les fournisseurs (ou comptes à payer), les impôts à payer ainsi que les emprunts bancaires, tandis que la deuxième catégorie comprend les obligations non garanties, les obligations et tout emprunt bancaire dont l'échéance est à plus d'un an.

Les capitaux propres comprennent la mise de fonds initiale des propriétaires sous forme de capital-actions ou de parts sociales, ainsi que les bénéfices non répartis sous forme de dividendes.

Les actifs représentent les emplois des ressources de l'entreprise, c'est-à-dire les investissements. Ce sont eux qui influencent la rentabilité future de l'entreprise et, par conséquent, la richesse des propriétaires. Pour cette raison, une multitude de critères permet au gestionnaire de choisir les meilleurs projets d'investissements.

Les dettes et les capitaux propres constituent les sources de financement de l'entreprise. Cet aspect est très important pour la gestion et la solvabilité de l'entreprise. Ces éléments du bilan renseignent sur le risque encouru par l'entreprise.

Le bilan contient beaucoup d'information pour l'utilisateur des états financiers. Par exemple, en comparant les actifs à court terme et le passif à court terme, on obtient des renseignements sur le fonds de roulement ; en comparant le total du passif au total de l'actif, on obtient le ratio d'endettement de l'entreprise et donc son niveau de solvabilité ou de risque financier.

### 8.2.2 L'état des résultats

Ce document comptable montre, à la fin d'un exercice, la performance de l'entreprise exprimée en bénéfice ou en perte. Il comprend les produits et les charges d'exploitation qui déterminent le résultat d'exploitation. L'**état des résultats** est très important pour les investisseurs puisqu'il les renseigne sur le bénéfice ou la perte par action et qu'il permet donc d'estimer la rentabilité future de leur investissement. Par exemple, l'investisseur sait que la valeur de ses actions est fonction des revenus futurs et, par conséquent, le bénéfice par action peut être un élément important pour déterminer la valeur des actions. C'est ainsi que les marchés financiers prêtent une attention bien spéciale à la publication des états financiers et au bénéfice par action en particulier. Ce qui explique la fluctuation du prix de l'action en fonction des bénéfices de l'entreprise.

### 8.2.3 L'état des flux de trésorerie

Ce document montre les liquidités de l'entreprise ainsi que leur provenance. Généralement, l'entreprise génère des liquidités grâce aux trois sources suivantes :

1) les activités d'exploitation courante ;

2) les activités d'investissement ;

3) les activités de financement.

Ce document complète l'information contenue dans le bilan et l'état des résultats. En effet, alors que le bilan présente le patrimoine, l'état des résultats indique la rentabilité. Par contre, une entreprise peut être rentable tout en éprouvant des difficultés de trésorerie. L'utilisateur doit savoir que rentabilité et solvabilité ne signifient pas la même chose, d'où le besoin de consulter l'état des résultats et l'**état des flux de trésorerie.**

### 8.2.4 Les caractéristiques des états financiers

L'utilisateur doit être conscient que certaines caractéristiques des états financiers sont à considérer lors de l'interprétation de leur contenu. Ces caractéristiques sont :

- La comptabilité est une obligation légale. En effet, la publication des états financiers est obligatoire pour les entreprises ayant fait un appel public à l'épargne. C'est le cas des entreprises cotées en Bourse.

- Les états financiers doivent être présentés selon les principes comptables généralement reconnus.

- Les états financiers doivent être vérifiés par un expert comptable, généralement un comptable agréé (CA) ou, dans certains cas, par un comptable général accrédité (CGA), ou un comptable en management accrédité (CMA).

- Les états financiers contiennent de l'information historique sur le passé de l'entreprise. C'est donc la mémoire de l'entreprise.

## 8.3 L'analyse financière

Afin de rester dans la pratique, nous utiliserons les états financiers de Quincaillerie Richelieu qui est, selon son rapport annuel 2005, « le plus important distributeur, importateur et manufacturier de quincaillerie spécialisée et de produits complémentaires au Canada, notamment la quincaillerie décorative et la quincaillerie fonctionnelle ». De nombreuses données financières de l'entreprise se trouvent dans l'étude de cas de ce chapitre. À la page suivante, nous reproduisons les états financiers que nous utiliserons tout au long de l'analyse.

| Quincaillerie Richelieu<br>Bilans consolidés au 30 novembre (en milliers de dollars) | 2005 | 2004 |
|---|---|---|
| **ACTIF** | | |
| **Actif à court terme** | | |
| Espèces et quasi-espèces | 20 103 | 9 747 |
| Débiteurs | 49 837 | 46 805 |
| Stocks | 71 636 | 64 690 |
| Frais payés d'avance | 470 | 467 |
| **Total de l'actif à court terme** | **142 046** | **121 709** |
| Immobilisations corporelles | 18 974 | 19 600 |
| Écarts d'acquisition | 41 951 | 41 951 |
| **Total de l'actif** | **202 971** | **183 260** |
| PASSIF ET AVOIR DES ACTIONNAIRES | | |
| **Passif à court terme** | | |
| Dettes bancaires | 1 910 | 2 603 |
| Créditeurs et charges à payer | 32 718 | 32 775 |
| Impôts sur les bénéfices à payer | 751 | 1 073 |
| Tranche de la dette à long terme échéant à court terme | 740 | 2 894 |
| **Total du passif à court terme** | **36 119** | **39 345** |
| Dette à long terme | 849 | 1 522 |
| Impôts futurs | 1 774 | 1 634 |
| Part des actionnaires sans contrôle | 1 929 | 1 595 |
| **Total du passif** | **40 671** | **44 096** |
| **Avoir des actionnaires** | | |
| Capital-actions | 17 386 | 16 391 |
| Surplus d'apport | 484 | 63 |
| Bénéfices non répartis | 144 430 | 122 710 |
| **Total de l'avoir** | **162 300** | **139 164** |
| **Total du passif et de l'avoir** | **202 971** | **183 260** |

## 8.3.1 Bien se familiariser avec la terminologie comptable

Avant de commencer l'analyse financière, il est important de consulter attentivement le contenu des états financiers afin de bien comprendre la signification des différents postes (ou comptes) et leur impact sur les ratios. Le bilan et l'état des résultats de Richelieu nous aideront à illustrer notre idée. Dans le bilan, au moins trois comptes méritent notre attention : l'écart d'acquisition, les impôts futurs et la part des actionnaires sans contrôle. Ces trois comptes peuvent être considérés différemment dans les ratios concernés et ainsi influencer leur interprétation.

### A ▪ Les écarts d'acquisition

Ce compte est un actif intangible (ou incorporel ou fictif). C'est la différence entre le prix payé lors de l'acquisition d'une entreprise et la valeur de l'actif net acquis. Cette dernière représente la valeur comptable de l'entreprise acquise et constitue le prix du fonds commercial. Par exemple, si une entreprise acquise possède des actifs d'une juste valeur marchande de 1 000 $ et des dettes d'une juste valeur de 600 $, alors la valeur comptable des actions serait de 400 $. Si l'entreprise acquéreuse paye un prix de 500 $, un écart d'acquisition de 100 $ sera enregistré dans son bilan.

| Quincaillerie Richelieu<br>États consolidés des résultats et des bénéfices non répartis au 30 novembre<br>(en milliers de dollars) | | |
|---|---|---|
| | **2005** | **2004** |
| Ventes | 350 177 | 320 199 |
| Coût des marchandises vendues | 304 392 | 276 832 |
| **Bénéfice avant les éléments suivants** | **45 785** | **43 367** |
| Frais financiers sur la dette à court terme, net | 140 | 390 |
| Frais financiers sur la dette à long terme | 106 | 155 |
| Amortissement des immobilisations corporelles | 3 340 | 3 299 |
| | 3 586 | 3 844 |
| **Bénéfice avant impôts sur les bénéfices et part des actionnaires sans contrôle** | **42 199** | **39 523** |
| Impôts sur les bénéfices | 14 177 | 13 061 |
| **Bénéfice avant part des actionnaires sans contrôle** | **28 022** | **26 462** |
| Part des actionnaires sans contrôle | 334 | 312 |
| **Bénéfice net** | **27 688** | **26 150** |
| Bénéfices non répartis au début de la période | **122 710** | **100 248** |
| Prime sur rachat d'actions ordinaires pour annulation | −1 330 | |
| Dividendes | **−4 638** | **−23 688** |
| Bénéfices non répartis à la fin de la période | 144 430 | 122 710 |
| **Bénéfice par action (en dollars)** | | |
| de base | 1,2 | 1,13 |
| dilué | 1,19 | 1,12 |

Certains analystes ignorent les actifs intangibles dans leur analyse financière. Ils considèrent seulement l'actif tangible dans les ratios impliquant le total de l'actif, comme celui du rendement de l'actif.

### B ■ Les impôts futurs

Il y a impôts futurs lorsque les impôts comptables diffèrent des impôts fiscaux réellement payés. Ils découlent du fait que l'entreprise utilise des déductions fiscales différentes de celles respectant les principes comptables généralement reconnus. Par exemple, l'entreprise peut utiliser la méthode de l'amortissement linéaire dans les états financiers alors que pour ses déductions fiscales, elle utilise l'amortissement accéléré. On part du principe que cette différence constitue un impôt qui sera payé plus tard. Par contre, ce n'est pas une dette à payer à une échéance précise comme un prêt hypothécaire ou un emprunt bancaire. C'est pourquoi certains analystes ignorent les impôts futurs dans le calcul des ratios qui comportent le total du passif, jugeant que ce n'est pas un passif réel au même titre que les autres dettes figurant au bilan.

### C ■ La part des actionnaires sans contrôle

Ce compte découle du principe de la consolidation des actifs et passifs des filiales contrôlées par l'entreprise. C'est la part de l'avoir de la filiale possédée par les actionnaires autres que l'entreprise contrôlante. De façon simplifiée, disons que si l'entreprise achète 80 % de la filiale pour un actif net de 100 $, alors la part des actionnaires sans contrôle (ou minoritaires), qui représente 20 %, sera de 20 $. C'est donc la fraction de l'actif net qui leur revient.

Certains analystes excluent la part des actionnaires sans contrôle du passif, car ils jugent qu'il ne s'agit pas d'une dette au même titre que les autres dettes de l'entreprise.

## 8.3.2 Les états financiers en pourcentage

Pour avoir une vision rapide de l'évolution des différents postes des états financiers, l'analyste peut débuter par une présentation en pourcentage. Ainsi, on obtient une meilleure idée des modifications de l'actif, du passif et de la rentabilité. Cette façon est également utile pour comparer des entreprises de taille différente.

Elle consiste à établir le total de l'actif à 100 % et à calculer toutes les autres valeurs par rapport à cette base. C'est ce que nous faisons dans le tableau suivant avec le bilan de Richelieu. On y voit que les espèces et quasi-espèces ainsi que les comptes de débiteurs ont augmenté puisqu'ils représentaient, en 2005, 34,45 % de l'actif contre seulement 30,86 % en 2004. Les principaux éléments de la dette à court et à long terme ont connu une baisse relative en 2005, ramenant le total de 24,06 % en 2004 à 20,04 % en 2005. Les bénéfices non répartis (BNR) s'accumulent, atteignant 71,16 % en 2005, alors qu'ils ne représentaient que 66,96 % du financement total en 2004. L'entreprise Richelieu semble privilégier cette source de financement. Par contre, si on conjugue cette constatation et l'accumulation des liquidités, on pourrait soupçonner que les gestionnaires de l'entreprise cherchent des occasions d'investissement rentables dans le futur.

| Quincaillerie Richelieu<br>Bilans consolidés au 30 novembre (dressés en pourcentage) | | |
|---|---|---|
| | **2005** | **2004** |
| ACTIF | | |
| **Actif à court terme** | | |
| Espèces et quasi-espèces | 9,90 | 5,32 |
| Débiteurs | 24,55 | 25,54 |
| Stocks | 35,29 | 35,30 |
| Frais payés d'avance | 0,23 | 0,25 |
| **Total de l'actif à court terme** | **69,98** | **66,41** |
| Immobilisations corporelles | 9,35 | 10,70 |
| Écarts d'acquisition | 20,67 | 22,89 |
| **Total de l'actif** | **100,00** | **100,00** |
| PASSIF ET AVOIR DES ACTIONNAIRES | | |
| **Passif à court terme** | | |
| Dettes bancaires | 0,94 | 1,42 |
| Créditeurs et charges à payer | 16,12 | 17,88 |
| Impôts sur les bénéfices à payer | 0,38 | 0,59 |
| Tranche de la dette à long terme échéant à court terme | 0,36 | 1,58 |
| **Total du passif à court terme** | **17,80** | **21,47** |
| Dette à long terme | 0,42 | 0,83 |
| Impôts futurs | 0,87 | 0,89 |
| Part des actionnaires sans contrôle | 0,95 | 0,87 |
| **Total du passif** | **20,04** | **24,06** |
| **Avoir des actionnaires** | | |
| Capital-actions | 8,56 | 8,94 |
| Surplus d'apport | 0,24 | 0,04 |
| Bénéfices non répartis | 71,16 | 66,96 |
| **Total de l'avoir** | **79,96** | **75,94** |
| **Total du passif et de l'avoir** | **100,00** | **100,00** |

L'état des résultats en pourcentage est présenté ci-dessous. Ici, ce sont les ventes qui égalent 100 %, et on compare toutes les autres rubriques à cette base. On pourra ainsi cerner aisément les postes expliquant les variations du résultat d'exploitation sur les deux années. On constate que le coût des marchandises vendues est le seul poste ayant connu une augmentation en pourcentage des ventes en 2005, expliquant ainsi la baisse du bénéfice brut. Le recours à l'autofinancement a fait baisser substantiellement les frais financiers qui ne représentent en 2005 que 0,07 % des ventes, comparativement à 17 % l'année précédente. Toutefois, globalement, le pourcentage du bénéfice net par rapport aux ventes ne représente que 7,91 % en 2005, contre 8,17 % en 2004.

| Quincaillerie Richelieu<br>États consolidés des résultats et des bénéfices non répartis au 30 novembre<br>(dressés en pourcentage des ventes) | | |
|---|---|---|
| | **2005** | **2004** |
| Ventes | 100,00 | 100,00 |
| Coût des marchandises vendues | 86,93 | 86,46 |
| **Bénéfice avant les éléments suivants** | **13,07** | **13,54** |
| Frais financiers sur la dette à court terme, net | 0,04 | 0,12 |
| Frais financiers sur la dette à long terme | 0,03 | 0,05 |
| Amortissement des immobilisations corporelles | 0,95 | 1,03 |
| **Total des charges** | **1,02** | **1,20** |
| **Bénéfice avant impôts sur les bénéfices et part des actionnaires sans contrôle** | **12,05** | **12,34** |
| Impôts sur les bénéfices | 4,05 | 4,08 |
| **Bénéfice avant part des actionnaires sans contrôle** | **8,00** | **8,25** |
| Part des actionnaires sans contrôle | 0,10 | 0,10 |
| **Bénéfice net** | **7,91** | **8,17** |
| Bénéfices non répartis au début de la période | **35,04** | **31,31** |
| Prime sur rachat d'actions ordinaires pour annulation | −0,38 | 0,00 |
| Dividendes | −1,32 | −1,15 |
| Bénéfices non répartis à la fin de la période | 41,24 | 38,32 |

## 8.4  Les ratios de l'analyse financière

Le but de l'analyse financière est d'évaluer les forces et faiblesses financières de l'entreprise. On utilise les outils, appelés **ratios,** calculés à partir des états financiers présentés précédemment. Les principaux ratios sont :

a)  les ratios de liquidité ;

b)  les ratios de gestion ;

c)  les ratios d'endettement ;

d)  les ratios de rentabilité.

Avant d'entreprendre l'analyse financière, nous mentionnons ci-dessous quelques précautions utiles.

- Un ratio n'a de sens que s'il est comparé avec d'autres ratios. En effet, un ratio est un chiffre significatif que si on le compare à d'autres chiffres.

- Un ratio peut être comparé avec un autre ratio dans le temps pour dégager une tendance.

- Un ratio peut être comparé avec celui du secteur de l'entreprise. Dans ce cas, il faut, d'une part, disposer des ratios du secteur et, d'autre part, que les entreprises soient vraiment comparables.

### 8.4.1 Les ratios de liquidité

Les ratios de liquidité permettent d'évaluer la capacité de l'entreprise d'honorer ses dettes à court terme. On calcule deux ratios :

1) le ratio de fonds de roulement ;

2) le ratio de liquidité immédiate ou de trésorerie immédiate.

$$\text{Ratio de fonds de roulement} = \frac{\text{actif à court terme}}{\text{passif à court terme}} \qquad (8.1)$$

Au numérateur, il faut prendre l'actif à court terme dont les éléments les plus courants sont l'encaisse, les clients et les stocks. Au dénominateur, le passif à court terme est composé des comptes de fournisseurs et de toutes les autres dettes dont l'échéance est inférieure à un exercice. Il est à noter que le fonds de roulement est égal à : actif à court terme – passif à court terme. Pour calculer le ratio, il faut calculer le rapport entre les deux rubriques.

Le but de ce ratio est de vérifier si l'actif à court terme permet de payer les dettes à court terme. Ainsi, un ratio de 2 :1 signifie qu'effectivement l'entreprise dispose de 2 dollars d'actif à court terme pour payer 1 dollar de dettes à court terme si elles arrivaient à échéance immédiatement, et ce, sans que l'entreprise n'ait à liquider son actif à long terme.

Dans le cas de l'entreprise Richelieu et de ses concurrents, les résultats sont :

| | 2005 | 2004 |
|---|---|---|
| Ratio de fonds de roulement de Richelieu | 3,93 | 3,09 |
| Secteur | 2,08 | 1,73 |

Ce ratio signifie que Richelieu dispose de 3,93 $ d'actif à court terme pour chaque dollar de dettes à court terme. Est-ce une bonne chose ? L'interprétation mérite d'être nuancée. La réponse devrait être positive et elle signifierait que Richelieu est solvable ; cette **solvabilité** s'étant améliorée de 2004 à 2005. Pour ces deux années, l'entreprise dépasse largement les ratios de ses concurrents, mais l'ampleur du ratio appelle à la prudence. En effet, il pourrait signifier que l'entreprise Richelieu accumule des stocks en raison de difficultés avec ses ventes ou que sa production augmente sans tenir compte d'un ralentissement des ventes. Il pourrait signifier également que les comptes clients sont mal gérés et que la décision de crédit laisse à désirer. Un ratio faible ne signifierait pas nécessairement que l'entreprise connaît des difficultés. Bien au contraire, il pourrait être dû à une meilleure gestion des stocks (grâce à la méthode de juste-à-temps) et des comptes clients.

$$\text{Ratio de liquidité immédiate} = \frac{\text{actif à court terme } - \text{ stocks}}{\text{passif à court terme}} \qquad (8.2)$$

Nous voulons savoir si l'entreprise dispose de ressources (liquidités) suffisantes pour payer ses dettes de façon immédiate, c'est-à-dire sans avoir à attendre la liquidation des stocks qui, par définition, nécessite plus de temps. C'est ce qui rend ce ratio « immédiat ».

Ainsi, si le ratio dépasse l'unité, cela signifierait que l'entreprise dispose d'assez de liquidités pour faire face à ses exigibilités, et ce, sans être obligée de vendre ses stocks de marchandises ou de produits. L'entreprise serait solvable.

Dans le cas de Richelieu et de ses concurrents, les résultats sont :

| | 2005 | 2004 |
|---|---|---|
| Ratio de liquidité immédiate de Richelieu | 1,95 | 1,45 |
| Secteur | 0,90 | 0,77 |

On constate que Richelieu dispose en 2005 de 1,95 $ d'actif à court terme (sans les stocks) pour chaque dollar de dettes à court terme, alors que ce ratio était de 1,45 en 2004, ce qui dénote une nette amélioration. Richelieu serait, en plus, dans une meilleure position que ses concurrents pour les deux années.

Dans le calcul du ratio, certains auteurs excluent, outre les stocks, le compte « frais payés d'avance », s'il y a lieu.

### 8.4.2  Les ratios de gestion

Les ratios de **gestion** évaluent l'efficacité de la gestion des actifs de l'entreprise, notamment la gestion des comptes clients et des stocks. Cette catégorie permet de calculer plusieurs ratios dont les plus importants sont :

a)  la rotation des comptes clients ;

b)  le délai de recouvrement des comptes clients ;

c)  la rotation des stocks.

$$\text{Rotation des comptes clients} = \frac{\text{comptes ventes}}{\text{comptes clients}} \qquad (8.3)$$

Au dénominateur, il faut prendre le solde au bilan à la fin de l'exercice. Pour le numérateur, il est conseillé de prendre les ventes à crédit si l'information est disponible. Dans le cas contraire, on prend les ventes totales.

$$\text{Délai de recouvrement} = \frac{\text{comptes clients} \times 365 \text{ jours}}{\text{ventes}} \qquad (8.4)$$

Ici, il faudrait également prendre en considération les ventes à crédit dans la mesure où l'information serait disponible. Le ratio renseigne sur le nombre de jours que l'entreprise met pour recouvrer les sommes dues par ses clients. Évidemment, plus ce délai est court, plus l'entreprise dispose rapidement de ses ressources (liquidités) et évite ainsi de recourir à la marge de crédit. Par contre, l'inverse signifie que l'entreprise prend plus de temps pour faire payer ses clients, signe d'une possible mauvaise gestion de son crédit et de l'éventualité de mauvaises créances.

Pour Richelieu et ses concurrents, les résultats sont :

| | 2005 | 2004 |
|---|---|---|
| Délai de recouvrement de Richelieu | 51,95 | 53,35 |
| Secteur | 47,43 | 42,30 |

Le ratio signifie que Richelieu met en moyenne 51,95 et 53,35 jours pour recouvrer ses comptes clients, respectivement en 2005 et 2004. Par contre, le ratio du secteur est inférieur, signifiant que Richelieu prendrait plus de jours que ses principaux concurrents pour faire payer ses clients.

Un long délai de recouvrement expliquerait l'ampleur du ratio de fonds de roulement calculé précédemment, puisque nous constatons alors que Richelieu affichait un ratio largement supérieur à celui du secteur. Toutefois, on constate une amélioration du délai de recouvrement en 2005 par rapport à 2004, laissant penser que Richelieu tend à aligner sa politique de recouvrement sur celle de son secteur.

Certes, un long délai de recouvrement pourrait annoncer des problèmes, mais un délai très court par rapport au secteur pourrait également être un problème. En effet, les fournisseurs qui pratiquent une politique très restrictive de crédit pourraient perdre des ventes au profit de leurs concurrents ayant une politique plus souple.

Ainsi, un délai de recouvrement plus élevé que la moyenne du secteur amènerait l'entreprise à faire le point sur la gestion de son crédit clients, une meilleure analyse de la qualité de ses créances et, éventuellement, à radier de mauvaises créances. Pour ce faire, elle devrait classer chronologiquement ses créances pour déterminer celles en souffrance, en vue de prendre les décisions qui s'imposent.

Pour améliorer la gestion des comptes clients, l'entreprise devrait adopter les mesures suivantes :

- nommer un gestionnaire de projet ;
- identifier les clients dont le paiement est en retard ;
- informer les retardataires de l'augmentation des intérêts ;
- radier les créances irrécouvrables ;
- revoir la politique de crédit pour les nouveaux clients.

Ces mesures ramèneraient les ratios de fonds de roulement et de liquidité immédiate à un niveau comparable à celui des concurrents. Ainsi, si le délai de recouvrement des comptes clients de Richelieu était ramené à celui de ses concurrents, le compte Clients s'élèverait à 45 504 000 $, soit des liquidités supplémentaires de 4 333 179 $ utilisables pour rembourser une partie de la marge de crédit.

$$\text{Rotation des stocks} = \frac{\text{coût des marchandises vendues}}{\text{stock moyen}} \tag{8.5}$$

Le coût des marchandises vendues (CMV) est obtenu en faisant la somme des éléments suivants.

$$\text{CMV} = \text{stock de début} + \text{achats} - \text{stock de fin} \tag{8.6}$$

Le stock moyen est égal à la somme des stocks de début et de fin d'année, divisée par 2.

Parfois, le calcul est fait en prenant le total des ventes divisé par le montant du stock au bilan.

Évidemment, cette façon de faire facilite les calculs, mais elle n'est pas nécessairement juste puisqu'on divise le total des ventes, soit un montant exprimé en dollars de vente, par le total des stocks exprimé en dollars d'achat.

Le lecteur doit être prudent dans l'interprétation de ce ratio, principalement s'il ne calcule pas lui-même le ratio et qu'il le prend directement d'une autre source comme une base de données.

Le ratio mesure le nombre de fois que l'entreprise renouvelle ses stocks durant l'exercice. En principe, plus la rotation est élevée, meilleure est la gestion. Par contre, il faut nuancer cette interprétation, puisque la passation des commandes pourrait être coûteuse. Toutefois, elle serait compensée par un niveau de stocks plus faible, ce qui réduit le coût de possession des stocks.

Pour Richelieu et ses concurrents, les résultats sont (en utilisant ventes/stock au bilan) :

| | 2005 | 2004 |
|---|---|---|
| Rotation des stocks de Richelieu | 4,89 | 4,95 |
| Secteur | 5,30 | 5,42 |

L'entreprise Richelieu renouvelle ses stocks 4,89 fois en 2005 à comparer avec une rotation moyenne de 5,30 fois par an dans son secteur d'activité. Cette rotation plus lente se reflète également en 2004. Ainsi, Richelieu renouvelle ses stocks tous les 75 jours (365/4,89) environ, alors que la moyenne du secteur serait d'environ 69 jours. Il semble donc que les stocks tournent moins bien chez Richelieu que chez ses concurrents, contribuant ainsi à rehausser les ratios de fonds de roulement et de liquidité immédiate.

En utilisant le CMV/stock moyen, on obtient des résultats légèrement différents pour Richelieu et pour les concurrents. De plus, l'écart diminue, puisque la moyenne du secteur se rétrécit comme en témoignent les résultats suivants :

|  | 2005 | 2004 |
|---|---|---|
| Rotation des stocks de Richelieu | 4,47 | 4,52 |
| Secteur | 4,46 | 4,32 |

Pour résoudre les problèmes de gestion des stocks, l'entreprise pourrait mettre en œuvre les décisions suivantes :

- réduire et même arrêter les approvisionnements ou la production ;

- écouler les stocks supplémentaires en accordant des rabais ;

- assurer une meilleure consultation entre les départements de vente et ceux des achats (production) ;

- implanter la méthode Quantité Économique à Commander[1] ;

- implanter la méthode juste-à-temps[2] ;

- revoir la qualité des produits.

L'application de telles mesures pourrait ramener la rotation des stocks au niveau de celle de ses concurrents. Dans le cas de Richelieu, les stocks seraient ramenés à 66 071 000 $, ce qui générerait des liquidités supplémentaires de 5 565 000 $ environ.

### 8.4.3 Les ratios d'endettement

Rappelons que l'**endettement** peut être à court terme (fournisseurs) ou à long terme. L'endettement pour l'entreprise crée un coût fixe (les intérêts) qui pourrait entraîner des problèmes de solvabilité et même la faillite.

Les ratios d'endettement permettent d'évaluer le niveau d'endettement de l'entreprise et, par conséquent, la proportion de son actif financé par des dettes. On calcule les ratios suivants :

a) le ratio d'endettement total ;

b) le ratio de structure financière ;

c) le ratio de couverture des intérêts.

$$\text{Ratio d'endettement total} = \frac{\text{dette totale}}{\text{actif total}} \qquad (8.7)$$

Au numérateur, la dette totale comprend toutes les dettes à court et à long terme. Au dénominateur, l'actif total comprend l'actif à court et à long terme. Le ratio donne le pourcentage de l'actif total financé par l'endettement. Évidemment, plus ce pourcentage est élevé, plus l'entreprise « appartient » aux créanciers et pourrait ainsi connaître des problèmes financiers.

---

1. Il s'agit de la quantité qui minimise le coût total de passation des commandes et de possession des stocks.

2. Cette méthode suggère de maintenir les stocks à leur niveau minimum et de commander les marchandises au fur et à mesure des besoins.

Les investisseurs accordent beaucoup d'importance à ce ratio, puisqu'il les informe sur le risque financier de l'entreprise et sur la fluctuation de sa rentabilité. En effet, plus l'endettement est élevé, plus la fluctuation des bénéfices serait élevée. Ainsi, l'endettement produit deux effets interdépendants :

a) il augmente le bénéfice espéré par action (aspect positif) ;

b) il augmente la variation du bénéfice par action (aspect négatif).

Ce sont là les deux effets de l'endettement nommés le levier financier.

Pour Richelieu et ses concurrents, les résultats sont :

| | 2005 | 2004 |
|---|---|---|
| Ratio d'endettement de Richelieu | 0,20 | 0,24 |
| Secteur | 0,47 | 0,53 |

L'entreprise Richelieu utilise très peu le financement par dettes. En effet, ce type de financement ne représente que 20 % en 2005 et 24 % en 2004. Durant ces deux années, le financement par dettes est utilisé à raison de 53 % (en 2004) et 47 % (en 2005) par les concurrents de Richelieu. Le ratio signifie que les créanciers financent 20 % de l'actif en 2005 et 24 % en 2004, alors que les actionnaires en financent la différence, soit 80 % et 76 %, respectivement durant les deux années.

Pour cette raison, plus le ratio d'endettement est élevé, plus le risque encouru par les prêteurs est grand. Ces derniers vont chercher à minimiser ce risque, dit financier, par rapport au risque d'affaires, ou d'entreprise, qui n'est pas fonction de la structure du financement, en obligeant les actionnaires à augmenter leur apport au capital actions ou à maintenir une part plus importante des bénéfices dans l'entreprise. Ils peuvent aussi augmenter les taux d'intérêt qu'ils facturent à l'entreprise.

Lors du calcul du ratio d'endettement, il faut prendre plusieurs précautions, surtout lorsque ce ratio n'est pas calculé par l'analyste, mais provient d'une banque de données. Dans le calcul précédent, le ratio d'endettement a été obtenu en additionnant les dettes à court terme, la dette à long terme, les impôts futurs et la part des actionnaires sans contrôle. On dispose au moins de trois façons de calculer ce ratio.

1) Tout d'abord, on peut exclure la part des actionnaires sans contrôle. En effet, ce montant découle du principe de consolidation des états financiers et représente en fait des capitaux propres (il s'agit de la part des capitaux propres des filiales appartenant aux actionnaires sans contrôle). Si ce montant était exclu de la dette, le ratio d'endettement de Richelieu baisserait à 19 % (en 2005) et à 22 % (en 2004).

2) Certains auteurs excluent également les impôts futurs puisqu'il ne s'agit pas véritablement de dette au même titre que les dettes à court terme ou à long terme. En les excluant, le ratio d'endettement baisserait également.

3) On pourrait aussi calculer le ratio de structure financière qui donne une idée de l'importance du financement par la dette comparé avec le financement par les actionnaires.

Plus précisément, le ratio de structure financière se calcule ainsi :

$$\text{Ratio de structure financière} = \frac{\text{dette totale}}{\text{capitaux propres}} \qquad (8.8)$$

Le numérateur comprend les dettes à court et à long terme, le dénominateur est composé des capitaux propres. Mais dans ce cas aussi, il existe des pièges qui nécessitent une analyse prudente. En effet, la notion de capitaux propres peut être «nuancée». La première nuance consiste à exclure les actifs intangibles, comprenant les écarts d'acquisition, les brevets et le fonds commercial dont la valeur réelle est difficile à déterminer. Par conséquent, en cas d'insolvabilité de l'entreprise, les créanciers ne pourraient pas les saisir pour se faire payer. L'autre nuance consiste à soustraire les actions privilégiées qui, du point de vue des actionnaires ordinaires, pourraient être assimilées à de la dette, parce qu'en cas de liquidation de l'entreprise, elles seraient prioritaires tout comme les dettes. Les créanciers seraient, quant à eux, tentés de les exclure de la dette.

Pour Richelieu et ses concurrents, les résultats sont :

| | 2005 | 2004 |
|---|---|---|
| Ratio de structure financière de Richelieu | 0,25 | 0,32 |
| Secteur | 1,07 | 1,42 |

Le ratio signifie que les créanciers fournissent environ 0,25 $ de financement pour chaque dollar fourni par les actionnaires ordinaires en 2005. On note une nette amélioration, puisque ce ratio s'élevait à 0,32 $ en 2004. Le calcul de ce ratio confirme que Richelieu est faiblement endettée par rapport à ses concurrents. Les créanciers de Richelieu courent un risque financier très faible.

L'endettement crée une charge fixe (les intérêts) pour l'entreprise. Pour connaître son aptitude à répondre aux exigences, on calcule le ratio de couverture des intérêts comme suit :

$$\text{Ratio de couverture des intérêts} = \frac{\text{bénéfice avant intérêts et impôts}}{\text{intérêts}} \qquad (8.9)$$

Ce ratio permet de savoir si l'entreprise génère assez de bénéfices pour honorer le paiement des intérêts. L'objectif consiste à avoir la couverture la plus élevée possible.

Pour Richelieu et ses concurrents, les résultats sont :

| | 2005 | 2004 |
|---|---|---|
| Ratio de couverture des intérêts de Richelieu | 186,12 | 79,57 |
| Secteur | 71,10 | 41,31 |

Les calculs montrent que le bénéfice de Richelieu égalait 186,12 fois ses intérêts en 2005, alors qu'il était de 79,57 fois en 2004. Cette nette amélioration donne une marge de sécurité très confortable à Richelieu, ce que confirme la comparaison avec le secteur d'activité dont la couverture est de 71,10 (2005) et 41,31 (2004).

On peut extrapoler ce ratio pour calculer un ratio de couverture de toutes les charges fixes de l'entreprise, englobant en plus des intérêts, les loyers, les impôts et les amortissements. Le nouveau ratio serait :

$$\text{Ratio de couverture des charges fixes} = \frac{\text{bénéfice avant intérêts, loyers et impôts}}{\text{intérêts + loyers + amortissements} + \text{autres débours}} \qquad (8.10)$$

Pour Richelieu et ses concurrents, les résultats sont :

| | 2005 | 2004 |
|---|---|---|
| Ratio de couverture des charges fixes de Richelieu | 12,77 | 11,28 |
| Secteur | 4,09 | 3,70 |

Ce ratio confirme que Richelieu dispose d'assez de bénéfices pour couvrir largement ses charges fixes sur les deux années, et son ratio dépasse largement celui de ses concurrents. Ces niveaux devraient dissiper toute inquiétude chez ses créanciers.

### 8.4.4  Les ratios de rentabilité

L'objectif de l'entreprise est d'être rentable, il est donc logique d'évaluer l'impact des décisions sur sa rentabilité. En effet, la valeur des actions est fonction des bénéfices générés par les décisions des gestionnaires. Par conséquent, l'analyste devra accorder une attention particulière aux ratios de cette catégorie qui sont, évidemment, influencés par les autres ratios de liquidités, de gestion et d'endettement.

On peut calculer plusieurs ratios de **rentabilité.** Citons les plus courants :

a) le ratio de la marge bénéficiaire brute ;

b) le ratio du rendement de l'actif total ;

c) le ratio du rendement des capitaux propres ;

d) le ratio de rotation des actifs.

$$\text{Ratio de marge bénéficiaire brute} = \frac{\text{bénéfice brut}}{\text{ventes}} \qquad (8.11)$$

Au numérateur, on prend le bénéfice brut (appelée aussi marge brute) donné par la différence entre les ventes (ou produits d'exploitation) et le coût des ventes (ou coût des marchandises vendues). Au dénominateur figure le montant des ventes totales.

Le ratio précise la marge bénéficiaire générée sur les ventes de l'entreprise.

Pour Richelieu et ses concurrents, les résultats sont, en pourcentage :

| | 2005 | 2004 |
|---|---|---|
| Ratio de marge bénéficiaire brute de Richelieu | 13,07 | 13,54 |
| Secteur | 19,00 | 19,75 |

Le ratio indique que Richelieu dégage un profit brut légèrement en baisse, passant de 13,54 % en 2004 à 13,07 % en 2005. Cette baisse s'expliquerait par la croissance du coût des ventes de 10 % durant cette période, alors que les ventes n'ont connu qu'une hausse d'environ 9 %. On constate que ce recul est généralisé dans toutes les entreprises du secteur qui ont vu leur profit brut également baisser de 19,75 % à 19 %. En se comparant avec les entreprises du secteur, Richelieu devrait déterminer les raisons d'une marge brute inférieure de ses ventes.

On peut aussi calculer un ratio de marge bénéficiaire nette comme suit :

$$\text{Ratio de marge bénéficiaire nette} = \frac{\text{bénéfice net}}{\text{ventes}} \qquad (8.12)$$

Au numérateur, on prendrait le bénéfice net après impôts avant la part des actionnaires sans contrôle, alors que le dénominateur serait égal au chiffre d'affaires de l'entreprise. Les calculs donneraient un ratio d'environ 8 % (2005) et 8,26 % (2004), confirmant ainsi la baisse de rentabilité déjà mentionnée.

$$\text{Ratio de rendement de l'actif total} = \frac{\text{bénéfice net}}{\text{actif total}} \qquad (8.13)$$

Au numérateur, on considère le bénéfice net, au dénominateur l'actif total, c'est-à-dire l'actif à court terme plus l'actif à long terme. Par contre, l'actif total sera amputé de l'actif incorporel pour les raisons indiquées précédemment. Ce ratio (connu sous le nom de ROI, *Return on Investment*) renseigne sur la rentabilité de chaque dollar investi dans les actifs de l'entreprise.

Pour Richelieu et ses concurrents, les résultats sont, en pourcentage :

|  | 2005 | 2004 |
|---|---|---|
| Ratio de rendement de l'actif total de Richelieu | 13,81 | 14,44 |
| Secteur | 8,36 | 6,49 |

On y voit que la rentabilité des actifs de Richelieu a légèrement baissé, passant de 14,44 % en 2004 à 13,81 % en 2005. Durant cette même période, l'actif total a augmenté de 10,75 %, alors que le bénéfice n'a augmenté que de 5,90 %. Il semblerait que les actifs n'aient pas généré la rentabilité attendue. Toutefois, en dépit de cette légère baisse, Richelieu demeure beaucoup plus rentable que les entreprises de son secteur d'activité.

Si on excluait l'actif incorporel (comme les écarts d'acquisition) du calcul, alors le ratio se situerait à 17,40 % en 2005 et 18,73 % en 2004, creusant davantage l'écart de Richelieu avec ses concurrents.

Toutefois, le calcul du ratio exige une mise en garde. Même avec une rentabilité identique, deux entreprises peuvent avoir des ratios différents si l'âge de leurs immobilisations est différent. En effet, les actifs de l'entreprise « plus âgée » seraient davantage amortis et présenteraient une valeur nette comptable plus faible, ce qui avantagerait la rentabilité de ses actifs.

$$\text{Ratio de rendement des capitaux propres} = \frac{\text{bénéfice net}}{\text{capitaux propres}} \qquad (8.14)$$

Au dénominateur, on considère le total des capitaux propres, c'est-à-dire le capital actions plus les bénéfices non répartis, les surplus d'apports ainsi que les actions privilégiées. Ce ratio renseigne sur la rentabilité de chaque dollar investi par les propriétaires de l'entreprise, contrairement au ratio précédent qui visait la rentabilité de tous les actifs, et ce, peu importe la source du financement. Ce ratio est aussi connu sous l'appellation *Return on Equity* (ROE).

Pour Richelieu et ses concurrents, les résultats sont, en pourcentage :

|  | 2005 | 2004 |
|---|---|---|
| Ratio de rendement des capitaux propres de Richelieu | 27,26 | 35,40 |
| Secteur | 9,96 | 29,59 |

Le calcul du ratio confirme la rentabilité de Richelieu par rapport à ses concurrents. Toutefois, ce ratio traduit aussi la baisse de la rentabilité sur les deux années. Richelieu devrait explorer les raisons de cette insuffisance de la rentabilité des capitaux investis par les propriétaires.

Lors du calcul du ratio, on devrait également exclure l'actif incorporel du dénominateur, ce qui se traduirait par une amélioration dans les chiffres. Par ailleurs, on pourrait calculer un ratio qui ne tiendrait compte, au numérateur, que du bénéfice appartenant aux actionnaires ordinaires (après soustraction des dividendes aux actions privilégiées), tandis que le dénominateur ne serait composé que des capitaux propres sans les actions privilégiées.

$$\text{Ratio de rotation des actifs} = \frac{\text{ventes}}{\text{actif total}} \qquad (8.15)$$

Ce ratio informe sur la rentabilité des sommes investies dans les actifs de l'entreprise. En effet, selon le cycle d'exploitation, les actifs génèrent les ventes, et, par conséquent, l'objectif est d'obtenir le maximum de ventes pour chaque dollar d'actif.

Pour Richelieu et ses concurrents, les résultats sont :

|  | 2005 | 2004 |
|---|---|---|
| Ratio de rotation des actifs de Richelieu | 1,73 | 1,75 |
| Secteur | 1,80 | 1,71 |

Le but de l'entreprise consiste à générer le maximum de ventes par dollar investi dans les actifs. Plus les ventes sont élevées, plus la rotation des actifs est appréciable. Dans le cas de Richelieu, on voit que l'entreprise génère 1,73 $ et 1,75 $ de ventes par dollar investi dans les actifs en 2005 et 2004, respectivement. Les actifs de Richelieu semblent générer des ventes similaires au secteur en dépit d'une légère baisse en 2005, alors que le secteur connaissait une amélioration.

### 8.4.5 Les relations entre les ratios

Tous ces ratios de rentabilité peuvent être interreliés de manière à obtenir le plus d'information possible lors de l'analyse financière. Ainsi, on pourrait décomposer le ratio de rendement de l'actif total :

$$\text{Ratio de rendement de l'actif total} = \frac{\text{bénéfice net}}{\text{actif}} = \frac{\text{bénéfice net}}{\text{ventes}} \times \frac{\text{ventes}}{\text{actif total}}$$

On peut facilement voir que le rendement de l'actif de l'entreprise dépend de la marge bénéficiaire nette et de la rotation des actifs. Ainsi, deux entreprises peuvent avoir le même rendement de l'actif total (ou ROI), mais chacune selon des stratégies différentes :

- par la maximisation de la marge bénéficiaire ;
- par la maximisation de la rotation des actifs ;
- par les deux stratégies.

Cette décomposition améliorerait l'information sur les stratégies avancées par les gestionnaires pour créer de la valeur aux actionnaires. Il serait en effet utile de savoir si l'accent est mis sur la marge bénéficiaire ou sur la rotation des actifs, parce que les deux stratégies ont des implications différentes sur la fixation des prix des produits, la gestion des coûts, le total des actifs en place et des ressources financières et physiques en général.

On peut également décomposer le ROE comme suit :

$$\text{ROE} = \frac{\text{bénéfice net}}{\text{actif total}} \times \frac{\text{actif total}}{\text{capitaux propres}}$$

$$\text{ROE} = \text{ROI} \times \frac{\text{actif total}}{\text{capitaux propres}}$$

$$\text{ROE} = \frac{\text{bénéfice net}}{\text{ventes}} \times \frac{\text{ventes}}{\text{actif}} \times \frac{\text{actif total}}{\text{capitaux propres}}$$

La deuxième composante de l'équation mesure le poids de l'endettement utilisé par l'entreprise pour financer ses actifs. Le rendement des capitaux propres est fonction de trois variables :

1) le bénéfice disponible pour les actionnaires ;
2) le total de l'actif ;
3) le niveau d'endettement.

Sachant que le ROI est fonction de la marge bénéficiaire et de la rotation des actifs, nous pouvons donc dire que :

$$\text{ROE} = \text{ratio de marge bénéficiaire} \times \text{rotation des actifs} \times \frac{\text{actif total}}{\text{capitaux propres}}$$

Le bénéfice de l'entreprise peut être maximisé, soit par la hausse des ventes (ou produits d'exploitation), soit par la minimisation des charges. La rotation des actifs est maximisée par le volume des ventes et la minimisation des actifs. Le premier élément est influencé par les prix de vente et les stratégies de différenciation des produits en vigueur dans l'entreprise.

Le deuxième élément peut être réduit grâce à une meilleure gestion des immobilisations en vue d'éliminer des actifs improductifs et le recours à la location des équipements.

Ainsi, nous venons de décrire ce que nous appelons la «formule Dupont» schématisée à la figure 8.1. Cette formule permet de décomposer la rentabilité de l'entreprise sous forme de différents ratios qui mettent en relief les sources de cette rentabilité et les stratégies sous-jacentes. Ainsi, le ratio de rendement de l'actif (ROI) se décompose en rotation des actifs multipliée par la marge bénéficiaire nette. La rotation des actifs se décompose en ventes que l'on divise par le total de l'actif tandis que la marge bénéficiaire nette est donnée par le bénéfice net après impôts que l'on divise par les ventes. Le total de l'actif est égal à l'actif à court terme plus l'actif à long terme (ou immobilisations corporelles). Le bénéfice de l'entreprise est obtenu en soustrayant des ventes (ou chiffre d'affaires) les charges d'exploitation et les impôts.

La formule Dupont permet de détailler le rendement des capitaux propres (ROE) comme suit :

$$\text{ROE} = \text{ratio de marge bénéficiaire nette} \times \text{rotation des actifs} \times \frac{\text{actif total}}{\text{avoir}}$$

Ainsi, en décomposant les ratios, comme il est fait dans la figure 8.1, le gestionnaire a tous les leviers (ou inducteurs) sur lesquels il pourra agir pour maximiser ou minimiser tel ou tel ratio afin de l'améliorer et d'atteindre les objectifs de rentabilité de l'entreprise. Ce faisant, le gestionnaire est en meilleure posture pour mettre en place les stratégies financières nécessaires pour maximiser la valeur de l'entreprise et, par ricochet, le prix des actions, créant ainsi de la richesse pour les propriétaires (ou les actionnaires).

**Figure 8.1** Le rendement des capitaux et la formule Dupont

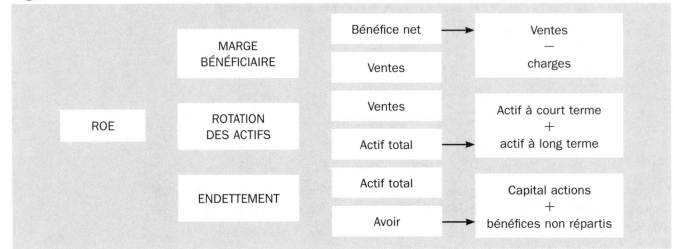

### 8.4.6 Autres ratios

On peut calculer plusieurs autres ratios dont les plus courants sont décrits ci-dessous.

$$\text{Ratio cours/bénéfice} = \frac{\text{cours (prix) de l'action ordinaire}}{\text{bénéfice par action (BPA)}} \qquad (8.16)$$

Le ratio mesure le nombre d'années de BPA nécessaire à l'investisseur pour récupérer la valeur marchande de l'action. C'est la même interprétation que le délai de récupération dans le choix des projets d'investissement. Il permet également de comparer le prix de deux entreprises en exploitation dans le même secteur d'activité. Les pages financières des journaux communiquent souvent ce ratio.

Pour Richelieu et ses concurrents, les résultats sont :

| | 2005 | 2004 |
|---|---|---|
| Ratio cours/BPA de Richelieu | 18,69 | 18,03 |
| Secteur | 11,87 | 11,20 |

On y voit qu'en 2005 et 2004, l'action de Richelieu se vend à un prix boursier situé à environ 18 ans/bénéfice, dépassant largement le ratio moyen du secteur. Cela signifie que les investisseurs (et le marché) sont très confiants dans les bénéfices futurs de Richelieu. En effet, le prix de l'action est basé sur la rentabilité attendue de l'entreprise. Toutes choses étant égales par ailleurs, plus cette rentabilité est stable et moins incertaine, plus elle est appréciée par le marché. Cela se traduit par un prix boursier plus élevé et un ratio cours/BPA supérieur. En d'autres termes, plus l'incertitude sur les BPA futurs est grande – donc plus le risque perçu par le marché est élevé – et plus le ratio cours/BPA sera faible. Les résultats présentés ici révèlent un risque moins élevé pour Richelieu que pour ses concurrents, ou que le marché s'attendrait à ce que Richelieu affiche une rentabilité future meilleure que ses concurrents ou une combinaison des deux options.

$$\text{Ratio prix boursier/valeur comptable} = \frac{\text{valeur boursière de l'action}}{\text{valeur comptable de l'action}} \quad (8.17)$$

Le ratio est souvent utilisé pour évaluer les perspectives, c'est-à-dire les occasions de croissance de l'entreprise telles que perçues par les investisseurs. Plus ce ratio est élevé, plus le marché entrevoit un avenir prometteur pour l'entreprise.

Pour Richelieu et ses concurrents, les résultats sont :

| | 2005 | 2004 |
|---|---|---|
| Ratio prix boursier / valeur comptable de Richelieu | 3,17 | 3,35 |
| Secteur | 1,58 | 1,56 (0,90) |

L'action de Richelieu se vend à environ 3 fois sa valeur comptable chacune des deux années, ce qui la situe autour du double du ratio du secteur d'activité. Le marché anticipe des occasions futures plus attrayantes pour Richelieu que pour ses concurrents, ce qui se traduit par un prix boursier plus alléchant.

On peut calculer un ratio de la fraction des dividendes versés par rapport au bénéfice net de l'entreprise comme suit :

$$\text{Taux de distribution en dividende} = \frac{\text{dividendes versés}}{\text{bénéfice net}} \quad (8.18)$$

Le ratio renseigne sur la proportion du bénéfice net versée sous forme de dividende aux actionnaires ordinaires. La contrepartie du ratio donne une idée de la proportion du bénéfice sous forme de bénéfices non répartis.

Pour Richelieu et ses concurrents, les résultats sont, en pourcentage :

| | 2005 | 2004 |
|---|---|---|
| Taux de distribution en dividende de Richelieu | 16,75 | 14,10 |
| Secteur | 14,88 | 14,43 |

On y voit que Richelieu distribue 16,75 % (2005) et 14,10 % (2004) du bénéfice net à ses actionnaires ordinaires. Alors qu'en 2004, elle distribuait une fraction identique à celle de ses concurrents, elle a haussé substantiellement la fraction versée par rapport au secteur en 2005.

Le bénéfice par action (BPA) est une information que toutes les entreprises doivent mentionner dans leurs états financiers. Cette donnée est souvent utilisée pour évaluer l'évolution de la rentabilité des actions. On calcule habituellement deux sortes de BPA, comme suit.

$$\text{Bénéfice par action de base} = \frac{\text{bénéfice net après impôts} - \text{dividendes aux actions privilégiées}}{\text{nombre moyen des actions ordinaires en circulation}} \quad (8.19)$$

Pour Richelieu et ses concurrents, les résultats sont :

|  | 2005 | 2004 |
|---|---|---|
| Bénéfice par action de Richelieu | 1,20 | 1,13 |
| Secteur | 1,58 | 1,03 |

On note que le bénéfice par action de Richelieu a progressé sur les deux années pour atteindre 1,20 $ en 2005, soit une augmentation de 6,20 % par rapport à l'année précédente. Par contre, le secteur a affiché une hausse beaucoup plus substantielle, soit environ 50 %. Bien que la moyenne du secteur soit peu utile, puisqu'elle dépend du nombre d'actions en circulation de chaque entreprise, l'analyste devrait s'interroger sur le niveau du BPA de Richelieu et rechercher les justifications de cet écart. Par contre, les autres ratios révèlent que la rentabilité de Richelieu est très adéquate.

$$\text{Bénéfice par action dilué} = \frac{\text{bénéfice net après impôts} - \text{dividendes aux actions privilégiées}}{\text{nombre d'actions moyen}} \quad (8.20)$$

Ici, le nombre d'actions est obtenu en supposant que toutes les options émises ont été exercées. En l'occurrence, on entend par BPA dilué le bénéfice par action qui découle de l'augmentation du nombre total d'actions ordinaires.

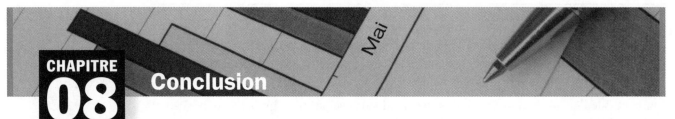

## CHAPITRE 08

## Conclusion

Les états financiers sont des documents comptables qui contiennent de l'information pour de nombreux utilisateurs, notamment les investisseurs, les banques, les gouvernements, les clients, les fournisseurs et les gestionnaires. Cette information aide à la prise de décision et à la réduction du risque. En effet, les états financiers peuvent précisément renseigner les décideurs sur différents aspects de l'entreprise, en particulier sur ce qu'elle possède (son actif), sur ce qu'elle doit (ses dettes) et sur sa rentabilité.

Des outils pratiques aident tout utilisateur à tirer le maximum d'information des documents comptables. Les ratios sont en effet des moyens utilisables pour se renseigner sur les liquidités, l'endettement, la gestion et la rentabilité de l'entreprise. Grâce à eux, le gestionnaire peut détecter les forces et les faiblesses de l'entreprise, et y apporter les correctifs nécessaires. Quant à l'investisseur, il pourra cerner davantage les deux importantes variables de sa décision : le rendement et le risque.

Les ratios sont certes utiles, mais il est important de prendre conscience de leurs limites. Basés sur des documents comptables, les ratios traduisent le passé. De plus, ces documents doivent respecter les principes comptables généralement reconnus.

Le décideur doit donc se rendre compte que les ratios peuvent certainement l'aider, mais que d'autres sources d'information sont nécessaires.

# À retenir

1. Globalement, l'analyse financière de Richelieu nous révèle que, sur le plan financier, cette entreprise montre de nombreuses forces et peu de faiblesses. Les principaux ratios permettent de diagnostiquer différents aspects financiers, notamment les liquidités, l'endettement, la gestion et la rentabilité.

2. Les ratios de liquidité, qui évaluent l'aptitude de l'entreprise à honorer ses dettes à court terme, démontrent que Richelieu possède des liquidités suffisantes pour payer ses dettes à court terme et, par conséquent, est solvable. Par contre, le niveau élevé de ses ratios par rapport à ceux du secteur devrait inciter les dirigeants de Richelieu à s'interroger sur leurs créances et leurs stocks.

3. Les ratios de gestion permettent d'évaluer la façon dont l'entreprise gère son actif. Chez Richelieu, l'analyse de ces éléments montre qu'ils sont moins bien gérés : le délai de recouvrement des créances des clients est plus élevé et les stocks tournent moins que chez les concurrents.

4. Les ratios d'endettement évaluent l'importance de la dette par rapport au financement total de l'entreprise et son aptitude à répondre aux charges financières (les intérêts). Richelieu ne semble pas éprouver de problèmes d'endettement. Bien au contraire, les deux ratios de cette catégorie traduisent les forces de l'entreprise relativement à ses concurrents. Elle pourrait même augmenter son niveau d'endettement et profiter ainsi de l'effet de levier financier.

5. Les ratios de rentabilité permettent d'évaluer la capacité de l'entreprise à dégager des bénéfices grâce à l'exploitation efficace de l'actif. Sur cet aspect, l'entreprise génère un ratio de rentabilité de l'actif et des capitaux largement supérieurs à ceux du secteur. Cependant, la marge bénéficiaire brute ainsi que la rotation des stocks et des actifs montrent des faiblesses. Les dirigeants de l'entreprise devraient apporter les redressements nécessaires.

6. Le calcul des ratios se base sur les états financiers de l'entreprise à une date donnée. Il nécessite plusieurs précautions, dont la connaissance des principes comptables sous-jacents, lesquels peuvent affecter la qualité et la quantité d'information. Pour cela, les ratios sont des outils utiles à la prise de décision des utilisateurs, mais on doit s'en servir avec prudence.

7. L'analyse financière est un ensemble de critères quantitatifs à compléter avec des facteurs qualitatifs ou non financiers afin de cerner plusieurs autres dimensions de l'entreprise ayant trait à la stratégie, à la gestion des ressources humaines, à la qualité de la gestion et de la gouvernance, à la qualité des produits et aux relations avec la clientèle. C'est en intégrant l'ensemble de ces aspects que l'analyste se fera une idée, d'une part, sur les forces et les faiblesses de l'entreprise et, d'autre part, sur les occasions qu'elle pourrait exploiter et les menaces qu'elle devrait éviter.

## Mots-clés

# Sommaire des formules

## Les ratios de liquidité

$$\text{Ratio de fonds de roulement} = \frac{\text{actif à court terme}}{\text{passif à court terme}} \qquad (8.1)$$

$$\text{Ratio de liquidité immédiate} = \frac{\text{actif à court terme} - \text{stocks}}{\text{passif à court terme}} \qquad (8.2)$$

## Les ratios de gestion

$$\text{Rotation des comptes clients} = \frac{\text{comptes ventes}}{\text{comptes clients}} \qquad (8.3)$$

$$\text{Délai de recouvrement} = \frac{\text{comptes clients} \times 365 \text{ jours}}{\text{ventes}} \qquad (8.4)$$

$$\text{Rotation des stocks} = \frac{\text{coût des marchandises vendues}}{\text{stock moyen}} \qquad (8.5)$$

$$\text{CMV} = \text{stock de début} + \text{achats} - \text{stock de fin} \qquad (8.6)$$

## Les ratios d'endettement

$$\text{Ratio d'endettement total} = \frac{\text{dette totale}}{\text{actif total}} \qquad (8.7)$$

$$\text{Ratio de structure financière} = \frac{\text{dette totale}}{\text{capitaux propres}} \qquad (8.8)$$

$$\text{Ratio de couverture des intérêts} = \frac{\text{bénéfice avant intérêts et impôts}}{\text{intérêts}} \qquad (8.9)$$

$$\text{Ratio de couverture des charges fixes} = \frac{\text{bénéfice avant intérêts, loyers et impôts}}{\text{intérêts} + \text{loyers} + \text{amortissement} + \text{autres débours}} \qquad (8.10)$$

## Les ratios de rentabilité

$$\text{Ratio de marge bénéficiaire brute} = \frac{\text{bénéfice brut}}{\text{ventes}} \qquad (8.11)$$

$$\text{Ratio de marge bénéficiaire nette} = \frac{\text{bénéfice net}}{\text{ventes}} \qquad (8.12)$$

$$\text{Ratio de rendement de l'actif total} = \frac{\text{bénéfice net}}{\text{actif total}} \qquad (8.13)$$

$$\text{Ratio de rendement des capitaux propres} = \frac{\text{bénéfice net}}{\text{capitaux propres}} \qquad (8.14)$$

$$\text{Ratio de rotation des actifs} = \frac{\text{ventes}}{\text{actif total}} \qquad (8.15)$$

## Autres ratios

$$\text{Ratio cours/bénéfice} = \frac{\text{cours (prix) de l'action ordinaire}}{\text{bénéfice par action (BPA)}} \qquad (8.16)$$

$$\text{Ratio prix boursier / valeur comptable} = \frac{\text{valeur boursière de l'action}}{\text{valeur comptable de l'action}} \qquad (8.17)$$

$$\text{Taux de distribution en dividende} = \frac{\text{dividendes versés}}{\text{bénéfice net}} \qquad (8.18)$$

$$\text{Bénéfice par action de base} = \frac{\substack{\text{bénéfice net après impôts} - \\ \text{dividendes aux actions privilégiées}}}{\substack{\text{nombre moyen des actions} \\ \text{ordinaires en circulation}}} \qquad (8.19)$$

$$\text{Bénéfice par action dilué} = \frac{\substack{\text{bénéfice net après impôts} - \\ \text{dividendes aux actions privilégiées}}}{\text{nombre d'actions moyen}} \qquad (8.20)$$

## Étude de cas

### L'ENTREPRISE RICHELIEU : UN SURVOL[3]

Quincaillerie Richelieu, le plus important distributeur, importateur et manufacturier de quincaillerie spécialisée et de produits complémentaires au Canada, se situe au premier rang dans sa spécialité en Amérique du Nord.

L'entreprise offre à ses 36 000 clients d'Amérique du Nord plus de 40 000 articles différents, et ce, dans une multitude de catégories, notamment la quincaillerie décorative et la quincaillerie fonctionnelle. L'entreprise dispose de 34 centres de distribution en Amérique du Nord, 26 au Canada et 8 aux États-Unis, ainsi que de 2 usines de fabrication au Canada. L'entreprise est le fournisseur des revendeurs de quincaillerie et des grands magasins comme Home Depot, RONA et Home Hardware.

#### Informations générales

Adresse : 7900, boulevard Henri-Bourassa Ouest
Ville : Saint-Laurent, Québec
Code postal : H4S 1P4
Pays : Canada
Téléphone : 514 336-4144
Site Web : www.richelieu.com

#### Description de l'entreprise

Industrie : Distribution et commerce
Date de clôture de l'exercice : 30 novembre
Marché boursier : Toronto Stock Exchange (TSX)
Date d'inscription en Bourse : 1993
Date de création : 1968
Symbole boursier : RCH
Nombre d'employés : 1 000
Vérificateur : Ernst & Young

---

3. Site Web : www.richelieu.com.

## L'historique de Richelieu

Quincaillerie Richelieu ltée a été fondée en 1968. Le 27 juillet 1993, elle achève son premier appel public à l'épargne et s'inscrit à la Bourse de Toronto sous le symbole RCH. Elle possède plusieurs filiales consolidées dans ses états financiers : Richelieu Hardware Canada Ltd., Distributions 20-20 inc., Les Industries Cédan inc., Richelieu America Ltd., et Menuiseries des Pins ltée.

La croissance de Richelieu est surtout due à des acquisitions stratégiques. Au 30 novembre 2005, elle a achevé environ 26 acquisitions au Canada et aux États-Unis. En voici un résumé :

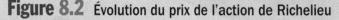

| Décembre 2005 | Atlantic Countertops Limited de Nouvelle-Écosse |
| Mai 2004 | Allied Hardware and Metal Specialties de New York |
| Mai 2003 | Laknord inc. de Laval (Québec) |
| Septembre 2003 | Teamwood Traders Ltd de New Westminster (Vancouver) et Pacific Coast Supply, sur la côte ouest des États-Unis |

Richelieu emploie environ 1 000 personnes et compte 40 centres en Amérique du Nord, dont 26 au Canada et 8 aux États-Unis ainsi que 2 filiales de fabrication. Les Industries Cédan inc. et Menuiserie des Pins ltée assurent les activités de fabrication de plusieurs produits.

Les dirigeants de Richelieu jugent que ces acquisitions conjuguées à la croissance interne leur permettent d'entrevoir d'excellentes possibilités de rentabilité au Canada et aux États-Unis, et de continuer à créer de la valeur pour leurs actionnaires.

## Les données financières

Au 30 novembre 2005, l'action de Richelieu a clôturé à 22,24 $, soit une appréciation de 10,15 % sur un an. Comme le montre la figure 8.2, l'action de Richelieu ne cesse de prendre de la valeur, procurant ainsi un rendement appréciable aux investisseurs. La figure montre que le rendement des actions est de 128 % sur 5 ans, de 1 071 % sur 10 ans et de 916 % depuis son inscription en Bourse, en 1993. Les rendements réels sont nécessairement plus élevés si l'on tient compte de la politique de dividende instaurée depuis 2002. En 2005, le conseil d'administration a approuvé une hausse de 25 % du dividende trimestriel, le faisant passer de 0,04 $ à 0,05 $ par action.

## Figure 8.2  Évolution du prix de l'action de Richelieu

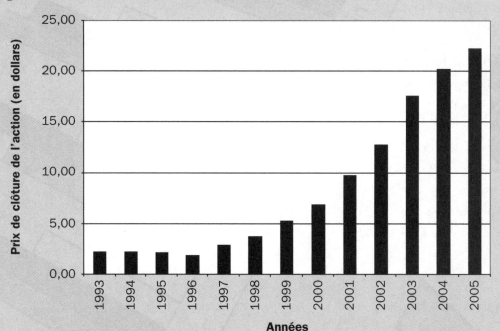

La performance de l'action dépasse largement celle du marché canadien des actions. Pour les mêmes périodes, ce dernier a donné un rendement de 20 % (1 an), 46 % (5 ans), 80 % et 160 % (10 ans).

Cette réussite boursière s'explique par les performances financière et comptable qui ressortent des états financiers de Richelieu, dont certains faits saillants sont indiqués dans le tableau suivant.

| Faits saillants financiers | | | |
|---|---|---|---|
| | 2005 (en milliers de dollars) | 2004 (en milliers de dollars) | Variation (en pourcentage) |
| Ventes | 350 177 | 320 199 | 9,40 |
| Bénéfice avant impôts sur les bénéfices et part des actionnaires sans contrôle | 42 199 | 39 953 | 5,60 |
| Bénéfice avant la part des actionnaires sans contrôle | 28 022 | 26 462 | 5,90 |
| Bénéfice net | 27 688 | 26 150 | 5,90 |
| Total des bénéfices non répartis | 144 430 | 122 710 | 17,70 |
| Total de l'actif | 202 971 | 183 260 | 10,80 |

La répartition géographique des ventes par région est donnée à la figure 8.3. On y voit que l'Est du Canada génère 44 % des ventes, alors que le marché américain, seulement 12 %. La figure 8.4 montre que les clients de Richelieu se répartissent en fabricants, 81 % des ventes, et détaillants, 19 %. D'autre part, l'évolution du bénéfice par action est constante depuis plusieurs années, comme le montre clairement la figure 8.5.

**Figure 8.3** Répartition géographique des ventes en 2005

**Figure 8.4** Répartition des ventes par segment de marché en 2005

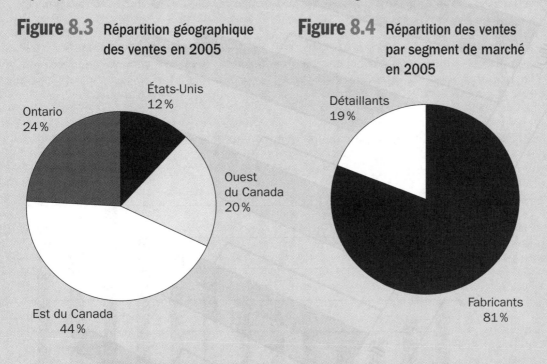

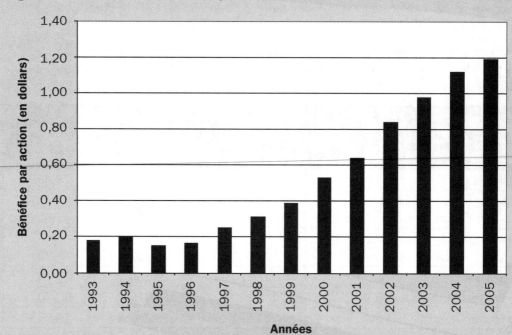

**Figure 8.5** Évolution du bénéfice par action de Richelieu

On remarque aussi une très forte corrélation entre le bénéfice par action et le prix boursier. On observe une constante augmentation depuis la première inscription à la Bourse de Toronto en 1993. D'ailleurs, les actions de Richelieu ont subi un fractionnement en 1990 et en 2001. C'est-à-dire que la rentabilité de Richelieu se traduit par une appréciation de la valeur boursière de ses actions entraînant une création de valeur soutenue pour les investisseurs.

Les investisseurs anticipent donc la rentabilité de Richelieu, puisque le ratio cours/valeur comptable est toujours supérieur à l'unité, signifiant que le marché supposé a des occasions d'affaires rentables très favorables dans le futur de l'entreprise. La figure 8.6 le confirme assez bien.

**Figure 8.6** Évolution du ratio cours/valeur comptable

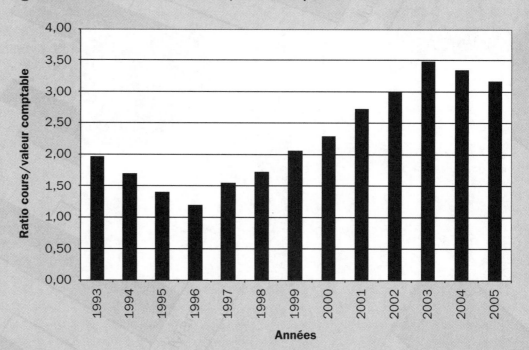

# Questions

1. Quel est le but de l'analyse financière ?

2. Définissez le mot *ratio*.

3. Quels sont les utilisateurs des états financiers ?

4. Pourquoi un investisseur souhaiterait-il consulter les états financiers ?

5. Donnez quelques limites des états financiers comme source d'information pour les investisseurs.

6. Quel est le but des quatre catégories de ratios ?

7. Que signifie un ratio de fonds de roulement égal à 2 ?

8. Que signifie un ratio d'endettement de 40 % ?

9. Commentez la phrase suivante : « Un ratio n'a de sens que s'il est comparé à d'autres ratios. »

10. En quoi les principes comptables généralement reconnus influencent-ils les ratios ?

# Exercices

1. Voici un extrait du bilan de quatre entreprises, en millions de dollars.

| | Actif total | Passif total | Avoir |
|---|---|---|---|
| Entreprise 1 | 3 531 | 2 220 | 1 311 |
| Entreprise 2 | 14 915 | | 5 041 |
| Entreprise 3 | 3 595,25 | | 2 180,84 |
| Entreprise 4 | 517,10 | | 302,8 |

Le passif et l'avoir de ces entreprises comprennent les éléments suivants, en millions de dollars :

| Source de financement | Entreprise 1 | Entreprise 2 | Entreprise 3 | Entreprise 4 |
|---|---|---|---|---|
| Dettes à court terme | 1 399 | 2 053 | 305,55 | 151,9 |
| Dettes à long terme | 734 | 2 291 | 636,81 | 39,6 |
| Capital actions | 245 | 3 605 | 2 176,02 | 150,6 |
| Bénéfices non répartis | 1 046 | 909 | −1,84 | 79,4 |

L'actif de ces entreprises comprend entre autres les éléments suivants, en millions de dollars :

| Emploi | Entreprise 1 | Entreprise 2 | Entreprise 3 | Entreprise 4 |
|---|---|---|---|---|
| Actif à court terme | 1 553 | 4 506 | 1 002,02 | 362,2 |
| Immobilisations | 2 093 | 4 493 | 2 535,31 | 143,7 |

a) Parmi ces entreprises, laquelle utilise plus de dettes ? Moins de bénéfices non répartis (BNR) ?

b) Parmi ces entreprises, laquelle utilise plus d'actif à long terme ? Moins de stocks ?

c) Comparez le bilan des entreprises 2 et 3. Quelles sont les ressemblances ? les différences ?

d) Supposez que l'entreprise 1 est la compagnie canadienne Loblaws. Avec quelle compagnie serait-elle comparable ? Quelles seraient les ressemblances ? les différences ?

2. On vous donne un extrait de l'état des résultats de quatre entreprises (en milliers de dollars) au 31 décembre de l'année 1 :

|  | Entreprise 1 | Entreprise 2 | Entreprise 3 | Entreprise 4 |
|---|---|---|---|---|
| Produits | 9 848 | 9 774 | 2 145 | 576,4 |
| Frais d'exploitation | ? | ? | ? | ? |
| Bénéfice net | 174 | 254 | 247,93 | 51 |
| Bénéfice par action | 0,72 | 1,02 | 1,40 | 0,45 |

L'état des résultats de l'entreprise 2 (en milliers de dollars) pour trois années est le suivant :

|  | Année 1 | Année 2 | Année 3 |
|---|---|---|---|
| Produits | 9 774 | 9 989 | 7 594 |
| Frais d'exploitation | 9 520 | 9 465 | 7 261 |
| Bénéfice net | 254 | 524 | 333 |
| Bénéfice par action | 1,02 | 2,19 | 1,45 |

a) De l'année 3 à l'année 1, quelle est l'augmentation de chaque poste de l'état des résultats de l'entreprise 2 ?

b) Pour la même période, selon vous, son prix boursier a-t-il augmenté de la même proportion que son bénéfice par action ? Pourquoi ?

c) Quelles seraient les causes de l'augmentation des ventes nettes, des frais d'exploitation et du bénéfice net de l'entreprise 2 ?

d) Comparez le bénéfice par rapport aux produits d'exploitation des entreprises 1 et 4. Quelles sont vos conclusions ?

e) À quel secteur d'activité associez-vous l'entreprise 4 ? Pourquoi ?

f) Lorsque les ventes augmentent, quelle devrait être la conséquence sur le bénéfice net ? Est-ce le cas pour les entreprises ci-dessus ?

3. Les ratios de fonds de roulement de l'entreprise X et ceux de son secteur sont les suivants :

|  | 2006 | 2005 | 2004 | 2003 |
|---|---|---|---|---|
| Entreprise X | 1,64 | 1,99 | 2,39 | 2,12 |
| Secteur | 2,14 | 2,28 | 2,08 | 2,13 |

a) Commentez les ratios de l'entreprise X.

b) Quelles seraient les causes de la baisse du ratio de fonds de roulement de l'entreprise X ?

c) Comment les dirigeants de l'entreprise X peuvent-ils corriger la situation ?

4. Les délais de recouvrement des comptes clients (en jours) de l'entreprise X et de son secteur sont les suivants :

| | 2006 | 2005 | 2004 | 2003 |
|---|---|---|---|---|
| Entreprise X | 79,11 | 63,47 | 59,36 | 54,24 |
| Secteur | 59,37 | 57,61 | 57,3 | 56,59 |

a) Commentez l'évolution du délai de recouvrement des comptes clients de l'entreprise X.

b) Déterminez les facteurs expliquant la hausse du délai de recouvrement de l'entreprise X.

c) Quelles solutions recommandez-vous ?

## Problèmes

### Cas d'analyse d'états financiers[4]

Le 1er février 2003, Maurice Leblanc, président et principal actionnaire de Cuisines de luxe ltée (CDL) est sorti en souriant de la salle de réunion. Le conseil d'administration de CDL terminait sa réunion annuelle et avait exprimé sa confiance en l'équipe de direction.

Les ventes avaient atteint 2,8 millions de dollars en 2002 et les prévisions pour 2003 dépassaient 3 millions. Cependant, Maurice a perdu son sourire en lisant la note tendue par sa secrétaire. Brigitte Chalois, agente de prêts de la Banque d'Ottawa, lui transmettait le message suivant, accompagné des tableaux que vous trouverez à la fin du cas.

Monsieur,

Permettez-moi d'attirer votre attention sur les tableaux ci-joints comportant des données financières sur Cuisines de luxe ltée. Comme vous pouvez le remarquer, le rendement financier montre certains signes de détérioration et des ratios financiers tombés au-dessous du minimum spécifié dans le contrat passé avec la Banque d'Ottawa relativement à votre marge de crédit. Je vous saurais gré de bien vouloir me téléphoner pour me fixer un rendez-vous…

CDL a des rapports de longue date avec la Banque d'Ottawa et, jusqu'en 2002, avait toujours remboursé avant la fin de l'exercice les sommes empruntées grâce à sa marge de crédit. Celle-ci était de 100 000 $ en 2000, mais elle était passée à 300 000 $ à la fin de 2002. Selon son contrat avec la banque, CDL doit maintenir un ratio de fonds de roulement d'au moins 2,0, un ratio de trésorerie de 1,0 et un ratio passif à court terme/actif total de 40 %. Comme le montre le tableau des ratios financiers, aucune de ces conditions n'était remplie à la fin de 2002. Ce qui a incité la banque à passer à l'action. Selon le contrat de prêt, la banque a le droit d'en demander le remboursement immédiat. Si le paiement n'a pas lieu dans les 10 jours, elle pourrait forcer CDL à déclarer faillite. Brigitte n'a pas l'intention d'appliquer le contrat de prêt à la lettre, mais elle se propose de l'utiliser pour inciter CDL à prendre des mesures énergiques dans le but d'améliorer sa situation financière.

4. D'après un examen de CGA.

En tant que fabricant d'armoires de cuisine, CDL a été durement frappée par la récession de la fin des années 1980 et durant les années 1990. Au cours de cette période, un vigoureux programme de commercialisation a produit une augmentation des ventes, mais des remises de prix et des frais d'exploitation plus élevés ont réduit les profits. La direction de CDL comptant sur une récession de courte durée a maintenu la production à un niveau relativement constant. La marge de crédit a été augmentée afin de financer le fonds de roulement et certaines immobilisations.

M. Leblanc pense que CDL est prête à profiter d'une reprise de l'économie en 2003. En effet, on s'attend à une croissance du marché des maisons neuves et à une croissance continue des rénovations de l'habitat ancien. CDL prévoit des produits d'exploitation d'au moins 3 000 000 $ pour l'exercice 2003. Cependant, le niveau actuel de ventes ne peut se maintenir sans une augmentation de la marge de crédit, qu'il faudrait faire passer à 350 000 $. M. Leblanc craint que la banque refuse de maintenir la marge de crédit actuelle, encore plus d'augmenter le prêt impayé. Il comprend parfaitement l'inquiétude de M<sup>me</sup> Chalois, car le taux de faillite des petites entreprises n'a jamais été aussi élevé qu'actuellement.

| États financiers de Cuisines de luxe ltée (en milliers de dollars) | | | |
|---|---|---|---|
| | Bilan au 31 décembre | | |
| | 2000 | 2001 | 2002 |
| Encaisse | 61 | 28 | 20 |
| Comptes clients | 245 | 277 | 388 |
| Stocks | 306 | 510 | 826 |
| | 612 | 815 | 1 234 |
| Terrains et bâtiments | 49 | 130 | 122 |
| Matériel | 151 | 118 | 102 |
| Autres immobilisations | 29 | 8 | 6 |
| | 841 | 1 071 | 1 464 |
| Effets à payer (banque) | 0 | 102 | 286 |
| Créditeurs | 98 | 155 | 306 |
| Charges à payer | 49 | 57 | 77 |
| | 147 | 314 | 669 |
| Emprunt hypothécaire | 45 | 41 | 37 |
| | 192 | 355 | 706 |
| Actions ordinaires | 365 | 365 | 365 |
| Bénéfices non répartis | 284 | 351 | 393 |
| | 649 | 716 | 758 |

| | État des résultats au 31 décembre | | |
|---|---|---|---|
| | **2000** | **2001** | **2002** |
| Ventes (nettes) | 2 652 | 2 754 | 2 856 |
| Coût des marchandises vendues | 2 121 | 2 203 | 2 284 |
| Bénéfice brut | 531 | 551 | 572 |
| Frais généraux, frais de vente et d'administration | 204 | 224 | 244 |
| Amortissement | 8 | 10 | 12 |
| Charges diverses | 41 | 86 | 122 |
| Bénéfice net avant impôts | 278 | 231 | 194 |
| Impôts | 97 | 81 | 68 |
| Bénéfice net | 181 | 150 | 126 |

| Ratios financiers de Cuisines de luxe ltée | | | | |
|---|---|---|---|---|
| | **2000** | **2001** | **2002** | **Moyenne du secteur 2000-2002** |
| **Ratios de liquidité** | | | | |
| Ratio de fonds de roulement | 4,16 | 2,60 | 1,84 | 2,70 |
| Ratio de trésorerie immédiate | 2,08 | 0,97 | 0,61 | 1,00 |
| **Ratios d'exploitation** | | | | |
| Délai moyen de recouvrement (en jours) | 33,00 | 36,00 | 49,00 | 31,00 |
| Rotation des stocks | 6,93 | 4,32 | 2,77 | 7,00 |
| Rotation des immobilisations | 11,58 | 10,76 | 12,42 | 13,00 |
| Rotation de l'actif total | 3,15 | 2,57 | 1,95 | 2,60 |
| **Ratios de levier financier (en pourcentage)** | | | | |
| Passif à court terme/actif total | 17,48 | 29,32 | 45,70 | s.o. |
| Passif à long terme/actif total | 5,35 | 3,83 | 2,53 | s.o. |
| Passif total/actif total | 22,83 | 33,15 | 48,22 | 50,00 |
| **Ratios de rentabilité (en pourcentage)** | | | | |
| % bénéfice brut | 20,02 | 20,01 | 20,03 | s.o. |
| Bénéfice net avant impôts | 10,48 | 8,39 | 6,79 | s.o. |
| Bénéfice net | 6,81 | 5,45 | 4,42 | 4,50 |
| Rendement de l'actif total | 21,49 | 14,02 | 8,61 | 11,70 |
| Rendement de l'avoir | 27,84 | 20,97 | 16,64 | 23,40 |

1. Effectuez l'analyse financière de CDL. Dans votre réponse, indiquez les points forts et les faiblesses de l'entreprise, et ce qui expliquerait les tendances sous-jacentes. *(Pour une discussion méthodique, organisez votre réponse dans l'ordre suivant : liquidité, gestion, endettement et rentabilité.)*

2. Quelles solutions recommandez-vous à CDL pour corriger les faiblesses relevées en 1 ?

3. Prenez pour hypothèse que les ventes de CDL atteindront 3 millions de dollars en 2003. Préparez les états financiers pro forma pour la fin de l'exercice 2003 afin d'illustrer l'effet de vos mesures correctives sur la situation financière de l'entreprise.

4. Quelles recommandations pouvez-vous faire à Brigitte Chalois ?

# La planification financière

# Mise en contexte

Comme nous l'avons montré au chapitre précédent, l'analyse par les ratios permet au gestionnaire de connaître les forces et les faiblesses de l'entreprise. Toutefois, ce gestionnaire a besoin de planification pour gérer l'avenir de son entreprise. Planifier, c'est établir des objectifs à long et à court terme, et déterminer les moyens humains, matériels et financiers pour les réaliser. La planification est nécessaire à la gestion de l'entreprise, car elle permet aux gestionnaires de prendre en compte les aléas du futur. Ils peuvent ainsi s'adapter au changement et réagir adéquatement à l'imprévu en prenant des décisions éclairées. Ce chapitre montre comment procéder en mettant l'accent sur la planification financière et l'établissement des budgets.

Dans ce chapitre, nous ferons référence à l'entreprise Les Vêtements de Sport Gildan. Il s'agit d'une entreprise à intégration verticale du secteur de la confection et de la commercialisation de vêtements de marque. Elle emploie plus de 15 000 personnes dans le monde et dessert les marchés américain, canadien, européen et autres marchés internationaux. Le siège social de Gildan est à Montréal et ses actions sont inscrites à la Bourse de Toronto et à la Bourse de New York.

## 9.1 La définition de la planification

Le rôle du gestionnaire est de planifier, d'organiser, de coordonner et de contrôler les activités de l'entreprise. La planification est le processus par lequel on fixe les objectifs stratégiques et opérationnels.

- La **planification stratégique** consiste à élaborer des objectifs à long terme pour 5 à 10 ans. Ici, les objectifs sont généralement «flous», qualitatifs, comme la part de marché cible, la qualité des produits, la diversification des produits et des marchés.

- La **planification opérationnelle** consiste à établir des objectifs au jour le jour et à court terme. Les objectifs sont quantifiés et concernent, par exemple, l'augmentation du bénéfice de l'exercice prochain de 5 %, l'augmentation des ventes de 10 %, la réduction des coûts de production de 15 %, etc.

La planification opérationnelle donne lieu à l'établissement de divers budgets de l'entreprise, aboutissant à son budget maître. Le budget est la quantification des objectifs. On y distingue un budget fixe, c'est-à-dire des prévisions pour un seul niveau d'activité ou un budget variable (ou flexible), soit des prévisions pour plusieurs niveaux d'activité.

L'étape de la planification, et donc des budgets, est essentielle au processus de contrôle. En effet, celui-ci se définit comme la comparaison entre les réalisations et les prévisions en vue de dégager et d'expliquer les écarts éventuels. Or, il ne peut y avoir de contrôle que si, au préalable, le gestionnaire a établi les objectifs. Par conséquent, la planification précède le contrôle afin de pouvoir comparer les réalisations aux objectifs budgétaires.

## 9.2 Les différents budgets

Les entreprises modernes font face à une concurrence féroce sur tous les aspects de leur gestion. Cette concurrence se concrétise principalement dans les ventes de l'entreprise.

Ainsi, dans la plupart des secteurs d'activité, l'entreprise doit répondre à une contrainte exercée par la demande. En effet, elle doit produire ce qu'elle peut vendre et non vendre ce qu'elle peut produire. Par conséquent, la **budgétisation** doit se faire selon la séquence que nous décrivons ci-dessous.

### 9.2.1 Le budget des ventes

Le premier budget que l'entreprise doit établir est celui des ventes. On peut l'établir en dollars ou en nombre d'articles vendus. Les périodes les plus fréquentes sont le mois ou le trimestre, mais elles peuvent être annuelles. Toutefois, plus la période est longue, plus les prévisions sont imprécises. Déterminer les ventes prévisionnelles nécessite des outils statistiques que nous aborderons plus loin dans ce chapitre.

### 9.2.2 Le budget des recettes sur ventes

L'établissement de ce budget découle du budget de ventes. L'idée consiste à convertir les ventes en flux de trésorerie. Ici, on tient compte des conditions de crédit accordées par l'entreprise à ses clients, généralement alignées sur celles de son secteur d'activité. Par exemple, l'expérience antérieure peut avoir montré que 50 % des ventes sont encaissées dans le mois de la vente et 50 % le mois ou les mois suivants. Dans certains cas, l'entreprise accorde des escomptes pour inciter ses clients à payer plus tôt, ce qui influence le montant des encaissements périodiques. On doit également tenir compte des créances des mois précédents et devant être recouvrées dans le mois en cours.

### 9.2.3 Le budget des achats

Connaître les prévisions des ventes permet à l'entreprise de prévoir les achats à effectuer pour répondre aux ventes. En outre, elle doit faire les achats nécessaires pour constituer les stocks requis par sa politique de stockage.

Dans votre cours de comptabilité de gestion, vous avez vu que le coût des marchandises vendues est donné par la formule suivante :

Stock de début + achats − stock de fin

Cette formule permet de savoir que les achats d'une période doivent être égaux à :

Stock désiré à la fin de la période + ventes de la période − stock au début de la période

Les achats peuvent être établis en nombre d'articles achetés ou en dollars. Dans ce cas, le montant des achats est donné par :

Stock désiré en dollars + coût des marchandises vendues − stock au début en dollars

Les formules ci-dessus s'appliquent à une entreprise commerciale. Dans le cas d'une entreprise industrielle, on parlera d'achats de matières premières et on ajoutera le budget de production.

### 9.2.4 Le budget des décaissements sur achats

La conversion des achats en décaissements constitue le but de ce budget. On tient compte des conditions de crédit accordées par les fournisseurs afin de prévoir les sorties de trésorerie occasionnées par les achats. Dans certaines situations, il faudrait réduire les décaissements du montant de l'escompte obtenu des fournisseurs. S'il y a lieu, on indique les dettes encore impayées provenant des mois précédents et figurant au bilan dans les comptes à payer.

### 9.2.5 Le budget des frais d'exploitation

En plus des décaissements sur achats, l'entreprise doit établir le budget des frais d'exploitation, c'est-à-dire toutes les autres charges occasionnées par les ventes et les achats. On y trouve le loyer, la publicité, les salaires et les amortissements. En effet, ces derniers constituent des charges et doivent donc faire partie de ce budget. Par contre, les amortissements de l'exercice ne sont pas des sorties de fonds et, par conséquent, ne figurent jamais au budget de caisse.

### 9.2.6 Le budget de caisse

Tous les budgets précédents convergent dans un budget de trésorerie englobant les sorties et les recettes de la période. Il s'agit du **budget de caisse.**

Le but de ce budget est d'indiquer, d'un coté, les recettes sur ventes et, de l'autre côté, les décaissements sur achats, les frais d'exploitation à l'exclusion des amortissements et, s'il y a lieu, les autres sorties de caisse, comme les dividendes et les impôts à payer.

La différence entre les recettes (en incluant le solde de caisse au début de la période) et les décaissements donne un solde de caisse avant les emprunts ou remboursements d'emprunts. Ce solde renseigne l'entreprise sur ses déficits ou excédents de caisse. C'est d'ailleurs à ce stade que l'on constate tous les avantages de la planification et des budgets. Comme il s'agit de prévisions, l'entreprise peut décider à l'avance de modifier ses prévisions de ventes et d'autres décaissements afin d'améliorer la gestion de sa trésorerie. Elle peut, par exemple, modifier ses conditions de crédit aux clients en accordant des escomptes afin de les encourager à payer plus tôt. Elle peut également modifier ses normes de stockage, en passant d'un stock de deux mois à un mois, réduisant ainsi ses achats et, par conséquent, les sorties de fonds sur achats. De tels changements permettent à l'entreprise d'augmenter ses recettes ou de diminuer ses décaissements, ce qui améliorera sa trésorerie et réduira ses besoins d'endettement et de marge de crédit.

Après avoir essayé toutes ces solutions, si l'encaisse demeure déficitaire, l'entreprise pourrait définir et chiffrer ses besoins d'emprunt et déterminer ainsi le solde de l'encaisse de fin de période.

## 9.3 L'illustration du processus budgétaire

Voici le bilan au 31 décembre 2006 de l'entreprise XYZ, en dollars :

| | |
|---|---|
| Encaisse | 10 000 |
| Clients | 50 000 |
| Stocks | 140 000 |
| Immobilisations, net | 200 000 |
| Fournisseurs | 50 000 |
| Dividende à payer | 6 000 |
| **Capitaux propres** | |
| Capital actions | 144 000 |
| Bénéfices non répartis | 200 000 |

L'entreprise XYZ se prépare à établir ses budgets pour le prochain exercice. Voici les renseignements nécessaires.

1) La moitié des ventes est perçue le mois de la vente et l'autre moitié, le mois suivant. Il n'y a pas de créances irrécouvrables.

2) La moitié des achats est payée le mois de l'achat et l'autre moitié, le mois suivant.

3) À la fin d'un mois, le stock devrait correspondre aux ventes des deux mois suivants. Cette politique est inchangée depuis les deux derniers exercices.

4) Le bénéfice brut est de 50 %. Le prix de vente est de 20 $. Le prix d'achat unitaire est le même que l'an dernier.

5) Toutes les dépenses sont payées durant le mois où elles sont engagées.

6) L'entreprise est assujettie à un impôt de 30 % sur son bénéfice. L'impôt est payé par acomptes provisionnels de 4 000 $ par mois. Le dividende à payer a été calculé le mois dernier. Il est payable en février prochain.

7) Les ventes prévues sont :

| Janvier | 6 000 unités |
|---------|-------------|
| Février | 8 000 |
| Mars | 12 000 |
| Avril | 10 000 |
| Mai | 14 000 |

8) Les salaires sont de 10 000 $ par mois, plus 6 % des ventes.

9) Les frais d'exploitation (autres que les salaires) sont de 16 000 $ par trimestre, incluant un amortissement de 1 000 $. Les charges sont également réparties entre les trois mois.

10) Le niveau de l'encaisse doit être de 6 000 $ à la fin de chaque mois.

11) L'entreprise peut emprunter par tranches de 1 000 $ au taux de 6 %. Les emprunts sont censés être effectués au début du mois, tandis que les remboursements le sont à la fin du mois. On suppose également que l'entreprise a négocié une entente avec la banque, laquelle lui permet de payer les intérêts seulement si l'encaisse est suffisante.

Nous allons établir les budgets de l'entreprise en suivant la séquence décrite à la section précédente.

### 9.3.1 Le budget des ventes

| | Janvier | Février | Mars | Trimestre |
|---|---|---|---|---|
| Ventes (en unités) | 6 000 | 8 000 | 12 000 | 26 000 |
| Ventes (en dollars) | 120 000 | 160 000 | 240 000 | 520 000 |

### 9.3.2 Le budget des recettes sur ventes

| (en dollars) | Janvier | Février | Mars | Trimestre |
|---|---|---|---|---|
| Ventes de décembre | 50 000 | | | 50 000 |
| Ventes de janvier | 60 000 | 60 000 | | 120 000 |
| Ventes de février | | 80 000 | 80 000 | 160 000 |
| Ventes de mars | | | 120 000 | 120 000 |
| Total | 110 000 | 140 000 | 200 000 | 450 000 |

Il est important de remarquer que les ventes du mois de mars, s'élevant à 240 000 $, sont encaissées à raison de 50 % durant le même mois et 50 % le mois suivant. Par conséquent, ce dernier montant, soit 120 000 $, apparaîtra comme compte clients au bilan du 31 mars.

### 9.3.3 Le budget des achats

| (en unités) | Janvier | Février | Mars | Trimestre |
|---|---|---|---|---|
| Stock final désiré | 20 000 | 22 000 | 24 000 | 24 000 |
| Ventes | 6 000 | 8 000 | 12 000 | 26 000 |
| | 26 000 | 30 000 | 36 000 | 50 000 |
| Stock initial | 14 000 | 20 000 | 22 000 | 14 000 |
| Achats | 12 000 | 10 000 | 14 000 | 36 000 |
| Achats (en dollars) | 120 000 | 100 000 | 140 000 | 360 000 |

Il est important de souligner que le stock final désiré pour le trimestre est celui au 31 mars. Par contre, le stock initial est celui du début du trimestre, soit au 1er janvier.

### 9.3.4 Le budget des décaissements sur achats

| (en dollars) | Janvier | Février | Mars | Trimestre |
|---|---|---|---|---|
| Achats de décembre | 50 000 | | | 50 000 |
| Achats de janvier | 60 000 | 60 000 | | 120 000 |
| Achats de février | | 50 000 | 50 000 | 100 000 |
| Achats de mars | | | 70 000 | 70 000 |
| Total | 110 000 | 110 000 | 120 000 | 340 000 |

Le total des achats du mois de mars, de 140 000 $, est payé à raison de 50 % le même mois et 50 % le mois suivant. Ainsi, la moitié de ce montant, soit 70 000 $, figure comme compte à payer au bilan du 31 mars.

### 9.3.5 Le budget des frais d'exploitation

| (en dollars) | Janvier | Février | Mars | Trimestre |
|---|---|---|---|---|
| Salaires | 22 000 | 26 000 | 34 000 | 82 000 |
| Autres frais | 5 000 | 5 000 | 5 000 | 15 000 |
| Total sans amortissement | 27 000 | 31 000 | 39 000 | 97 000 |
| Amortissement | 333 | 333 | 334 | 1 000 |
| Total | 27 333 | 31 333 | 39 334 | 98 000 |

Les montants figurant aux budgets des recettes sur ventes, des décaissements sur achats et des frais d'exploitation (autres que l'amortissement) se trouveront dans le budget de caisse.

Celui-ci comprend cinq parties essentielles :

1) le total des recettes ;

2) le total des décaissements ;

3) le solde avant emprunt ou remboursement ;

4) l'emprunt ou le remboursement ;

5) le solde final de caisse.

## 9.3.6  Le budget de caisse

| (en dollars) | Janvier | Février | Mars | Trimestre |
|---|---|---|---|---|
| Solde initial | 10 000 | 6 000 | 6 000 | 10 000 |
| Recettes sur ventes | 110 000 | 140 000 | 200 000 | 450 000 |
| **Total des recettes** | 120 000 | 146 000 | 206 000 | 460 000 |
| **Décaissements** | | | | |
| Achats | 110 000 | 110 000 | 120 000 | 340 000 |
| Frais d'exploitation | 27 000 | 31 000 | 39 000 | 97 000 |
| Dividendes | | 6 000 | | 6 000 |
| Acomptes provisionnels | 4 000 | 4 000 | 4 000 | 12 000 |
| **Total des décaissements** | 141 000 | 151 000 | 163 000 | 455 000 |
| Solde avant emprunt ou remboursement | (21 000) | (5 000) | 43 000 | 5 000 |
| Emprunt (remboursement) | 27 000 | 11 000 | (36 000) | 2 000 |
| Intérêts sur emprunt | | | (515) | (515) |
| Solde final | 6 000 | 6 000 | 6 485 | 6 485 |

Remarquons qu'aux mois de janvier et février, l'entreprise connaît des déficits de trésorerie (21 000 $ en janvier et 5 000 $ en février), puisque les recettes sont insuffisantes pour équilibrer les sorties. Ainsi, l'entreprise doit décider :

a)  d'augmenter les recettes ;

b)  de réduire les dépenses.

Pour augmenter ses recettes, l'entreprise pourrait hausser ses prix de vente ou accroître ses volumes de ventes. Elle peut également accorder des escomptes à ses clients afin de les inciter à payer plus tôt. Enfin, elle peut réduire le délai de paiement accordé aux clients. Toutes ses décisions doivent être analysées en fonction de leur risque et de leur rendement.

Pour réduire ses sorties, ou dépenses, l'entreprise pourrait modifier sa politique de stockage actuelle de deux mois à un seul mois, par exemple. Elle peut également réduire le montant des frais d'exploitation grâce à la réingénierie de ses activités et processus. Finalement, elle pourrait reporter le paiement des dividendes ou revoir ses exigences de solde minimal de caisse.

Après avoir analysé toutes les stratégies précédentes, si l'entreprise éprouve encore des déficits de trésorerie, elle devrait se résigner à solliciter un emprunt bancaire.

Dans l'exemple, l'emprunt est de 27 000 $ et de 11 000 $ pour janvier et février, respectivement. Évidemment, le recours à l'emprunt entraîne un coût pour l'entreprise. En effet, elle doit payer des intérêts de 6 % à la banque. Ici, nous avons supposé qu'une entente signée avec la banque permet à l'entreprise de régler les intérêts seulement lorsqu'elle réalise des excédents de caisse. Ainsi en mars, l'entreprise devra rembourser une partie de l'emprunt (36 000 $), après avoir payé des intérêts courus en janvier (135 $), en février (190 $) et en mars (190 $).

Le total des intérêts courus et échus est de 515 $. Il figure dans les charges d'exploitation de l'état des résultats au 31 mars.

Le solde de l'emprunt au bilan du 31 mars sera de 2 000 $.

## 9.4 Les états financiers prévisionnels

L'établissement des **états financiers prévisionnels** est une étape importante de la planification financière. Ces documents résument la situation financière de l'entreprise et indiquent sa performance pour la période envisagée. Elle connaîtra ainsi ses **besoins de financement** et son résultat d'exploitation. Le bilan et l'état des résultats sont d'ailleurs utiles, car ils sont souvent exigés par les institutions financières lors d'une demande de financement à court ou à long terme.

Souvent, l'établissement des états financiers prévisionnels découle naturellement des budgets de l'entreprise. Nous présentons ci-dessous l'état des résultats et le bilan prévisionnels de l'entreprise XYZ à la fin du premier trimestre.

### 9.4.1 L'état prévisionnel des flux de trésorerie

Rappelons qu'au début de l'exercice, le solde de l'encaisse est de 10 000 $. À la fin de l'exercice, il sera égal à ce montant auquel on ajoute (ou retranche) la variation positive (négative) de l'encaisse calculée dans l'état des flux de trésorerie. Dans notre exemple, le solde du compte Encaisse qui figurera au bilan de clôture est de 6 485 $.

| État des flux de trésorerie (en dollars) pour la période se terminant le 31 mars | | |
|---|---|---|
| Recettes d'exploitation | | 450 000 |
| **Sorties d'exploitation** | | |
| Achats | 340 000 | |
| Salaires | 82 000 | |
| Autres frais d'exploitation | 15 000 | |
| Acomptes provisionnels | 12 000 | (449 000) |
| **Flux provenant des activités d'exploitation** | | **1 000** |
| **Activités de financement** | | |
| Emprunt bancaire | 38 000 | |
| Remboursement d'emprunt | (36 000) | |
| Intérêts | (515) | |
| Dividendes | (6 000) | (4 515) |
| **Variation de l'encaisse** | | **(3 515)** |

### 9.4.2 L'état prévisionnel des résultats

| État des résultats de l'entreprise XYZ (en dollars) au 31 mars | | |
|---|---|---|
| Ventes | | 520 000 |
| **Coût des marchandises vendues** | | |
| Stock initial | 140 000 | |
| Achats de marchandises | 360 000 | |
| Stock final | 240 000 | 260 000 |
| **Bénéfice brut** | | **260 000** |
| **Frais d'exploitation** | | |
| Salaires | 82 000 | |
| Autres charges | 15 000 | |
| Amortissement | 1 000 | |
| Intérêts débiteurs | 515 | 98 515 |
| **Bénéfice avant impôts** | | **161 485** |
| Impôts (30 %) | | 48 445,50 |
| **Bénéfice net après impôts** | | **113 039,50** |

L'état des résultats montre qu'au 31 mars, le bénéfice prévisionnel de l'entreprise est de 113 039,50 $ après déduction de l'impôt au taux de 30 %. Ce montant sera diminué du montant des dividendes de l'exercice, et la différence sera ajoutée au montant des bénéfices au début de l'exercice. Dans notre exemple, le montant des dividendes versés provient des bénéfices de l'exercice antérieur, et nous supposons que les dividendes ne seront pas versés durant la période visée.

### 9.4.3 L'état prévisionnel des bénéfices non répartis

Le montant des bénéfices non répartis à la fin du trimestre sera ajouté aux capitaux propres au bilan de fin de trimestre.

| État des bénéfices non répartis (en dollars) au 31 mars | |
|---|---|
| Bénéfices non répartis au début du trimestre | 200 000 |
| Bénéfice de l'exercice | 113 039,50 |
| **Bénéfices non répartis à la fin du trimestre** | **313 039,50** |

### 9.4.4 Le bilan prévisionnel

| Bilan au 31 mars de l'entreprise XYZ (en dollars) | |
|---|---|
| Encaisse | 6 485 |
| Clients | 120 000 |
| Stocks de marchandises | 240 000 |
| **Total de l'actif à court terme** | **366 485** |
| Immobilisations, net | 199 000 |
| **Total de l'actif** | **565 485** |
| Fournisseurs | 70 000 |
| Impôts à payer | 36 445,50 |
| Emprunt bancaire | 2 000 |
| **Total du passif à court terme** | **108 445,50** |
| Capital actions | 144 000 |
| Bénéfices non répartis | 313 039,50 |
| **Total du passif et de l'avoir** | **565 485** |

À la section précédente, nous avons appris comment l'entreprise établit l'ensemble de ses budgets. Nous avons également vu comment elle en déduit ses états financiers prévisionnels.

Cependant, l'entreprise peut évaluer l'influence d'une variation des ventes sur les états financiers sans au préalable recourir aux budgets. Elle pourrait faire cette évaluation selon deux méthodes couramment utilisées :

a) la méthode du pourcentage des ventes ;

b) les méthodes statistiques.

Nous examinerons ces deux méthodes dans les sections suivantes.

## 9.5 La méthode du pourcentage des ventes

### 9.5.1 Le fonctionnement de la méthode

Cette méthode pose l'hypothèse que les différents comptes des états financiers sont fonction des ventes. Pour déterminer le pourcentage des ventes, on divise les montants au bilan de l'exercice le plus récent par le total des ventes du même exercice. On suppose alors que ce pourcentage reste constant durant l'exercice faisant l'objet des prévisions.

Nous reprenons l'exercice de l'entreprise XYZ pour laquelle nous avons établi les budgets pour le trimestre se terminant au 31 mars. Nous supposons que l'état des résultats de l'exercice précédent (en dollars) se présentait ainsi :

| | |
|---|---|
| Ventes | 2 000 000 |
| Coût des marchandises vendues | 1 000 000 |
| **Bénéfice brut** | **1 000 000** |
| Frais d'exploitation | 600 000 |
| **Bénéfice avant impôts** | **400 000** |

### 9.5.2 L'état des résultats selon le pourcentage des ventes

En présentant les différentes rubriques de l'état des résultats en pourcentage des ventes, on obtient :

| | |
|---|---|
| Coût des marchandises vendues | 50 % |
| Frais d'exploitation | 30 % |

Si l'entreprise prévoyait des ventes de 2 200 000 $ pour le prochain exercice, alors l'état des résultats prévisionnels (en dollars) serait le suivant :

| | |
|---|---|
| Ventes | 2 200 000 |
| Coût des marchandises vendues | 1 100 000 |
| **Bénéfice brut** | **1 100 000** |
| Frais d'exploitation | 660 000 |
| **Bénéfice avant impôts** | **440 000** |

### 9.5.3 Le bilan selon le pourcentage des ventes

On peut présenter les comptes du bilan en fonction du pourcentage des ventes. Le but consiste à déterminer, d'un côté, les comptes représentant des emplois de fonds (ceux de l'actif) et, de l'autre côté, ceux constituant des sources de fonds (ceux du passif). En reprenant le bilan de l'entreprise XYZ à la fin de l'exercice précédent et en reprenant l'hypothèse concernant la variabilité des comptes en fonction des ventes, on obtient :

| | |
|---|---|
| Encaisse | 0,50 % |
| Clients | 2,50 % |
| Stocks | 7,00 % |
| Immobilisations, net | 10,00 % |
| Fournisseurs | 2,50 % |
| Dividende à payer | Invariable |
| **Capitaux propres** | |
| Capital actions | Invariable |
| Bénéfices non répartis | Invariable |

Ainsi, par rapport aux ventes, les emplois de fonds représentent 20 %, alors que les sources ne représentent que 2,50 %, soit un déficit de financement de 17,50 %. Puisque les prévisions des ventes pour le prochain exercice s'élèvent à 2 200 000 $, le besoin net en financement de l'entreprise est de 17,50 % × 2 200 000 = 385 000 $. En supposant un taux d'impôt de l'entreprise de 30 %, les bénéfices après impôts s'élèvent à 308 000 $. Même si l'entreprise utilisait intégralement ce montant comme autofinancement, elle devrait se procurer du financement supplémentaire pour la différence. Elle pourrait vendre de nouvelles actions, emprunter ou opter pour une combinaison des deux possibilités.

### 9.5.4   Les précautions à prendre avec la méthode

À ce stade, il est important de mentionner la simplicité de la méthode qui suppose tous les comptes de l'état des résultats proportionnels aux ventes. Cependant, certains comptes sont insensibles à une variation des ventes. C'est le cas de l'amortissement des immobilisations, du loyer, de certains salaires, etc. Dans ces cas, il serait plus logique de faire une analyse statistique pour connaître la nature de chaque compte et de déterminer sa relation avec le niveau des ventes, comme nous le montrons à la section suivante.

En analysant la nature des comptes de l'exercice antérieur, nous trouvons que le coût des marchandises vendues, les salaires et les frais d'exploitation sont fixes, soit 300 000 $ et 400 000 $, respectivement. Avec cette nouvelle information, l'état des résultats prévisionnels (en dollars) se présenterait ainsi :

| | | |
|---|---|---|
| Ventes | | 2 200 000 |
| Coût des marchandises vendues variables (35 %) | 770 000 | |
| Frais d'exploitation variables (10 %) | 220 000 | |
| Total des coûts variables | 990 000 | 990 000 |
| Marge sur coûts variables | | 1 210 000 |
| **Coûts fixes** | | |
| **Coût des marchandises vendues** | 300 000 | |
| **Frais d'exploitation** | 400 000 | |
| Total des coûts fixes | 700 000 | 700 000 |
| **Bénéfice avant impôts** | | **510 000** |

## 9.6   Les méthodes statistiques

Il existe plusieurs **méthodes statistiques** utilisables pour les prévisions budgétaires. Voici les deux principales : méthode des points extrêmes et méthode de régression. Pour simplifier notre présentation, nous illustrerons comment la méthode de régression linéaire peut déterminer la nature des comptes de charges dans l'état des résultats. Les mêmes techniques peuvent être adoptées pour la prévision des comptes de bilan.

Le point de départ des prévisions peut être basé sur des données et l'expérience antérieures. Toutefois, le gestionnaire peut aussi se servir du « budget à base zéro », c'est-à-dire repenser la raison d'être des programmes et déterminer les ressources appropriées.

### 9.6.1   Les différents coûts

Avant de budgétiser les dépenses, il est important de se familiariser avec les trois sortes de coûts. Si nous relions les coûts au volume des ventes, nous constatons qu'il existe des coûts variables, fixes ou mixtes.

### A ■ Les coûts variables

Ce sont des coûts dont le total varie proportionnellement au volume d'activité, par exemple, ceux de la matière première, de la main-d'œuvre directe et de la commission des vendeurs. Le coût variable est de la forme : $Y = aX$, où $X$ représente le volume et $a$, le coût variable unitaire.

Le coût variable se présente comme à la figure 9.1.

## Figure 9.1 La représentation d'un coût variable

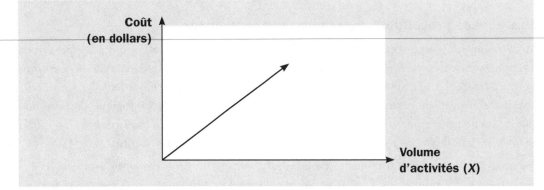

### B ■ Les coûts fixes

Ce sont des coûts dont le total ne varie pas en fonction du volume d'activité à l'intérieur d'un segment significatif. Il s'agit de l'amortissement, du loyer et de la main-d'œuvre indirecte. Le coût fixe est de la forme : $Y = b$.

## Figure 9.2 La représentation d'un coût fixe

### C ■ Les coûts mixtes

Ces coûts comprennent une partie fixe et une partie variable. Par exemple : les salaires de vendeurs qui peuvent comprendre un montant fixe et une partie proportionnelle aux ventes. Le coût mixte (ou semi-variable) est de la forme : $Y = b + aX$.

## Figure 9.3 La représentation d'un coût mixte

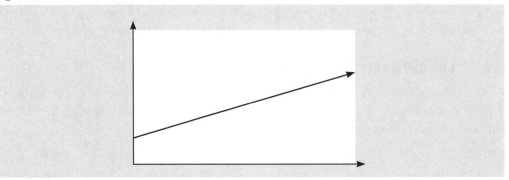

Pour connaître la nature du coût, on utilise la droite de régression. Tout d'abord, à partir des données antérieures sur le coût et les ventes, on estime les paramètres de la fonction. On calcule la constante et le coefficient de la variable. On effectue ensuite un test de Student pour savoir si les coefficients sont significativement différents de zéro.

### 9.6.2 Une mise en situation

Une entreprise a collecté des données sur les salaires et les ventes pour son dernier exercice.

| Mois | Salaires (en dollars) | Ventes (en unités) |
|------|----------------------|--------------------|
| Janvier | 12 000 | 10 000 |
| Février | 14 000 | 12 000 |
| Mars | 13 000 | 11 500 |
| Avril | 11 600 | 9 600 |
| Mai | 10 000 | 8 000 |
| Juin | 10 700 | 8 900 |
| Juillet | 9 500 | 6 600 |
| Août | 8 000 | 6 000 |
| Septembre | 12 800 | 9 800 |
| Octobre | 14 900 | 13 000 |
| Novembre | 16 000 | 15 000 |
| Décembre | 16 400 | 15 800 |

À partir de ces données, l'entreprise désire prévoir le montant des salaires sachant qu'elle s'attend à réaliser des ventes de 17 000 unités pour le mois de janvier prochain.

Pour ce faire, elle doit d'abord déterminer la nature des salaires et leur variabilité par rapport aux ventes.

**Étapes à suivre**

1) On représente graphiquement les salaires et les ventes. Le coefficient de détermination montre que les deux variables sont en forte corrélation. Les variations des salaires s'expliquent à 96,97 % par celles des ventes. À l'aide d'Excel, on estime la droite de régression :

$$Y = 3\ 569,6 + 0,8405X$$

La variable $Y$, dite variable expliquée ou dépendante, représente les salaires. La variable $X$, dite variable explicative ou indépendante, représente les ventes.

La droite de régression montre que les salaires sont « mixtes », c'est-à-dire qu'ils contiennent un montant fixe (soit 3 569,6 $) et un montant qui est fonction des ventes ; le coût variable unitaire étant 0,8405.

2) Sachant que l'entreprise prévoit des ventes de 17 000 $ pour le mois prochain, alors son budget des salaires correspondant devrait être de :

Salaires budgétisés = 3 569,60 + (0,8405 × 17 000) = 17 858,10 $

3) On peut utiliser la démarche illustrée à la figure 9.4 pour déduire les prévisions budgétaires des différents comptes de dépenses et de revenus qui serviront de base à l'élaboration des états financiers prévisionnels.

**Figure 9.4** La relation entre les salaires et les ventes

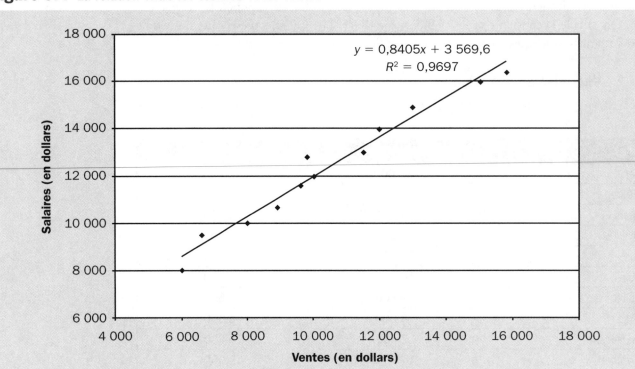

## 9.7 La prévision des ventes

Dans les pages précédentes, nous avons montré l'utilité de la **prévision des ventes** dans le processus de planification financière. En effet, la connaissance des ventes futures permet de générer les différents budgets et les états financiers prévisionnels. Nous étudierons ensuite les différentes méthodes de prévision des ventes. Celles-ci dépendent de deux catégories de facteurs : les facteurs internes et les facteurs externes.

### 9.7.1 Les facteurs internes

Les facteurs internes influençant les ventes de l'entreprise sont :

a) la force de vente ;

b) le prix et la qualité des produits ;

c) la recherche et développement ;

d) la capacité de production ;

e) le secteur d'activité ;

f ) la stratégie marketing et la publicité.

### 9.7.2 Les facteurs externes

a) La concurrence ;

b) les conditions économiques ;

c) la différenciation des produits.

### 9.7.3  Les outils de prévision des ventes

Pour prévoir ses ventes, l'entreprise peut se baser sur :

a)  les ventes antérieures ;

b)  les études de marché ;

c)  les simulations et les scénarios ;

d)  les probabilités ;

e)  les modèles statistiques.

### 9.7.4  Les modèles statistiques de prévision des ventes

Le modèle couramment utilisé est basé sur la **régression linéaire** et la méthode des moindres carrés ordinaires. On essaie de prévoir les ventes en fonction d'une autre variable. Le modèle à estimer est :

$$Y = f(X)$$

où $Y$ et $X$ représentent, respectivement, les ventes futures et la variable explicative. Celle-ci peut être, par exemple, les ventes antérieures ou le budget de publicité.

En effet, si l'entreprise juge que les ventes sont en corrélation avec les dépenses prévues en publicité, elle pourrait estimer la relation grâce à la régression linéaire et déterminer les coefficients statistiques.

Le recours à la régression comme outil de prévision des ventes nécessite les étapes suivantes :

1)  la détermination des variables explicatives des ventes ;

2)  la collecte des données antérieures sur les variables et les ventes ;

3)  l'estimation du modèle de régression et des paramètres.

### 9.7.5  Les séries chronologiques

Si l'entreprise juge que les ventes d'une période dépendent des ventes antérieures, elle pourrait recourir à un modèle de **séries chronologiques** tel que :

$$\text{Ventes}_{t+1} = \text{constante} + \alpha_1 (\text{ventes}_t) + \alpha_2 (\text{ventes}_{t-1}) + \alpha_3 (\text{ventes}_{t-2}) + \ldots$$

On pourrait attribuer des coefficients ($\alpha_i$) plus élevés aux ventes des années plus récentes si on juge que la relation avec celles-ci est plus forte.

Nous utilisons les données de l'entreprise Les Vêtements de Sport Gildan pour illustrer certains concepts étudiés dans ce chapitre. Pour plus de détails sur cette entreprise, consultez l'étude de cas à la fin du chapitre.

Nous établissons les états financiers prévisionnels de Gildan pour l'exercice 2007. Pour ce faire, nous présentons ci-dessous l'état des résultats (en dollars US) au 1er octobre 2006, date de clôture de l'exercice chez Gildan.

| | |
|---|---|
| Chiffre d'affaires | 773 190 |
| Coût des marchandises vendues | 521 095 |
| **Bénéfice brut** | **252 095** |
| Frais de vente et frais généraux et administratifs | 84 388 |
| Amortissement | 32 383 |
| Intérêts débiteurs | 3 067 |
| **Bénéfice avant impôts et postes extraordinaires** | **132 257** |
| Le bilan consolidé (en dollars US) à la même date est le suivant : | |
| Trésorerie et équivalents de trésorerie | 29 007 |
| Débiteurs | 165 870 |
| Stocks | 200 653 |
| Autres | 11 055 |
| **Total de l'actif à court terme** | **406 585** |
| Immobilisations corporelles, net | 302 677 |
| Autres actifs à long terme | 14 014 |
| **Total de l'actif** | **723 276** |
| Passif et capitaux propres | |
| Dette bancaire | 3 500 |
| Comptes à payer | 117 984 |
| Autres dettes à court terme | 24 089 |
| **Total du passif à court terme** | **145 573** |
| Dette à long terme | 12 041 |
| Impôts futurs | 29 443 |
| Capitaux propres | 530 565 |
| **Total du passif et des capitaux propres** | **723 276** |

Supposons que pour l'année prochaine, l'entreprise Les Vêtements de Sport Gildan s'attend à une croissance des ventes de l'ordre de 20 % et à un taux d'impôt de 30 %. Par ailleurs, nous supposons que tout besoin de financement supplémentaire sera satisfait par l'endettement à court terme.

Nous établissons les états financiers prévisionnels de Gildan pour le prochain exercice en présentant d'abord l'état des résultats. Compte tenu de la croissance espérée, les ventes de l'année devraient s'élever à 928 000 $ environ. Les comptes de charges méritent une attention particulière, puisque le montant dépendra de la nature du compte en question. Nous avons donc utilisé la régression linéaire pour déterminer s'il s'agit de coûts variables, fixes ou mixtes. La relation à estimer est :

$$Y = \text{constante} + (\text{coefficient}) \times \text{ventes}$$

Grâce à Excel, nous avons trouvé les résultats suivants :

| Élément de coût | Constante | Coefficient | Coefficient de détermination (en pourcentage) |
|---|---|---|---|
| Coût des marchandises vendues | 21 019 (1,665) | 0,675 (29,414) | 99 |
| Frais de vente et frais généraux et administratifs | −719 257 (−0,132) | 0,115 (11 621) | 94 |
| Amortissement | −5 558 (−2,205) | 0,0444 (9 687) | 91 |
| Intérêts débiteurs | 5 842 (1,909) | 0,0046 (0,829) | 7 |

Ce tableau donne le coefficient de la constante, le coefficient de la variable Ventes ainsi que le coefficient de détermination ($R^2$ ajusté). Pour chaque coefficient, nous avons indiqué la statistique $t$ de Student qui devrait être théoriquement d'au moins 1,96 pour que le coefficient soit significatif à 95 %. Ainsi, la constante Coût des marchandises vendues et celle des Frais de vente et frais généraux et administratifs n'étant pas significative, nous concluons que ces deux postes sont variables. Par contre, le compte Amortissement est un coût mixte, puisque la partie fixe (la constante) est significative au même titre que le coefficient de la variable Ventes. Le compte Intérêts débiteurs ne dépend pas des ventes et, en plus, son montant n'est pas significatif. Le coefficient de détermination montre que les ventes expliqueraient la majeure partie de la variation des CMV (99 %), des Frais de vente et frais généraux et administratifs (94 %), et de l'Amortissement (91 %). Par contre, le compte Intérêts débiteurs serait indépendant des ventes.

Compte tenu de ce qui précède, l'état des résultats prévisionnels (en dollars US) serait le suivant :

| | |
|---|---|
| Chiffre d'affaires | 927 828 |
| Coût des marchandises vendues | 647 303 |
| **Bénéfice brut** | **280 525** |
| Frais de vente et frais généraux et administratifs | 106 700 |
| Amortissement | 35 638 |
| Intérêts débiteurs | 5 842 |
| **Bénéfice avant impôts et postes extraordinaires** | **132 345** |

D'après les hypothèses formulées, après impôts, le bénéfice prévisionnel de Gildan serait de 92 641 $ US.

Nous avons également calculé les différents comptes d'actif de Gildan en pourcentage des ventes de 2006 et avons trouvé que le total est de 50 %. La même démarche appliquée aux comptes de passif susceptibles de varier avec les ventes donne un total de 20 %. En supposant que le total du bénéfice d'exploitation sert d'autofinancement, alors l'entreprise aura besoin d'un financement supplémentaire d'environ 175 000 $ US.

Diverses stratégies de financement peuvent être envisagées, dont les principales seraient le financement par dettes à long terme, l'émission d'actions ordinaires votantes ou subalternes et l'émission d'actions privilégiées avec dividende cumulatif ou non. Chaque option comporte des avantages et des inconvénients que les dirigeants devraient évaluer pour choisir la meilleure option.

# CHAPITRE 09

## Conclusion

Le gestionnaire doit prendre des décisions afin d'aider à créer de la richesse pour les propriétaires de l'entreprise. Toutefois, ces décisions impliquant le futur ont des conséquences incertaines. Afin de réduire cette incertitude, le gestionnaire doit recourir à la planification qui lui permettra de s'ajuster au besoin et d'éviter des dérapages.

Dans ce chapitre, nous avons montré l'utilité de la planification financière et examiné le processus budgétaire. La planification financière est un outil important pour quantifier les objectifs. Le processus budgétaire exige l'élaboration des prévisions sur les ventes et l'évaluation de leurs conséquences sur les recettes, les achats et les autres décaissements. Plus précisément, nous avons élaboré le budget des ventes et des recettes sur ventes, le budget des achats et celui des décaissements sur achats. Document ultime, le budget de caisse résume les recettes et les sorties, détermine les excédents et les déficits de trésorerie. Il montre également, à l'avance, les besoins en financement de l'entreprise.

L'utilité du budget de caisse est indéniable pour la gestion de l'entreprise. Parfois, il met le gestionnaire devant des choix et des décisions difficiles. En outre, ce document est le plus souvent exigé par les institutions financières lors d'une demande de financement.

Nous avons montré l'importance de la prévision des ventes dans le processus budgétaire. Il s'agit d'une étape cruciale qui, mal suivie, peut entraîner des difficultés financières. La connaissance des ventes futures, première étape dans le processus budgétaire, entraîne des décisions importantes pour le gestionnaire, notamment sur le choix des fournisseurs, les investissements à long et à court terme, le recrutement et la gestion des ressources humaines. Toutes ces décisions ont des effets financiers pouvant influencer l'avenir de l'entreprise.

Nous avons étudié les modèles statistiques qui aident à mieux cerner la prévision des ventes, notamment la méthode de régression linéaire et les séries chronologiques. Nous avons également appris comment refléter l'effet de la variation des ventes dans les états financiers prévisionnels grâce à la méthode de pourcentage des ventes. Le recours à cette technique aide le gestionnaire à déterminer les besoins en financement et les stratégies à mettre en œuvre pour les satisfaire.

Afin de concrétiser notre présentation, nous avons illustré les différents concepts en utilisant les données publiques de l'entreprise Les Vêtements de Sport Gildan.

# À retenir

1. La planification aide à réduire l'incertitude qui caractérise les décisions de gestion.
2. La planification définit les objectifs à long et à court terme, et les ressources pour les atteindre.
3. Le budget sert à quantifier les objectifs financiers à court terme.
4. La prévision des ventes est nécessaire pour la budgétisation des achats de marchandises ou de production, des salaires et autres frais d'exploitation.
5. La prévision des ventes aide à établir des états financiers prévisionnels et à déterminer les besoins de financement.
6. Le budget de caisse, document souvent exigé par les institutions financières pour appuyer une demande de financement, met en relief les recettes, les sorties, les excédents ou déficits de trésorerie ainsi que le financement nécessaire.

## Mots-clés

# Étude de cas

## LES VÊTEMENTS DE SPORT GILDAN : UN SURVOL[1]

L'entreprise confectionne et vend des t-shirts, des chandails de sport et molletonnés de qualité supérieure sur le marché en gros des vêtements de sport imprimés des marchés américain, canadien, européen et autres. Elle vend aussi des produits non imprimés éventuellement ornés de motifs ou de logos avant d'être revendus aux consommateurs.

L'entreprise compte plus de 15 000 employés dans le monde. Le siège social de Gildan est situé à Montréal (Canada).

### Informations générales
Adresse : 725, Montée de Liesse
Ville : Ville Saint-Laurent, Québec
Code postal : H4T 1P5
Pays : Canada
Téléphone : 514 735-2023
Site Web : www.gildan.com

---

1. Sites Web : www.gildan.com, www.sedar.com.

## Description de l'entreprise

Industrie : Distribution et commerce

Date de clôture de l'exercice : 1er octobre

Marchés boursiers : Toronto Stock Exchange (TSX) et New York

Date d'inscription en Bourse : Juin 1998

Date de création : 8 mai 1984

Symbole boursier : GIL

Nombre d'employés : 15 000

Vérificateur : KPMG

### L'historique de Gildan

L'entreprise a été constituée le 8 mai 1984 en vertu de la *Loi canadienne sur les sociétés par actions*. À l'origine, les activités de Textiles Gildan inc. portaient sur la fabrication et la vente de tissu fini. Dès 1994, la société changeait sa stratégie pour couvrir la fabrication et la vente de vêtements de sport destinés à la distribution en gros. En mars 1995, la société changeait sa dénomination sociale pour Les Vêtements de Sports Gildan inc./Gildan Activewear Inc. En juin 1998, la société faisait son premier appel public à l'épargne et s'inscrivait à la Bourse de Toronto.

Jusqu'en 2000, les produits de la société étaient vendus principalement au Canada et aux États-Unis. Dernièrement, elle a jeté les bases d'une expansion en Europe. Au cours de l'exercice 2006, la société prévoit accroître graduellement sa présence sur le marché de détail et commencer à vendre des sous-vêtements et des chaussettes athlétiques sur ce marché.

### Les données financières

L'action de Gildan a clôturé l'exercice 2006 à 27,17 $, soit une appréciation de 22,61 % sur un an. On constate que le rendement des actions est de 206 % sur 3 ans, 185 % sur 4 ans et 475 % sur 5 ans. Ces résultats tiennent compte du fractionnement d'actions de 2 pour 1 en mai 2005. L'action de la société ne cesse de prendre de la valeur, procurant ainsi un rendement appréciable aux investisseurs. La figure 9.5 montre l'évolution du prix de l'action Gildan à la Bourse de Toronto les neuf dernières années.

## Figure 9.5 L'évolution du prix de l'action des Vêtements de Sport Gildan

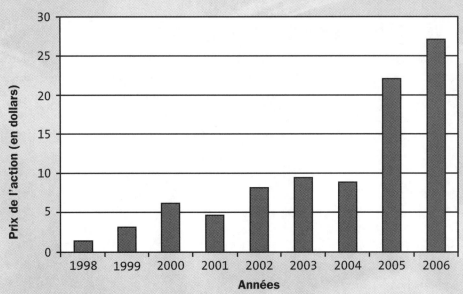

Les Vêtements de Sport Gildan affiche une performance financière appréciable surtout depuis les cinq dernières années comme en témoignent les deux tableaux suivants.

| Faits saillants financiers | | | |
|---|---|---|---|
| | 2006 (en milliers de dollars US) | 2005 (en milliers de dollars US) | Variation (en pourcentage) |
| Ventes | 773 200 | 653 900 | 18,24 |
| Bénéfice avant intérêts, impôts et amortissement | 147 300 | 117 700 | 25,15 |
| Bénéfice net | 106 800 | 86 000 | 24,19 |
| Total de l'actif | 723 300 | 597 500 | 21,05 |
| Capitaux propres | 530 600 | 420 600 | 26,15 |

| Ratios financiers | | | | | | |
|---|---|---|---|---|---|---|
| (en pourcentage) | 2006 | 2005 | 2004 | 2003 | 2002 | 2001 |
| Marge bénéficiaire | 13,80 | 13,20 | 11,30 | 12,30 | 11,10 | 0,20 |
| Rendement des capitaux propres | 20,13 | 20,45 | 18,38 | 20,14 | 24,75 | 0,56 |
| Rendement de l'actif total | 14,77 | 14,39 | 12,32 | 12,38 | 13,45 | 0,23 |

La figure 9.7 montre la répartition du chiffre d'affaires par principal groupe de produits et par région géographique. On constate que les vêtements de sport représentent 96 % des ventes, alors que 87 % de celles-ci proviennent du marché américain.

**Figure 9.6** Le chiffre d'affaires par principal groupe de produits en 2006

Chaussettes 4 %

Vêtements de sport 96 %

**Figure 9.7** La répartition géographique du chiffre d'affaires en 2006

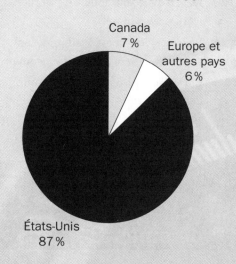

Canada 7 %

Europe et autres pays 6 %

États-Unis 87 %

### La planification stratégique

Le rapport annuel de 2005 mentionne que les dirigeants de l'entreprise Gildan envisagent de continuer à maximiser les niveaux de productivité et d'efficience de l'usine située en République dominicaine, au cours de l'exercice 2007 d'une part, et de commencer la production à l'usine de fabrication de chaussettes située au Honduras, d'autre part. Cette usine devrait atteindre sa pleine capacité de production en 2007 et 2008. Par ailleurs, les dirigeants de Gildan prévoient que durant le deuxième semestre de l'exercice 2007, la production de vêtements molletonnés débutera dans leur deuxième usine de fabrication de textiles du Honduras. Cette usine permettra à Gildan d'appuyer la croissance future de cette catégorie de produits sur les marchés de la vente de gros et de la vente de détail.

L'objectif de cette stratégie est de permettre à la société de réaliser un chiffre d'affaires et un bénéfice élevés pour assurer un rendement solide pour les investisseurs.

## Questions

1. Définissez ce qu'on entend par planification. Dites quelle est la différence entre planification stratégique et planification opérationnelle.

2. Qu'est-ce qu'un budget? Énumérez les principaux budgets. Quel est le rôle de chacun?

3. Commentez l'énoncé suivant: « Le processus budgétaire doit nécessairement débuter par le budget des ventes. »

4. Quelles techniques recommanderiez-vous pour la prévision des ventes des Vêtements de Sport Gildan?

5. Définissez le budget de caisse. Quelles sont ses composantes? Quel est son but?

6. Quelle est l'utilité de connaître la nature fixe ou variable d'un coût?

7. Décrivez la méthode de pourcentage des ventes pour l'établissement des états financiers prévisionnels.

8. Lorsque les ventes augmentent, à quoi devrait-on s'attendre pour les comptes suivants: Clients, Stocks et Fournisseurs?

9. Qu'est-ce qu'une série chronologique? Comment peut-on l'utiliser pour la prévision des ventes?

10. Commentez l'énoncé suivant: «Il est inutile de planifier parce que le futur est incertain.»

## Problèmes

1. L'entreprise X désire établir ses budgets pour le prochain trimestre. Elle vous fournit les renseignements suivants.
   - Les prévisions des ventes (en millions de dollars) sont:

| | |
|---|---|
| Janvier | 2 000 000 |
| Février | 2 500 000 |
| Mars | 3 000 000 |
| Avril | 3 000 000 |

- L'expérience a montré que 50 % des ventes sont encaissés le mois de la vente, 25 % le mois suivant et le reste le 3e mois.
- Le coût des marchandises vendues est de 60 %. Les achats sont payables à raison de 50 % durant le mois et 50 % le mois suivant.
- L'encaisse actuelle est de 10 000 $.

a) Calculez le montant des recettes sur ventes par mois.

b) Calculez le montant des décaissements sur achats par mois.

c) Calculez le déficit ou l'excédent de caisse par mois.

2. L'entreprise $X$ prévoit que ses ventes mensuelles seront fonction de son budget de publicité selon la formule suivante :

Ventes du mois$_{t+1}$ $= 10\,000 + 10,65$ budget$_t$

Pour le mois de mai, le budget de publicité s'élèvera à 20 000 $.

Calculez le montant des achats nécessaires si la marge était de 30 % des ventes mensuelles.

3. L'entreprise AB vous fournit les données suivantes concernant son dernier exercice :

| État des résultats (en milliers de dollars) | |
| --- | --- |
| Ventes | 50 000 |
| Coût des marchandises vendues | 30 000 |
| Bénéfice brut | 20 000 |
| **Frais d'exploitation** | |
| Frais de vente | 6 000 |
| Frais d'administration | 4 000 |
| Bénéfice net avant impôts | 10 000 |

| Bilan (en milliers de dollars) | |
| --- | --- |
| Encaisse | 2 000 |
| Comptes clients | 5 000 |
| Stocks de marchandises | 8 000 |
| Immobilisations, net | 25 000 |
| Comptes fournisseurs | 7 000 |
| Impôts à payer | 2 000 |
| Dette à long terme | 8 000 |
| Capitaux propres | 23 000 |

L'entreprise s'attend à une croissance de 20 % de ses ventes pour l'année prochaine. Toutes les charges d'exploitation sont variables à l'exception des frais d'administration qui sont fixes à 50 %. Les comptes d'actif à court terme augmenteront selon le même pourcentage des ventes actuel.

Le taux d'imposition de l'entreprise est de 30 %, et tous les bénéfices serviront d'autofinancement. Tout besoin de financement restant sera pourvu par de l'endettement.

Présentez les états financiers prévisionnels de l'entreprise AB.

4. Voici la situation financière de l'entreprise ABC (en dollars) au 31 décembre 2005 :

| Encaisse | 12 000 |
|---|---|
| Stocks de marchandises | 36 000 |
| Comptes clients | 40 000 |
| Immobilisations, net | 100 000 |
| Comptes à payer | 0 |

L'entreprise ABC prépare les budgets pour le premier trimestre 2007. On vous fournit les renseignements suivants :

- Les ventes récentes et prévues (en dollars) :

  Janvier 2007          100 000

  Février 2007          200 000

  Mars 2007             200 000

  Avril 2007            100 000

- Les ventes au comptant s'élèvent à 50 % et les ventes à crédit, à 50 %. Les ventes à crédit sont encaissées le mois suivant celui de la vente. Les comptes clients au 31 décembre s'élèvent à 40 000 $.

- Le stock final désiré correspond au coût des marchandises vendues le mois suivant. Celui-ci est de 60 % des ventes.

- Les achats sont payés 60 % au cours du mois d'achat et 40 % le mois suivant.

- Les frais d'exploitation, autres que les amortissements, s'élèvent à 20 % des ventes. Elles sont payées à la fin de chaque mois. L'amortissement est de 2 000 $ par mois.

- Le solde de l'encaisse doit être d'au moins 2 000 $. Tous les emprunts sont effectués au début du mois et les remboursements sont faits à la fin du mois. Les emprunts sont des multiples de 1 000 $.

- Les intérêts dont le taux est de 12 % sont payés seulement lors du remboursement de l'emprunt.

Présentez les différents budgets de l'entreprise pour le premier trimestre.

# Les fusions et acquisitions d'entreprises

## Mise en contexte

Les regroupements d'entreprises sont des événements très importants tant pour les entreprises concernées que pour l'économie en général. Les différentes vagues de fusions et d'acquisitions, par leur ampleur et par les sommes d'argent engagées, ont remodelé le paysage de l'économie nord-américaine. Ainsi, Thomson Financial Securities Data rapporte que la dernière vague de regroupements d'entreprises, qui a commencé en 1994, a atteint un montant record de 2 324 milliards de dollars américains en 1999. On voit également des regroupements d'une envergure inédite, tels que ceux de America Online et Time Warner, et de Vodaphone Air Touch et Mannesman, qui ont dépassé les 100 milliards de dollars américains.

Cette activité, qui est d'ailleurs l'une des plus controversées dans le monde de la finance, soulève des questions, dont les suivantes : Quelles motivations conduisent les entreprises à procéder à des regroupements ? Quelles formes ces regroupements prennent-ils ? Comment peut-on évaluer une acquisition ?

Les fusions et les acquisitions sont des projets d'investissement. Les outils développés dans les chapitres précédents, quant aux choix et aux critères d'investissement, sont donc tout à fait adaptés pour étudier la faisabilité et la pertinence d'un projet de fusion ou d'acquisition d'entreprise. Par conséquent, nous allons exploiter les connaissances acquises jusqu'à maintenant, tout en passant en revue les différentes problématiques de la question du regroupement d'entreprises.

## 10.1 Les formes légales de regroupements

Il existe trois principales formes légales de regroupements d'entreprises :

- les fusions ou consolidations ;
- l'acquisition d'actifs ;
- l'acquisition d'actions.

### 10.1.1 Les fusions ou consolidations

Une **fusion** est une opération où un acquéreur absorbe tout l'actif et le passif d'une entreprise qui cessera d'exister. L'acquéreur garde, après cette opération, son nom et son entité juridique. Le nouveau bilan de l'acquéreur est une combinaison des actifs et des passifs des deux entreprises.

De plus, un regroupement est classé comme fusion si le ton est amical, si les gestionnaires des deux firmes coopèrent et si le comité de direction et les actionnaires sont favorables à l'action entreprise.

Une consolidation est une opération similaire à la fusion, à cette différence près que, dans ce cas, l'acquéreur et l'acquis cessent tous les deux d'exister et créent une nouvelle entité.

### 10.1.2 L'acquisition d'actifs

Dans ce processus, l'acquéreur achète les actifs de sa cible. La contrepartie peut être constituée de liquidités ou d'actions. L'entreprise acquise ne cesse pas forcément d'exister, à moins que ses actionnaires décident de la dissoudre. Cette forme d'acquisition est coûteuse, puisqu'elle nécessite le transfert des titres de propriété de chacun des éléments de l'actif.

### 10.1.3 L'acquisition d'actions

Il s'agit de la technique la plus utilisée pour mener à bien un regroupement d'entreprises. Elle consiste à acquérir des parts donnant un droit de vote. Le mode de paiement peut être des liquidités, des actions de l'acquéreur ou une combinaison des deux. L'acquéreur obtient les actifs, mais aussi les passifs de l'acquis.

Dans une acquisition d'actions, l'acquéreur s'adresse directement aux actionnaires de la firme cible. S'il ne passe par aucun intermédiaire, cette acquisition est qualifiée d'offre publique d'achat. Dans cette opération, l'acquéreur fait une offre publique pour acheter des parts de la firme cible et l'adresse directement aux actionnaires.

Cette formule est la plus utilisée. Toutefois, il existe deux autres moyens de procéder à une acquisition d'actions : les offres circulaires, qui consistent à envoyer une offre d'achat par courrier aux actionnaires, et l'utilisation de la Bourse pour véhiculer l'offre d'achat.

À la suite d'une acquisition d'actions, la firme cible n'est pas nécessairement entièrement absorbée par l'acquéreur, contrairement à la fusion. De plus, la résistance bien souvent manifestée par les gestionnaires de la firme cible engendre des coûts plus élevés que ceux d'une fusion.

Étant donné que les termes *fusion*, *acquisition d'actifs* et *acquisition d'actions* évoquent trois formes d'acquisitions différentes, on s'y référera en utilisant indifféremment les termes génériques d'acquisition ou de regroupement[1].

## 10.2 Les catégories d'acquisitions

Les acquisitions peuvent être horizontales, verticales ou par conglomérat.

* **Acquisitions horizontales :** l'acquéreur et sa cible sont deux concurrents directs dans une même industrie.

   Ce type de regroupement est souvent justifié par la volonté de l'acquéreur de réaliser des économies d'échelle. Toutefois, les regroupements horizontaux doivent se plier à une réglementation gouvernementale stricte, car ils limitent le nombre de firmes à l'intérieur d'un même secteur d'activité, ce qui peut engendrer la création de monopoles et l'exercice de pratiques non concurrentielles nuisibles aux consommateurs.

* **Acquisitions verticales :** dans ce type d'acquisitions, les deux firmes œuvrent à des niveaux différents d'une même chaîne de production. Le but est de contrôler les facteurs de production et de distribution afin de réduire le risque lié à l'activité.

---

1. Regroupement d'entreprises : expression utilisée pour designer toute opération par laquelle une entreprise s'unit à une autre ou s'assure le contrôle de son actif. Bien que l'opération puisse prendre différentes formes juridiques, elle a toujours pour résultat de réunir des entreprises distinctes en une seule entité économique. (*Manuel de l'Institut Canadien des Comptables Agréés*)

On procède à ce type de regroupement dans le but de diminuer les coûts relatifs à la recherche des meilleurs prix des produits sous-traités, à leur transport, à la collecte des paiements et à la diminution des coûts de coordination de la production. L'efficacité croît compte tenu du fait que, à l'intérieur d'une seule entreprise, on détient davantage d'informations (ce qui résulte, par exemple, en une meilleure planification de l'inventaire). De plus, si les produits sous-traités sont développés à l'interne, l'entreprise économise la marge de profit qu'elle devrait payer à son fournisseur pour se procurer ces produits.

Toutefois, une telle acquisition ne dégage pas nécessairement des gains. En effet, le coût de la prime à payer pour acquérir la cible et les autres coûts associés à cet achat peuvent remettre en question la pertinence du regroupement.

**Figure 10.1** Exemple d'acquisitions verticales

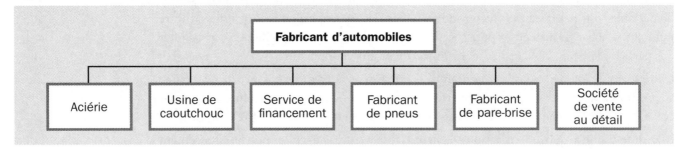

- Acquisitions par **conglomérat** : aucun lien n'est établi entre les activités de l'acquéreur et celles de la cible. Le but de ces regroupements est la diversification des intérêts afin de minimiser les risques.

**Figure 10.2** Exemple de conglomérat

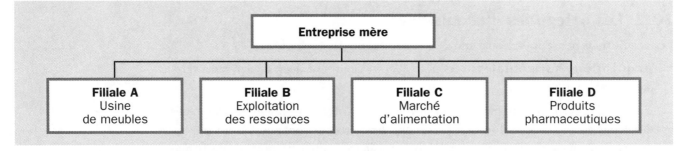

## 10.3   Les bénéfices financiers d'une acquisition

### 10.3.1 Le bénéfice par action

L'un des ratios les plus importants dans l'évaluation des entreprises est le **bénéfice par action** (BPA). Une augmentation de ce ratio est bien perçue par les marchés financiers et c'est ce qui se produit dans une opération d'acquisition. En effet, les regroupements d'entreprises peuvent se faire par échange d'actions. Par conséquent, on constate une amélioration du BPA. Grâce à cette amélioration, les actionnaires ont l'illusion que l'entreprise est en meilleure santé, ce qui n'est pas nécessairement le cas puisque la fusion ne crée aucune valeur ajoutée à moins qu'il y ait synergie. En effet, la valeur de la firme combinée devrait être égale à la valeur des deux entreprises avant le regroupement.

| (en dollars) | Acquéreur préregroupement | Cible préregroupement | Acquéreur postregroupement | |
|---|---|---|---|---|
| | | | **Investisseurs** | |
| | | | **Rationnels** | **Irrationnels** |
| Bénéfice par action (BPA) | 4 | 4 | 5 | 5 |
| Prix de l'action | 100 | 60 | 100 | 125 |
| Prix/bénéfice | 25 | 15 | 20 | 25 |
| Actions (en unités) | 1 000 | 1 000 | 1 600 | 1 600 |
| Bénéfice net | 4 000 | 4 000 | 8 000 | 8 000 |
| Taille (capitalisation boursière) | 100 000 | 60 000 | 160 000 | 200 000 |

Dans l'exemple de regroupement du tableau précédent, étant donné que la cible se négocie à un prix moindre, l'acquéreur devra émettre un nombre moins important d'actions (600 en contrepartie de 1 000 actions). En effet, le bénéfice net a été multiplié par 2 et le nombre d'actions, par 1,6. Le ratio BPA augmente de 25 %, donnant l'illusion d'une meilleure performance alors que l'acquisition n'a pas entraîné de création de valeur.

Si les marchés sont irrationnels, ils interpréteront cette augmentation de 25 % du BPA comme une amélioration réelle de la performance. Étant donné que le ratio prix/bénéfice est de 25, la nouvelle valeur de la firme combinée atteint 200 000 $ (25 × 8 000), et le nouveau prix de l'action est de 125 $ (200 000/1 600).

### 10.3.2 La diversification

La **diversification** permet de diminuer les risques et d'augmenter la richesse des actionnaires, puisqu'elle permet également de diminuer les coûts supposés de la faillite. Cet avantage est toutefois discutable. En effet, une acquisition peut permettre à une entreprise de se diversifier, mais elle engendre, dans la plupart des cas, le paiement d'une prime d'achat d'environ 20 % de la valeur de la cible (pour en prendre le contrôle). Cette prime est certainement excessive compte tenu du fait que les actionnaires peuvent amoindrir leurs risques en investissant dans des portefeuilles diversifiés ou dans des fonds mutuels et en évitant d'engager les coûts d'une acquisition qui peuvent dépasser les bénéfices que l'on en retire.

**EXEMPLE 10.1**

Soit deux entreprises, X et Y, négativement corrélées et susceptibles d'être acculées à la faillite, mais dans des conditions différentes.

Si les probabilités respectives de faillite sont de 10 % et si les coûts associés représentent 25 % de la valeur de l'actif, les coûts espérés en cas de faillite seraient donc de 10 % × 25 % = 2,5 % de la valeur de l'entreprise.

Les deux sociétés étant négativement corrélées, le coût de la faillite s'annule si elles fusionnent.

Ce mécanisme permet d'augmenter la valeur de l'acquisition de 2,5 % ; or, ce gain de valeur peut paraître faible si l'on paie une prime d'achat de 20 % ou plus.

Ainsi, si l'on adopte le point de vue des actionnaires, la diversification ne justifie pas vraiment le choix des entreprises de procéder à un regroupement. Il vaut mieux que l'investisseur diversifie lui-même son portefeuille.

Du point de vue des gestionnaires, une entreprise non diversifiée représente un risque de défaut élevé. Si cette hypothèse se concrétise, le gestionnaire perdra son travail et aura de la difficulté à en trouver un autre aussi bien payé, étant donné que la faillite entachera sa réputation. Le gestionnaire pourra, de ce fait, manifester une certaine aversion pour le risque, ce qui se reflétera dans ses choix de projets d'investissement. Bien souvent, les gestionnaires de firmes non diversifiées rejettent des projets risqués qui auraient pu être profitables pour les actionnaires. De plus, ces gestionnaires demandent souvent des salaires plus élevés (ou d'autres formes de compensation) en réponse à l'insécurité rattachée à leur emploi. Cette compensation devra inévitablement être assumée par les actionnaires.

Dans ce contexte, la diversification peut réduire les risques de faillite et aligner les intérêts des actionnaires et des gestionnaires. Ces derniers seront moins enclins à choisir uniquement des projets à faible risque. Leurs décisions seront donc moins subjectives, et leur compensation sera moindre, puisqu'ils bénéficieront d'une meilleure sécurité d'emploi.

## 10.4 Les bénéfices économiques d'une acquisition

Plusieurs théories ont été avancées afin d'expliquer les motivations économiques d'un regroupement. Nous présenterons sommairement, dans les pages qui suivent, celles qui sont le plus souvent évoquées.

### 10.4.1 La synergie

La première motivation d'un regroupement est d'accroître la valeur de l'entreprise combinée. L'effet de **synergie** devrait permettre à une entreprise formée par la combinaison de deux autres sociétés de valoir plus que les deux entités séparées.

Par exemple, la firme A acquiert la firme B pour former l'entreprise AB.

Selon la théorie de la synergie, on suppose que :

$$V_{AB} > V_A + V_B,$$

où

$V_A$ est la valeur de la firme A ;

$V_B$ est la valeur de la firme B ;

$V_{AB}$ est la valeur de la firme AB.

Le gain incrémentiel de l'acquisition équivaut à :

$$\Delta V = V_{AB} - (V_A + V_B) \tag{10.1}$$

Si $\Delta V > 0$, l'acquisition génère un effet de synergie attribué à l'association de la firme B à la firme A. La valeur de B après son association avec A devient :

$$V_B{}^* = V_B + \Delta V \tag{10.2}$$

### 10.4.2 La croissance des revenus

Cette croissance résulte des économies d'échelle, des combinaisons verticales et du transfert de technologie. Les **économies d'échelle** proviennent d'une meilleure coordination des projets et des opérations. Les combinaisons verticales assurent, quant à elles, une stabilité des fournisseurs et des clients.

### 10.4.3 L'économie d'impôts

Ces bénéfices résultent du fait que les actionnaires évitent de payer des taxes sur les dividendes. De plus, l'acquéreur tire avantage à hériter des pertes de l'entreprise acquise.

Si une société dispose de liquidités restantes après avoir exploité les occasions d'investissement, elle peut utiliser ces liquidités pour payer des dividendes à ses actionnaires, ce qui oblige ces derniers à payer des impôts. L'utilisation du surplus de liquidités pour effectuer un regroupement est une mesure qui permet d'éviter cette imposition.

D'un autre côté, si la société acquise a accusé des pertes avant le regroupement, l'acquéreur aura l'avantage d'utiliser la perte nette de sa cible afin de réduire son imposition. Toutefois, ce bénéfice ne se réalise que lorsque l'acquéreur sait qu'il pourra redresser la situation de l'acquis ou vendre ses actifs à profit.

## 10.5 L'évaluation d'une acquisition

Cette évaluation consiste à déterminer, dans un premier temps, la valeur de la cible dans sa forme présente. Il faut donc observer la valeur au marché de la firme et en déduire la partie qui provient de l'augmentation du prix de l'action de la cible en raison de l'annonce du regroupement. Cette évaluation permet de connaître la valeur minimale que l'acquéreur peut offrir à la cible. Cependant, si l'acquéreur souhaite réussir le regroupement, il devra payer une **prime de contrôle,** qui devra, elle aussi, être évaluée.

Pour ce faire, il faudra connaître :

- les sources et la valeur des bénéfices que l'acquéreur tire du regroupement (bénéfices économiques et financiers). Une fois cette valeur déterminée, il faudra l'actualiser pour en déduire les coûts administratifs et tout autre coût déboursé pour accomplir le regroupement (paiement des professionnels, avocats, etc.) ;
- l'acquéreur devra également déterminer les options qui lui permettraient d'obtenir des bénéfices identiques à ceux qu'il tire du regroupement. En déterminant la meilleure option et en l'évaluant, l'acquéreur peut réduire la prime à payer du montant de la valeur de cette option.

Avant de procéder à la détermination de la prime de contrôle, il faut, au préalable, comprendre pourquoi les acquéreurs acceptent de payer cette prime.

Plusieurs raisons font que les acquéreurs ne peuvent acheter une cible à sa juste valeur marchande. Tout d'abord, l'acquéreur bénéficie, par l'acquisition, de nouvelles occasions. De la sorte, les actifs présents auront une plus grande valeur. Une partie de la valeur présente de ces gains devra donc être payée aux actionnaires de l'entreprise acquise afin qu'ils acceptent de vendre leurs parts. De plus, si plusieurs entreprises veulent profiter des bénéfices que pourrait engendrer l'acquisition de cette cible, plusieurs offres seront déposées et les surenchères feront augmenter la prime de contrôle.

En l'absence d'offres compétitives, la prime devra tout de même être offerte, mais sera certainement moindre. En effet, les actionnaires de la firme cible pourraient croire qu'il y a effectivement des bénéfices à tirer de l'acquisition et, par conséquent, d'autres offres d'achat pourraient être faites.

Ici, une autre question se pose : Quel est le prix maximal que l'acquéreur devra payer ?

Comme nous l'avons mentionné précédemment, le prix minimal à payer pour acquérir une cible devrait théoriquement être égal à la valeur marchande de cette cible en l'absence de surenchère. Quant à la valeur maximale de l'offre, elle est égale à la valeur marchande actuelle de la cible à laquelle on additionne la valeur nette actualisée des bénéfices de l'acquisition ($\Delta V$). De cette somme, on déduit la valeur nette présente des options à cette acquisition, qui pourraient générer les mêmes bénéfices.

La valeur de l'offre devrait se situer à l'intérieur de l'intervalle qui sépare le prix minimal du prix maximal et devrait satisfaire les deux parties.

## EXEMPLE 10.2

| Valeur de l'offre par rapport à l'annonce d'un regroupement | | | |
|---|---|---|---|
| | 6 mois avant l'annonce | 3 mois avant l'annonce | Date d'annonce |
| Indice TSE | 1 000 | 1 060 | 1 100 |
| Prix actuel de la cible (sur le marché) (en dollars) | 84 | 103 | 120 |
| Prix espéré de l'acquisition (en dollars) | 84 | 97 | 105 |
| Rendement anormal (en dollars) | 0 | 6 | 15 |

Au moment de l'annonce de l'acquisition, le prix de la cible est de 120 $.

Le bêta de la cible est égal à 2,5.

La valeur actualisée des bénéfices espérés de l'acquisition (évalués par les gestionnaires) est de 30 $ par part.

Quelle est, alors, la valeur maximale de l'offre ?

Si l'on considère les six mois précédant l'annonce de l'acquisition, on note une augmentation du mouvement de marché (mesuré par l'indice) de 10 %, alors que le prix de la cible a augmenté de 43 % [(120 − 84)/84]. Or, $\beta = 2,5$, l'augmentation devrait donc être égale à 25 %.

En l'absence d'autres informations importantes au cours de ces six mois (par exemple, l'annonce de bons résultats inattendus), cette différence dans le mouvement du prix est attribuée à un rendement anormal. Le mouvement du prix de la cible aurait dû s'arrêter à 105 (augmentation de 25 %) plutôt qu'à 120. Le résultat anormal serait alors de 15 $ par part (120 − 105).

Le prix maximal de l'offre devrait être le prix au marché de la cible + le bénéfice de l'acquisition par part − le rendement anormal.

Dans le cas présenté ici, le prix maximal de l'offre devrait être de 120 + 30 − 15 = 135 $ par part.

Une fois le prix de l'offre déterminé, après négociation entre l'acquéreur et l'entreprise ciblée, l'acquéreur est en mesure de calculer le bénéfice net espéré qu'il peut tirer de l'acquisition.

### 10.5.1  Le calcul du bénéfice net espéré du regroupement

Considérons deux firmes, A et B, dont les valeurs respectives sont $V_A$ et $V_B$. Ces deux firmes fusionnent pour créer une seule firme, AB, dont la valeur est $V_{AB}$. Le gain incrémentiel de cette fusion est $\Delta V$ :

$$\Delta V = V_{AB} - (V_A + V_B)$$

La valeur totale de la firme B après sa fusion avec la firme A est $V_B^*$ :

$$V_B^* = V_B + \Delta V$$

La valeur nette présente que la firme A tire de cette fusion s'élève à :

$$\text{NPV} = V_B^* - \text{coût de l'acquisition} \tag{10.3}$$

## EXEMPLE 10.3

Voici la situation des firmes A et B avant leur fusion.

|  | Firme A | Firme B |
|---|---|---|
| Prix de l'action (en dollars) | 1 00 | 60 |
| Nombre d'actions | 1 000 | 1 000 |
| Valeur marchande totale (en dollars) | 100 000 | 60 000 |

On suppose que ces deux firmes sont entièrement constituées d'actions, et que les gestionnaires de la firme A estiment que la valeur incrémentielle qu'ils tirent de cette fusion est $\Delta V = 20\ 000$.

La valeur de la firme B après sa fusion avec la firme A serait donc :

$$V_B^* = V_B + \Delta V$$
$$= 60\ 000 + 20\ 000$$
$$= 80\ 000\ \$$$

Ainsi, si la firme A achète la firme B, elle pourrait recevoir une valeur de 80 000 $. Toutefois, on ne peut juger si cet investissement est intéressant qu'après la déduction des coûts, dont le montant dépend du moyen de paiement utilisé pour effectuer cette transaction. Le paiement peut être fait en actions ou en liquidités (comptant ou dettes).

### 10.5.2   Le paiement en liquidités

Dans le cas de paiement en liquidités, le coût de la transaction se limite au juste montant payé. Si les deux parties conviennent d'un prix par action de 70 $, la valeur nette actualisée de l'acquisition en liquidités devient :

$$NPV = V_B^* - \text{coût de l'acquisition}$$
$$= 80\ 000 - 70\ 000$$
$$= 10\ 000\ \$$$

L'acquisition est donc profitable et la nouvelle valeur de la firme combinée devient :

$$V_{AB} = V_A + (V_B^* - \text{coût de l'acquisition})$$
$$= 100\ 000 + (80\ 000 - 70\ 000)$$
$$= 110\ 000\ \$$$

### 10.5.3   Le paiement en actions

Lorsque le regroupement se fait par échange d'actions, les actionnaires de la firme B reçoivent des actions de la firme A en contrepartie des actions qu'ils détenaient dans la firme B.

Étant donné que le prix d'achat est de 70 000 $, la firme A émettra 700 actions (70 000 / 100). Le nombre d'actions en circulation atteint 1 000 + 700 = 1 700 actions et la nouvelle valeur de la firme A devient :

$$V_{AB} = V_A + V_B + \Delta V$$
$$= 100\ 000 + 60\ 000 + 20\ 000$$
$$= 180\ 000\ \$$$

Ainsi, l'action prend une nouvelle valeur : 106 $ (180 000/1 700), et le coût des actions émises est de 74 200 $ (106 × 700).

Le bénéfice net actualisé que la firme A tire de la fusion est donc :

$$\text{NPV} = V_B^* - \text{coût de l'acquisition}$$
$$= 80\ 000 - 74\ 200$$
$$= 5\ 800\ \$$$

Nous remarquons que la firme A obtient un gain net plus élevé lorsqu'elle utilise les liquidités comme moyen de paiement. En effet, dans le cas d'un échange d'actions, les actionnaires de la firme A partageront les gains du regroupement avec les actionnaires de la firme B.

## 10.6 La comptabilisation d'un regroupement

Il existe deux méthodes principales pour comptabiliser une transaction d'acquisition : la méthode de l'achat pur et simple et la méthode de la fusion d'intérêts communs.

### 10.6.1 L'achat pur et simple

« Selon cette méthode, la part de l'actif et du passif de la compagnie acquise est comptabilisée dans les états financiers de la compagnie acheteuse, au coût d'acquisition pour cette dernière[2]. »

La comptabilisation par la méthode de l'achat pur et simple respecte le principe comptable qui veut que tout actif acquis soit inscrit dans les livres de l'acquéreur à son prix coûtant.

Si le prix payé par l'acquéreur pour sa quote-part des actifs nets de l'entreprise acquise est supérieur à la juste valeur marchande de cet actif net, un **fonds commercial de consolidation** (*goodwill*) résultera de l'acquisition et sera comptabilisé dans l'actif. L'achalandage devra, par la suite, être amorti sur une période ne dépassant pas 40 ans.

### 10.6.2 La fusion des intérêts communs

« Selon la méthode de la fusion des intérêts communs, on regroupe les éléments de l'actif et du passif et on les porte dans les états financiers de la compagnie englobante à la valeur inscrite dans les livres des compagnies constituantes[3]. »

Cette méthode est certainement plus simple, puisqu'elle consiste à additionner les différentes rubriques des bilans des deux entreprises engagées dans le regroupement. On ne recourt pas à la création d'un achalandage. Toutefois, cette méthode ne s'applique que si le paiement se fait par échange d'actions.

**EXEMPLE 10.4**

| | Firme A | | | | Firme B |
|---|---|---|---|---|---|
| Capital actif | 10 | Parts | 30 | 3 | 10 |
| Actif fixe | 20 | | | 7 | |
| Total actif | 30 | Total passif | 30 | 10 | 10 |

Si l'on suppose que l'actif fixe de B est évalué à 12, le total de l'actif de B s'élèvera donc à 15. A paye 17 à B. La différence de 2 représente le montant de l'achalandage. Ce montant rémunère l'actif qui ne figure pas dans le bilan : occasions de croissance, employés formés, clientèle et autres actifs incorporels.

---

2. *Manuel de l'Institut Canadien des Comptables Agréés.*

3. *Manuel de l'Institut Canadien des Comptables Agréés.*

On suppose également que A emprunte tout le montant de l'achat et paye en liquidités ; le bilan, selon la méthode de l'achat pur et simple, se présente donc comme suit.

### Bilan selon la méthode de l'achat pur et simple

| AB | | | |
|---|---|---|---|
| Capital actif | 13 | Dettes | 17 |
| Actif fixe | 32 | Actions | 30 |
| Achalandage | 2 | | |
| Total | 47 | Total | 47 |

On suppose maintenant que l'achat se fait par échange d'actions. On utilise alors la méthode de la fusion des intérêts communs.

### Bilan selon la méthode de la fusion des intérêts communs

| AB | | | |
|---|---|---|---|
| Capital actif | 13 | Dettes | |
| Actif fixe | 27 | Actions | 40 |
| Total | 40 | Total | 40 |

# Conclusion

Les fusions et les acquisitions ont connu une croissance importante au cours des dernières décennies. Elles sont motivées par les différentes conséquences financières et économiques qu'elles peuvent engendrer, comme, entre autres, l'effet de synergie, la réduction de l'imposition, la croissance des revenus et la diversification.

Ces mouvements d'entreprises peuvent prendre différentes formes juridiques : fusions, acquisitions d'actif ou acquisitions d'actions, et être de différents types : acquisitions verticales, horizontales ou par conglomérat. Un regroupement d'entreprises suppose le paiement d'une prime de contrôle aux actionnaires de la firme acquise. Cette prime augmente le coût de l'acquisition et réduit, par conséquent, la valeur nette présente de l'acquisition.

Le mode de paiement prend aussi une importance considérable dans l'évaluation de l'acquisition, puisqu'il influence le coût que l'acquéreur doit supporter afin d'accomplir le regroupement.

# À retenir

1. Une fusion est une opération où un acquéreur absorbe tout l'actif et le passif d'une entreprise qui cessera d'exister.

2. Un regroupement est considéré comme une fusion si le ton est amical, s'il y a coopération entre les gestionnaires des deux firmes et si le comité de direction et les actionnaires sont favorables à l'opération.

3. Une consolidation est une opération similaire à la fusion à cette différence près que, dans ce cas, l'acquéreur et l'acquis cessent tous les deux d'exister et créent une nouvelle entité.

4. L'acquisition d'actions est la technique la plus utilisée pour procéder à un regroupement d'entreprises. Elle consiste à acquérir des parts donnant un droit de vote.

5. Dans une acquisition horizontale, l'acquéreur et sa cible sont deux concurrents directs dans un même secteur d'activité.

6. Dans une acquisition verticale, les deux firmes œuvrent à des niveaux différents d'une même chaîne de production.

7. Dans un conglomérat, il n'y a aucun lien entre les activités de l'acquéreur et celles de la cible.

8. La première motivation d'un regroupement est d'accroître la valeur de l'entreprise combinée. L'effet de synergie devrait permettre à une entreprise formée par la combinaison de deux autres sociétés de valoir plus que les deux entités séparées.

9. L'achat pur et simple : en vertu de cette méthode, la part de l'actif et du passif de l'entreprise acquise est comptabilisée au coût d'acquisition dans les états financiers de la société acheteuse.

10. La fusion des intérêts communs : selon la méthode de la fusion des intérêts communs, on regroupe les éléments de l'actif et du passif et on les porte dans les états financiers de l'entreprise englobante à la valeur inscrite dans les livres des sociétés constituantes.

## Mots-clés

Le gain incrémentiel de l'acquisition ou de la fusion

$$\Delta V = V_{AB} - (V_A + V_B) \qquad (10.1)$$

La valeur totale de la firme B après sa fusion avec la firme A

$$V_B^* = V_B + \Delta V \qquad (10.2)$$

La valeur nette présente découlant d'une fusion

$$NPV = V_B^* - \text{coût de l'acquisition} \qquad (10.3)$$

# Étude de cas

## L'ACQUISITION DE PECHINEY PAR ALCAN[4]

Alcan inc. (NYSE, TSX : AL) a rendu public, au début de 2004, un projet d'offre sur le capital de Pechiney (NYSE : PY ; PARIS : PEC). Par ce rapprochement, Alcan souhaite consolider sa position de leader dans le domaine de l'aluminium et solidifier sa position dans le secteur de l'emballage. Le nouvel ensemble pourra ainsi bénéficier d'un portefeuille de produits élargi, d'une supériorité technologique renforcée et de marchés potentiels plus nombreux.

« Cette offre est avantageuse et maximise la valeur offerte aux actionnaires, aux clients et aux autres partenaires des deux entreprises. Alcan et Pechiney sont deux sociétés de grande qualité et leur regroupement constitue une occasion exceptionnelle de croissance et le moment est venu de la réaliser », commente M. Travis Engen, président-directeur général d'Alcan.

À l'issue de l'opération, l'entreprise élargie bénéficiera d'économies d'échelle, de moyens financiers renforcés et d'une capacité accrue de satisfaire ses clients partout dans le monde. Dans le but de souligner la présence industrielle considérablement accrue de l'entreprise en France, Alcan a l'intention de localiser à Paris son siège mondial pour les activités d'emballage. Par ailleurs, Alcan a également retenu la France pour établir le siège de ses activités européennes d'aluminium primaire ainsi que le centre mondial de développement de la nouvelle technologie de cuves.

### Les points clés de l'offre

Dans l'offre, on évalue chaque action Pechiney à 41 euros, ce qui représente une prime de 28 % sur le cours de clôture du 2 juillet 2003 et de 39 % sur la moyenne du dernier mois.

L'offre est composée de numéraire à hauteur de 60 % et de nouveaux titres Alcan à hauteur de 40 %. Les principales caractéristiques de l'offre sont les suivantes :

---

4. Site Web : www.alcan.com.

- offre principale : 123 euros et 3 actions Alcan pour 5 actions Pechiney ;

- offre subsidiaire en numéraire (OPA) : 41 euros par action Pechiney ;

- offre subsidiaire en actions Alcan (OPE) : 3 actions Alcan pour 2 actions Pechiney ;

- ces deux offres subsidiaires reposent sur le respect d'une proportion de 60 % en numéraire et de 40 % en actions Alcan ;

- offre publique d'achat sur les OCEANE : 81,7 euros par OCEANE.

L'offre est conditionnelle à des autorisations gouvernementales et réglementaires, ainsi qu'à l'apport d'au moins 50 % des actions Pechiney à l'offre.

### Le profil de la cible (en 2002, année de la transaction)

Pechiney est un groupe international coté à Paris et à New York. Ses trois secteurs principaux sont l'aluminium primaire, la transformation de l'aluminium et l'emballage. L'entreprise a réalisé un chiffre d'affaires de 11,9 milliards d'euros en 2002. Elle emploie 34 000 salariés.

### Le profil de l'acquéreur (en 2002, année de la transaction)

Alcan est une société multinationale résolument axée sur le marché, dont le chiffre d'affaires s'est élevé à 12,5 milliards de dollars américains en 2002. Alcan est un leader mondial dans les domaines de l'aluminium, des emballages et du recyclage. Grâce à ses établissements de classe mondiale dans les secteurs de la production d'aluminium de première fusion, de la transformation de l'aluminium et des emballages flexibles et de spécialité, l'entreprise est bien placée pour fournir à ses clients des solutions et des services innovateurs qui répondent à leurs besoins et vont même plus loin. Alcan compte 54 000 employés et possède des unités d'exploitation dans 42 pays.

La réunion des établissements qui résultera du rapprochement entre Alcan et Pechiney fera en sorte que la nouvelle société sera encore mieux placée pour fournir à ses clients des solutions et des services innovateurs qui répondent à leurs besoins. Ensemble, Alcan et Pechiney emploient 88 000 personnes et possèdent des unités d'exploitation dans 63 pays.

Pour obtenir de plus amples renseignements sur l'offre, veuillez consulter le site Web d'Alcan (www.alcan.com), le site Web de l'Autorité des marchés financiers – France (www.amf-france.org) ou le site Web d'Euronext Paris (www.euronext.com).

## Exercices

1. Expliquez l'importance du choix du mode de paiement dans l'évaluation d'une acquisition.

2. Quelles sont les différences entre les différentes méthodes de comptabilisation d'une acquisition ?

3. Quels gains financiers retire-t-on d'une acquisition ?

# Index des sujets

# Sources iconographiques